U0475658

废名全集

第六卷

论著（一）

陈建军／编

湖北省学术著作出版专项资金
Hubei Special Funds for Academic Publications

HAN BOOK 版
武漢出版社
WUHAN PUBLISHING HOUSE

（鄂）新登字08号

图书在版编目（CIP）数据

废名全集. 第六卷, 论著. 一 / 陈建军编. — 武汉:武汉出版社, 2023.10
ISBN 978-7-5582-6071-1

Ⅰ. ①废… Ⅱ. ①陈… Ⅲ. ①废名（1901-1967）—全集 Ⅳ. ①I217.2

中国国家版本馆CIP数据核字（2023）第096931号

编　　者：陈建军
责任编辑：宋诗琴
封面设计：刘福珊
督　　印：方　雷　代　湧
出　　版：武汉出版社
社　　址：武汉市江岸区兴业路136号　　　　邮　　编：430014
电　　话：(027)85606403　　85600625
http://www.whcbs.com　　E-mail: whcbszbs@163.com
印　　刷：湖北新华印务有限公司　　　　经　　销：新华书店
开　　本：880 mm × 1230 mm　　1/32
印　　张：11.75　　　　字　　数：270千字
版　　次：2023年10月第1版　　2023年10月第1次印刷
定　　价：980.00元（全套十卷）

废名

废名(最后排左八)与北京大学中文系师生合影

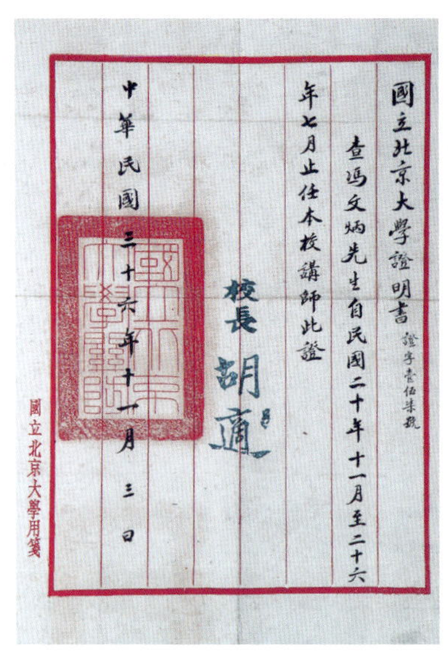

國立北京大學證明書

證字壹佰柒號

查馮文炳先生自民國二十年十一月至二十六年七月止任本校講師此證

校長 胡適

中華民國三十六年十一月三日

國立北京大學用箋

北京大学讲师职称证明书

《谈新诗》，新民印书馆1944年11月初版

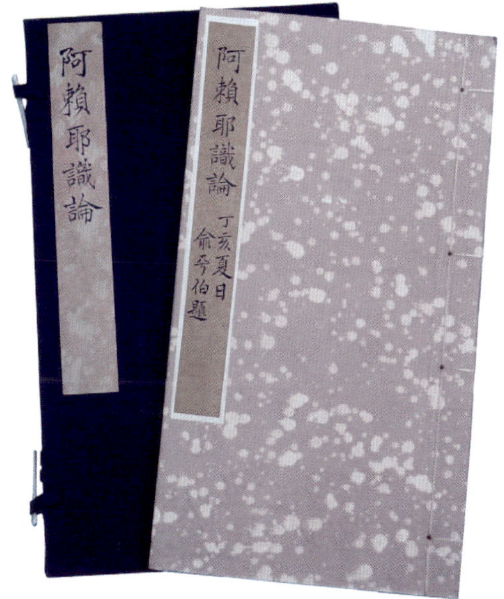

《阿赖耶识论》家藏本

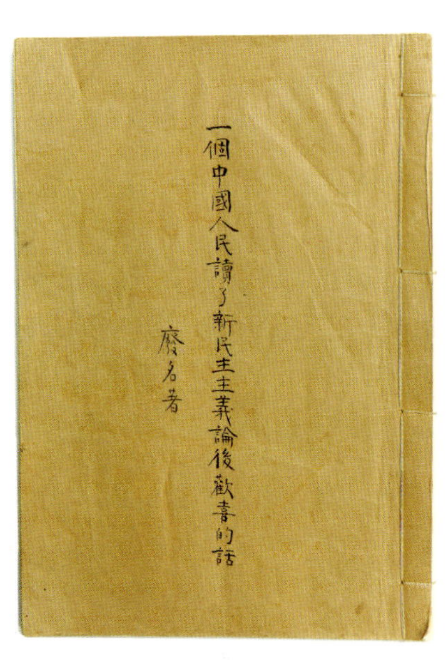

《一个中国人民读了新民主主义论后欢喜的话》手稿封面

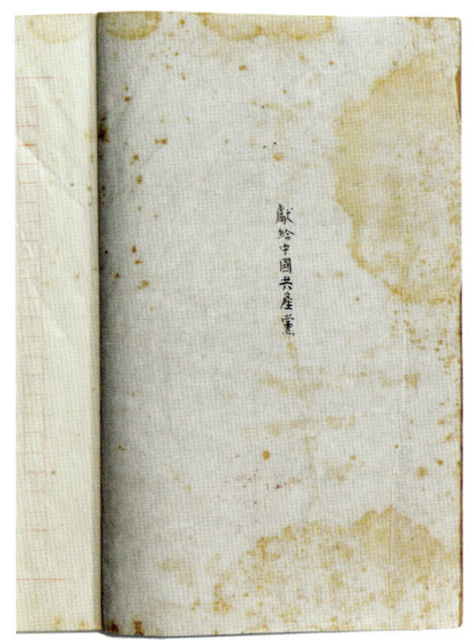

《一个中国人民读了新民主主义论后欢喜的话》手稿扉页

目　　录

第六卷　论著(一)

谈新诗

新民印书馆1944年11月初版，“艺文丛书”之一，署名冯文炳。书首有知堂(周作人)《序》，书末附药堂(周作人)《怀废名》和黄雨《跋》。共12章，其中第3章、第4章分别载《文学集刊》1943年9月第1辑、1944年1月第2辑，署名废名。

序

这一册《谈新诗》是废名以前在北京大学讲过的讲义，黄雨君保存着一份底稿，这回想把他公刊，叫我写篇小序，这在我是愿意也是应当的。为什么呢？难道我们真是要想专卖废名么，那未必然。这也只因为我对于这件事多少更知道一点罢了。废名在北京大学当讲师，是胡适之兼任国文学系主任的时候，大概是民国二十四年至二十六年。最初他担任散文习作，后来添了一门现代文艺，所讲的是新诗，到第三年预备讲到散文部分，芦沟桥的事件发生，就此中止，这是很可惜的一件事。新诗的讲义每章由北大出板组印出之先，我都见过，因为废名每写好了一章，便将原稿拿来给我看，加上些意见与说明。我因为自己知道是不懂诗的，别无什么可否，但是听废名自讲或者就是只看所写的话，觉得很有意思。因为里面也总有他特别的东西，他的思索与观察。废名的诗不知道他愿意不愿意人家把他出板，这册《谈新诗》的讲义本来是公开的，现今重刊一回，对于读者有不少益处，废名当然不会有什么异议。废名这两年没有信来，不知道他是否还在家里，五月里试寄一张明信片去，附注一笔请他告知近况。前几天居然得到回信，在路上走了不到二十天，这实在是很难得的。既然知道了他的行踪，也就可以再寄信去，代达黄雨君的意思，不过回答到来恐怕要在《谈新诗》的出板以后了吧。来信里有一部分关于他自己的生活，说的很有意思。“此学校是初级中学，因为学生都是本乡人，虽是新制，稍具古风，对于先生能奉薪米，故生活能以维持也。小家庭在离城十五里之祠堂，距学校有五十里，且须爬山，爬虽不过五里，五十里路惟以此五里为畏途耳。”后面又说到学问，对于其同乡之熊翁仍然不敬，谓其《新唯识论》一书站脚不住矣，读了觉得很有趣。末了说于春日动手著一部论，已成四章，旋因教课少暇，未能继续，全书大约有二十章或多，如能于与知堂翁再见时交此一份卷，斯为大幸。废名的厚意很可感，只是《肇论》一流的书我生怕看不大懂，正如对于从前信中谈道的话未能应对一样，未免将使废名感觉寂寞，深以为歉耳。

民国甲申七月二十日　知堂记于北京

一　尝试集

要讲现代文艺，应该先讲新诗。要讲新诗，自然要从光荣的《尝试集》讲起。

我们的目的在乎“文艺”，即是说从新文艺创作本身上考察，不是注重新文学运动怎么起来的。我们现在谈《尝试集》，也是谈《尝试集》里面的新诗。大家知道，胡适的《尝试集》，不但是我们的新诗的第一部诗集，也是研究我们的新文学运动首先要翻开的一册书，然而对于《尝试集》最感得趣味的，恐怕还是当时紧跟着新文学运动而起来的一些文学青年，像编者个人就是，《尝试集》初版里的诗，当时几乎没有一首我背不出来的，此刻我再来打开《尝试集》，其满怀的情意，恐怕不能讲给诸位听的了。别的什么倒都可以讲。我就本着我今日的标准从《尝试集》里选出新诗来讲罢。我今日来讲新诗，我自己感觉得是一个很有趣的题目。在这个好题目之下，从头来讲《尝试集》，我自己又感觉得是一个很有趣的题目。且请大家让我慢慢的讲。

看我上面的话，好像我很有把握似的，然而等我真个下手要从《尝试集》里选出几首新诗来，不是普通的选择，选出来要合乎我所假定的新诗的标准，这一来我又很没有把握。怎么样才算是新诗？这个标准在我的心里依然是假定着。《尝试集》里有几首诗，在我的心算里本来也早已选好了，并不待今天再来翻开《尝试集》看。但是，等到今天我把《尝试集》初版同四版都看了一遍，并且看了一看《中国新文学大系·建设理论集》里胡适之先生自己论诗的文章，我乃自己觉得自己很可笑，我所干的大约真是一件冒险的事情，不敢说是有把握了。因为是我尊重"戏台里喝采"的，作者自己的话总比旁人靠得住些。我再一想，我的意见实在并不是同作者相反的，胡适之先生在论诗的文章里所谈的是做诗的技巧，我所注意的乃是中国自有新诗以来十几年内新诗坛上有了许许多多的诗因而引起了我的一种观察，什么样才是新诗。本着这个观点我来选《尝试集》里的诗，到底我还是觉得有趣的。至于我这个观点靠不靠得住，也无妨就算我这一番工作是"灵魂的冒险"，等我把"新诗"这个总题目讲完了，然后是非付之公论。《尝试集》里我所选的第一首诗，就是《尝试集》增订四版第一首：

蝴　蝶

两个黄蝴蝶，双双飞上天。
　不知为什么，一个忽飞还。
剩下那一个，孤单怪可怜；
　也无心上天，天上太孤单。

（五年八月二十三日）

提到这一首《蝴蝶》，我不由得记起一件事情，大约是民国六七年的时候，我在武昌第一师范学校里念书，有一天我们新来了一位国文教师，我们只知道他是从北京大学毕业回来的，又知道他是黄季刚的弟子，别的什么都不知道，至于什么叫做新文学什么叫做旧文学，那时北京大学已经有了新文学这么一回事，更是不知道了，这位新来的教师第一次上课堂，我们眼巴巴的望着他，他却以一个咄咄怪事的神气，拿了粉笔首先向黑板上写"两个黄蝴蝶，双双飞上天……"给我们看，意若曰，"你们看，这是什么话！现在居然有大学教员做这样的诗！提倡新文学！"他接着又向黑板上写着"胡适"两个字，告诉我们《蝴蝶》便是这个人做的。我记得我当时只感受到这位教师一个"不屑于"的神气，别的没有什么感觉，对于"两个黄蝴蝶，双双飞上天"，没有好感，亦没有恶感，不觉得这件事情好玩，亦不觉得可笑，倒是觉得"胡适"这个名字起得很新鲜罢了。这位教师慢慢的又在黑板上写一点"旧文学"给我们看，先写晏几道的"梦后楼台高锁……"，再写元人小令"枯藤老树昏鸦，小桥流水人家，古道西风瘦马，夕阳西下，断肠人在天涯"，称赞这都是怎么好。当时我对这个"枯藤老树昏鸦"很觉得喜欢，而且把它念熟了，无事时便哼唱起来。我引这一段故事，并不是故意耽误时间，倒是想借这一件小事情发一点议论。我现在的意见是同那一位教师刚刚相反，我觉得那首《蝴蝶》并不坏，而"枯藤老树昏鸦"未必怎么好。更显明的说一句，《蝴蝶》算得一首新诗，而"枯藤老树"是旧诗的灵调而已。我以为新诗与旧诗的分别尚不在乎白话与不白话，虽然新诗所用的文字应该标明是白话的。旧诗有近乎白话的，然而不能因此就把这些旧诗引为新诗的同调。好比上面所引的那首元人小令，正同一般国画家的山水画一样，是模仿的，没有作者的个性，除了调子而外，我却是看不出好处来。同类的景物描写，在旧诗里尽有佳作，如什么"淡黄杨柳带栖鸦"，什么"古道无人行，秋风动禾黍”，又如有名的“乐游原上清秋节，咸阳古道音尘绝，音尘绝，西风残照，汉家陵阙”，都很好，都不只有调了〔子〕，里头都有性情。胡适之先生在《谈新诗》一文里，也称引了那首元人小令，说“这是何等具体的写法！”其实像这样的诗正是抽象的写法，因为它只是调子而已。如果因为它近乎白话的原故，把它算做白话诗，算做新诗，则我们的新诗的前途很是黯淡，我们在旧诗面前简直抬不起头来。这个意思就这样简单说几句。我们还是来讲《尝试集》里《蝴蝶》一诗。我觉得《蝴蝶》这首诗好，也是后来的事，我读着，很感受这诗里的内容，同作者别的诗不一样，我也说不出所以然来，为什么这好像很飘忽的句子一点也不令我觉得飘忽，我仿佛这里头有一个很大的情感，这个情感又很质直。这回我为得要讲“现代文艺”这门功课的原故，从别处搬了十大本《中国新文学大系》回来，在《建设理论集》里翻开第一篇《逼上梁山》来看，（这篇文章原来是《四十自述》的一章，以前我没有读过）作者关于《蝴蝶》有一段纪事，原来这首《蝴蝶》乃是文学革命这个大运动头上的一只小虫，难怪诗里有一种寂寞。我且把《逼上梁山》里面这一段文章抄引下来：

“有一天，我坐在窗口吃我自做的午餐，窗下就是一大片长林乱草，远望着赫贞江。我忽然看见一对黄蝴蝶从树梢飞上来；一会儿，一只蝴蝶飞下去了；还有一只蝴蝶独自飞了一会，也慢慢的飞下去，去寻他的同伴去了，我心里颇有点感触，感触到一种寂寞的难受，所以我写了一首白话小诗，题目就叫做‘朋友’（后来才改作‘蝴蝶’）：

两个黄蝴蝶，双双飞上天。

不知为什么，一个忽飞还。
剩下那一个，孤单怪可怜；
也无心上天，天上太孤单。

这种孤单的情绪，并不含有怨望我的朋友的意思。我回想起来，若没有那一班朋友和我讨论，若没有那一日一邮片，三日一长函的朋友切磋的乐趣，我自己的文学主张决不会经过那几层大变化，决不会渐渐结晶成一个有一系统的方案，决不会慢慢的寻出一条光明的大路来。……”这一段纪事，我觉得可以帮助我说明什么样才是新诗。我尝想，旧诗的内容是散文的，其诗的价值正因为它是散文的。新诗的内容则要是诗的，若同旧诗一样是散文的内容，徒徒用白话来写，名之曰新诗，反不成其为诗。什么叫做诗的内容，什么叫做散文的内容，我想以后随处发挥，现在就《蝴蝶》这一首新诗来做例证，这诗里所含的情感，便不是旧诗里头所有的，作者因了蝴蝶飞，把他的诗的情绪触动起来了，在这一刻以前，他是没有料到他要写这一首诗的，等到他觉得他有一首诗要写，这首诗便不写亦已成功了，因为这个诗的情绪已自己完成，这样便是我所谓诗的内容，新诗所装得下的正是这个内容。若旧诗则不然，旧诗不但装不下这个我〔诗〕的内容，昔日的诗人也很少有人有这个诗的内容，他们做诗我想同我们写散文一样，是情生文，文生情的，他们写诗自然也有所触发，单把所触发的一点写出来未必能成为一首诗，他们的诗要写出来以后才成其为诗，所以旧诗的内容我称为散文的内容。像陈子昂《登幽州台歌》，“前不见古人，后不见来者，念天地之悠悠，独怆然而涕下”，便是旧诗里例外的作品，正因为这首诗是内容。

旧诗五七言绝句也多半是因一事一物的触发而起的情感，这个情感当下便成为完全的诗的，如“木末芙蓉花，山中发红萼，涧户寂无人，纷纷开且落”，又如“窗前明月光，疑是地上霜，举头望明月，低头思故乡”，大约都是，但这些感情都可以用散文来表现，可以铺开成一篇散文，不过不如绝句那样含蓄多致罢了。这个含蓄多致又正是散文的长处。古诗如陶渊明的诗又何尝不然，一首诗便是一篇散文，而诗又写得恰好，若一首新诗的杰作，决不能用散文来改作，虽然新诗并没有什么严格的诗的形式。这件事情未免有点古怪。我尝想，我们的新诗的前途很光明，但是偶然发现了这一线的光明，确乎是“尝试”出来的，虽然同胡适之先生当初用那两个字的意思有点不同。我又想，我们新文学的散文也有很光明的前途，旧诗的长处都可以在新散文里发展。这里头大概是很有一个道理，此刻只是顺便说及罢了。关于我所谓诗的内容在这里我还想补足一点，旧诗绝句有因一事的触发当下便成为诗的，这首诗的内容又正是新诗的内容，结果这首旧诗便失却它的真价值，因为这里容纳它不下，好像它应该是严装，而他〔它〕便装了，不过这种例子很难得，我一时想起的是李商隐的一首绝句，“东南一望日中乌，欲逐羲和去得无？——且向秦楼棠树下，每朝先觅照罗敷！”这首诗是即景生情，望着远远的太阳想到什么人去了，大约真是天涯一望断人肠，于是传〔诗〕人就做起诗来，诗意是说，追太阳去是不行的，——这是望了今天的太阳而逗起的心事，于是又想到明天早晨“日出东南隅”，在那个地方有一个人儿，太阳每天早晨都照着她罢！这首诗简直是由一个夕阳忽而变为一个朝阳，最不可及，然而读者容易当作胡乱用典故的旧诗，这样的诗内容旧诗实在装不下，结果这首旧诗好像文胜质，其实它的质很重。我引这个例子是想从反面来说明我所谓诗的内容，不过话已竟离题目远了。《尝试集》里我想选的第二首诗是《四月二十五夜(作)》，我注意这首诗是读《初期白话诗稿》的时候，《尝试集》四版里这首诗却已删去了，现在我照《初期白话诗稿》引了来：

四月二十五夜作

吹了灯儿，卷开窗幕，放进月光满地。

对着这般月色，教我要睡也如何睡？

我待要起来，遮着窗儿，推出月光，又觉得有点对他月亮儿不起。

我整日里讲王充，仲长统，阿里士多德，爱比苦拉斯，……几乎全忘了我自己。

多谢你殷勤好月，提起我当年哀怨，过来情思。我就千思万想，直到月落天明，也甘心愿意。怕明夜云密遮天，风狂打屋，何处能寻你？

这首诗真是写得很好。句子也好，才情也好。我羡慕不置。真是"即使杀了我，我也做不出来。"最后一句"怕明夜(按，《尝试集》初版作"明朝")云密遮天，风狂打屋，何处能寻你？"其实是多余的，可以不要，作者的诗的情感写到"直到月落天明，也甘心愿意"已经完成了。我觉得这首诗可以算得《尝试集》里的新诗，这样诗的内容不是旧诗所装得下的。这首诗同那首《蝴蝶》是一样，诗之来是忽然而来，即使不写到纸上而诗已成功了。又难得写得那么好。像"放进月光满地"的句子真是写得同水银一样。

"推出月光"一句也美丽得很。最后的"直到月落天明,也甘心愿意"来得响亮明净,可惜作者没有就此打住。

二 “一颗星儿”

《一颗星儿》,也是我所想选的《尝试集》里的新诗:

一颗星儿

我喜欢你这颗顶大的星儿,
可惜我叫不出你的名字。
平日月明时,月光遮尽了满天星,总不能遮住你。
今天风雨后,闷沉沉的天气,
我望遍天边,寻不见一点半点光明,
回转头来,
只有你在那杨柳高头依旧亮晶晶地。

(八年四月二十五夜。)

这样的诗,都是作诗人一时忽然而来的诗的情绪,因而把它写下来。这个诗的情绪非常之有凭据,作者自己拿得稳稳的,读者在纸上也感得切切实实的。这样的诗在旧诗里头便没有,旧诗不能把天上一颗星儿写下这许多行的句来。我前次说旧诗是情生文,文生情的,好比关于天上的星儿,在一首旧诗里只是一株树上的一枝一叶,它靠枝枝叶叶合成一种空气。“愁多知夜长，仰观众星列，”这未必是作诗人当下的感兴，或者是前几天的事情今夜酝酿起来了，最重要的是它还有上文，还要有下文。“月明星稀，乌鹊南飞”也是如此。“星垂平野阔，月涌大江流”，“春山烟欲收，天淡星稀小，残月脸边明，别泪临清晓”，都是如此。写到这里我记起一个故事，一天夜里唐朝诗人孟浩然同许多诗人在一个地方游玩，其时秋月新霁，大家联起诗来，轮到这位孟夫子头上，他得句曰，“微云淡河汉，疏雨滴梧桐，”大家叹息他这两句真写得好，群起而搁笔，这首诗乃不能完篇。我想如果要孟浩然一个人交卷，他总可以写些别的话头，而“微云淡河汉，疏雨滴梧桐”或者恰是他当夜的感兴，别的只是酝酿起来的，却又非酝酿一些别的话头不成其为一首诗。若《诗经》里《小星》二章，“嘒彼小星，三五在东，肃肃宵征，夙夜在公，寔命不同。嘒彼小星，维参与昴。肃肃宵征，抱衾与裯，寔命不犹。”我们似乎可以说没有别的酝酿，因了天上的星儿当下便完成一个情绪了？这个情绪大约总是当下完成的，然而这里所写的也并不写的是星，在意义上说，星与肃肃宵征有什么关系呢？若胡适之先生的《一颗星儿》，便是写一颗星儿，诗的句子也写得好，清新自然，诗的情绪也是弓拉得满满的，一发便中，没有松懈的地方。最重要的一点，便是这首诗是诗的内容。若如《鸽子》一首：

云淡天高，好一片晚秋天气！
有一群鸽子，在空中游戏。
看他们三三两两，
　　回环来往，
　　夷犹如意，——

忽地里，翻身映日，白羽衬青天，十分鲜丽！

这里的句子也写得很好，然而不能同《一颗星儿》一样的看待，因为这一群鸽子虽然也使人抬头一望觉得好看，却至多只能写一篇散文，诗的内容则不够。我将《一颗星儿》同《鸽子》作比较，也是想使大家从例子上去体察我所说的"诗的内容"，这个内容确是与散文不同。我还想从《尝试集》里举出别的诗来说明我的意思。我读《一颗星儿》，总仿佛在这里感觉着一种灵魂的气息似的，能够吸引读者，即是能表现作者，若"一群鸽子"则一群鸽子转眼就飞了，人人可以有这一点"十分鲜丽"的感觉，要写诗人人都可以写一首诗，因此谁也不想写这一首诗。《一颗星儿》背后有一个作者，谁要照样来说这几句话一定是几句空话，那就同《老鸦》（也是《尝试集》里的诗）一样，虽然作者自己说是"具体的写法"，我总以为是照例的呼声。这回我重读《尝试集》，仍没有改变当初的印象，只是读到另外两首诗，我觉得与这《一颗星儿》都不无关系，我不免乃有一种叹息，一个灵魂真是随处吐露消息。我把这两首诗却抄引了来，一首是：

一颗遭劫的星

北京《国民公报》响应新思潮最早，遭忌也最深。今年十一月被封，主笔孙几伊君被捕。十二月四日判决，孙君定监禁十四个月的罪。我为这事做这诗。

热极了！
更没有一点风！

那又轻又细的马缨花须
动也不动一动！

好容易一颗大星出来；
我们知道夜凉将到了：——
仍旧是热，仍旧没有风，
只是我们心里不烦躁了。

忽然一大块黑云
把那颗清凉光明的星围住；
那块黑云越积越大，
那颗星再也冲不出去！

乌云越积越大，
遮尽了一天的明霞；
一阵风来，
拳头大的雨点淋漓打下！

大雨过后，
满天的星都放光了。
那颗大星欢迎着他们，
大家齐说“世界更清凉了！”

（八年十二月十七日）

这首诗写得很好，如果要我举出“胡适之体诗”，这首诗便应算是真正的胡适之体新诗了，句子之好，那是不待说的，我所觉得有意义的，是这个诗的内容，作者非真有一个作诗的情绪不能写出这样的诗来。看作者叙他作这诗的原故，应该是一个很抽象的题目，何以这诗这么的真实逼人呢？第二节第四行“只是我们心里不烦躁了”一句，最现得切实，这不是因了叶韵的原故随便凑得起来的句子，这些地方最表现个性。这回我看了这首诗，我想我以前对于《尝试集》里的《一颗星儿》很有印象，大约是有一个道理，这“一颗星儿”一定是对于作者自己的印像很深，这里没有一点浮夸的必要，真是“我喜欢你这颗顶大的星儿，可惜我叫不出你的名字。”因为这是灵魂的光点，在什么时候都可以偷偷的出现。我推想《一颗遭劫的星》便是这样非意识的写出来的，写出来乃能感人了。我还想说几句近乎穿凿的话，《一颗遭劫的星》，是作者在十二月写的诗中景物却是“热极了！”的时候，而“那又轻又细的马缨花须动也不动一动！”也决不是没有马缨花须打动过了的人所能在冬天炉火旁边描风捕影的，所以我们无妨硬派这“一颗遭劫的星”就是那“一颗星儿”，那时是夏夜，“今天风雨后，闷沉沉的天气……”。

还有一首我因了《一颗星儿》想连带说及的是《尝试集》（增订四版）最末一首：

晨星篇

（送叔永莎菲到南京）

我们去年那夜，
豁蒙楼上同坐；
月在钟山顶上，

照见我们三个。
我们吹了烛光，
放进月光满地，
我们说话不多，
只觉得许多诗意。

我们作了一首诗，
——一首没有字的诗，——
先写着黑暗的夜，
后写着晨光来迟；
在那欲去未去的夜色里，
我们写着几颗小晨星，
虽没有多大的光明，
也使那早行的人高兴。

钟山上的月色
和我们别了一年多了；
他这回照见你们，
定要笑我们这一年匆匆过了。
他念着我们的旧诗，
问道，“你们的晨星呢？
四百个长夜过去了，
你们造的光明呢？”

我的朋友们，

我们要暂时分别了，
“珍重珍重”的话，
我也不再说了。——
在这欲去未去的夜色里，
努力造几颗小晨星；
虽没有多大的光明，
也使那早行的人高兴！

（十，十二，八。）

这是真正的“胡适之体诗”，句子好，音节也好，没有松懈的地方。第一节末四行：

我们吹了烛光，
放进月光满地；
我们说话不多，
只觉得许多诗意。

紧接着第二节：

我们做〔作〕了一首诗，
——一首没有字的诗，——
先写着黑暗的夜，
后写着晨光来迟……

我们读者读之，也感觉着这里有“一首没有字的诗”，真是写得真实自然。“你们的晨星呢?”这些都不是虚夸的情感,作者的诗意里实有此质量,故我们读着能觉其质朴,不同《老鸦》一样只是空泛的比喻了。所以我觉得作者同那“一颗星儿”是老朋友,能够在无意之中遇见。大概喜欢在晚上用功的人常忽然看见月光,因而对于月光有我们所没有的缘分。喜欢半夜里回家的人或者早行人,对于“一颗星儿”有特别的缘分,我们只可以领略,至少我个人没有此经验了。“放进月光满地”,与“遮着窗儿,推出月光”,与“回转头来,只有你在那杨柳高头依旧亮晶晶地”之句,最能说得“胡适之体诗”,倘若胡适之体诗极力发展。真的,这些句子最见作者的个性,在这里无须乎要旁人的枝叶,或者是“放进月光满地”,或者是一颗星“在那杨柳高头依旧亮晶晶地”。不过我这段话里有点语病,仿佛我认清楚《尝试集》作者是喜欢在晚上用功,或者喜欢半夜里回家似的,这岂不是一个大笑话?然而在另一意义上说,我这段话或者也有趣味,我前次讲《尝试集》选了《四月二十五夜(作)》一首诗,称赞这诗的句子好,才情好,而今天讲到《晨星篇》又碰到“放进月光满地”的句子,作者自己大约也不记得,只是重复的写了爱写的句子,动了爱写的诗情,我也不知不觉的在这里又提醒了一下,——这或者正是我所认定的“诗的内容”很是可靠罢?新诗首先便要看这个诗的内容。

你应该把爱我的心爱他，
你应该把待我的情待他。”

他的话句句都不错：——
上帝帮我！
我“应该”这样做！

作者自己在《谈新诗》一文里引了这首诗，他说“这一首诗的意思神情都是旧体诗所达不出的。别的不消说，单说‘他也许爱我，——也许还爱我’这十个字的几层意思，可是旧体诗能表得出的吗？”这十个字的几层意思旧体诗大约表达不出，可是这十个字的几层意思新诗里确最容易表达得出，若以之作新诗，结果只有几层意思，似乎没有什么诗的情绪了。中国的旧诗似乎根本上就不表现“他也许爱我，——也许还爱我”这些意思，若其所能表现的东西确乎比《“应该”》更成其为诗。唐诗人张籍有一首诗，胡适之先生曾用白话翻译过，原作末二句，“还君明珠双泪垂，何不相逢未嫁时”，虽然不像白话诗《“应该”》那样表达许多意思，却是很能表情的了。《尝试集》里有一首《小诗》，“也想不相思，可免相思苦。几次细思量，情愿相思苦！”又如“岂不爱自由，此意无人晓：情愿不自由，也是自由了。”我读之都能感着真实。若《“应该”》这一首，虽然诗体是解放了，但这个解放的诗体最不容易羼假，一定要诗的内容充实。如果逢场作戏，随便写点玩玩，（但不能随便说旧体诗）当然也没有什么，如《尝试集》里《梦与诗》这一首：

都是平常经验，
都是平常影象，
偶然涌到梦中来，
变幻出多少新奇花样！

都是平常情感，
都是平常言语，
偶然碰着个诗人，
变幻出多少新奇诗句！

醉过才知酒浓，
爱过才知情重；——
你不能做我的诗，
正如我不能做你的梦。

这只可谓之在诗国里过屠门而大嚼了。因了这个《梦与诗》，还有一首《醉与爱》，我现在也不抄引，免得多占篇幅，我只是想告诉大家，我们的新诗一定要表现着一个诗的内容，有了这个诗的内容，然后“有什么题目，做什么诗；诗该怎样做，就怎样做。”要注意的这里乃是一个“诗”字，“诗”该怎样做就怎样做。其实在古人也是“有什么题目，做什么诗；诗该怎样做，就怎样做。”他们的诗发展了中国文字之长，中国文字也适合于他们诗的发展，——这自然不能把后来的模仿诗家包括在一起说。然而，这些模仿诗家都可以按谱行事，旁人或者指点他说他的诗做得不行，但总不能说他不是诗，因为他本来是做一首诗或者填一首词。新诗则不然。新诗没有什么诗的格式，真是诗该怎样做就怎样做了，然而做出来你说我不是诗呢？这里确是有一点无可奈何。有些初期做白话诗的人，后来索性回头做旧诗去了。就是白话诗的元勋胡适之先生，他还是对于做旧诗填词有兴趣的，我想他还是喜欢那个。这些初期白话诗家，都是会做文章的人，他们善于运用文字，所以他们的白话新诗，有时并无啥意思，他们却会把句子写得好，如《醉与爱》里头的句子：

爱里也只是爱，——
和酒醉很相像的。
直到你后来追想，
“哦！爱情原来是这么样的！”

我们初读之不觉得这里是凑句子叶韵，便因为“爱里也只是爱，和酒醉很相像的”这种句子写得很自然。实在新诗这样写下去已经渐渐走到死胡同里去。后来有些新诗，我们读着觉得非常之刺〔刺〕眼，这些作新诗的人，与旧诗的因缘少了，他们写出来的东西虽也不会是“诗余”，也不会是新诗的古乐府，他们不是如胡适之先生所说缠过脚再来放脚的妇人，然而他们运用文字的工夫又不及那些老手，结果他们做出来的白话新诗，有点像“高跷”下地，看的人颇难以为情。我且从《中国新文学大系·诗集》里举出这种高跷式的新诗模样来，如刘梦苇《万牲园的春》首四行：

碧绿的秋水如青蛇条条，

蜿蜒地溜过了大桥小桥：
被多情的春风狂吻之后，
微波有如美女们底娇笑。

刘君是已故诗人，大约我说错了也无从对证罢，然而我总觉得“青蛇条条”与“大桥小桥”的句子很可笑。其实这样的句子在当时还不算十分难看的，这种诗到底还是经过选家选择来的诗。我再向我的朋友程鹤西“射他耳”一下，《新文学大系·诗集》也有他的一首诗，题作“城上”，首两节八行为：

天半铺着几片薄云，
　微风涟漪似的荡漾。
傍过垒垒枯寂的荒坟，
　我们登到永定门西的城上。

城内深没人的芦荻，
　浩浩，潇潇；
遥想故乡此日，
　正连阡谷绿迢迢。

新诗如果这样造句子，这样的新诗可以不做。鹤西后来果然不写这样句子的新诗了，在别方面耕种了他自己的园地。这种现象，大约是《尝试集》以后必然的现象，大家确乎是诚心在那里“尝试”。不过老牌的《尝试集》表面上是有意做白话诗而骨子里同旧诗的一派结了不解之缘，后起的新诗作家乃是有心做

"诗"了，他们根本上就没有理会旧诗，他们只是自己要做自己的诗。然而既然叫做"做诗"，总一定不是写散文，于是他们不知不觉的同旧诗有一个诗的雷同，仿佛新诗自然要有一个新诗的格式。而新诗又实在没有什么公共的，一定的格式，像旧诗的五言七言近体古体或词的什么调什么调。新诗作家乃各奔前程，各人在家里闭门造车。实在大家都是摸索，都在那里纳闷。与西洋文学稍为接近一点的人又摸索西洋诗里头去了，结果在中国新诗坛上又有了一种"高跟鞋"。我记得闻一多在他的一首诗里将"悲哀"二字颠倒过来用，作为"哀悲"，大约是为了叶韵的原故，我当时曾同了另一位诗人笑，这件事真可以"哀悲"。我那时对于新诗很有兴趣，我总朦胧的感觉着新诗前面的光明，然而朝着诗坛一望，左顾不是，右顾也不是。这个时候，我大约对于新诗以前的中国诗文学很有所懂得了，有一天我又偶然写得一首新诗，我乃大有所触发，我发见了一个界线，如果要做新诗，一定要这个诗是诗的内容，而写这个诗的文字要用散文的文字。已往的诗文学，无论旧诗也好，词也好，乃是散文的内容，而其所用的文字是诗的文字。我们只要有了这个诗的内容，我们就可以大胆的写我们的新诗，不受一切的束缚，"不拘格律，不拘平仄，不拘长短；有什么题目，做什么诗；诗该怎样做，就怎样做。"我们写的是诗，我们用的文字是散文的文字。就是所谓自由诗。这与西洋的"散文诗"不可相提并论。中国的新诗，即是说用散文的文字写诗，乃是从中国已往的诗文学观察出来的。胡适之先生所谓"第四次的诗体大解放"，不拘格律，不拘平仄，不拘长短，有什么题目做什么诗，诗该怎样做就怎样做，——这个论断应该是很对了，然而他的前提夹杂不清，他对于已往的诗文学认识得不够。他仿佛"白话诗"是天生成这么个东西的，已往的诗文学就有许多白话诗，不过随时有反动派在那里做障碍，到得现在我们才自觉了，才有意的来这么一个白话诗的大运动。援引已往的诗文学里的"白话诗"做我们的新诗前例，便是对于已往的文学认识不够，我们的新诗运动直可谓之无意识的运动。旧诗词里的"白话诗"，不过指其诗或词里有白话句子而已，实在这些诗词里的白话句子还是"诗的文字"。换句话说，旧诗词里的白话诗与非白话诗，不但填的是同一谱子，而且用的是同一文法。"姑苏城外寒山寺，夜半钟声到客船"，"细雨梦回鸡塞远"，"帘卷西风，人比黄花瘦"，"平冈细草鸣黄犊，斜日寒林点暮鸦"，都是诗词里特别见长的，这些句子里头都没有典故，没有僻字，没有代字，我们怎么能说它不是白话，只是它的文法同散文不一样而已。我们要描写半夜里钟声之下客船到岸这一件事情，用散文写另是一样写法，若写着"夜半钟声到客船"，便是诗了，我们一念起来就觉得这件事情同我们隔得很远，把我们带到旧诗境界去了。中国诗里简直不用主词，然而我们读起来并不碍事，在西洋诗里便没有这种情形，西洋诗里的文字同散文里的文字是一个文法。故我说中国旧诗里的文字是诗的文字。（还有一个情形可以令我们注意，三百篇同我们现在的歌谣都是散文的文法。）旧诗向来有两个趋势，就是"元白"易懂的一派同"温李"难懂的一派，然而无论那一派，都是在诗的文字之下变戏法。他们的不同大约是他（们）的辞汇，总决不是他们的文法。而他们的文法又决不是我们白话文学的文法。至于他们两派的诗都是同一的音乐，更是不待说的了。胡适之先生没有看清楚这根本的一点，只是从两派之中取了自己所接近的一派，而说这一派是诗的正路，从古以来就做了我们今日白话新诗的同志，其结果我们今日的白话新诗反而无立足点，元白一派的旧诗也失其存在的意义了。我前说，旧诗的内容是散文的，而其文字则是诗的文字，旧诗之诗的价值便在这两层关系。由词而变到曲，这个关系显明的替我们分解出来了，元曲的内容岂不是叙事描写（散文的）而其文章是韵文（诗的）吗？于是旧诗露出了马脚，索性走到散文路上去好了。其实这个线索在胡适之先生所推崇的白话诗家苏辛的诸人手下已经可以看得出来，如苏轼的《哨遍》引用陶渊明文章里的句子填词，辛弃疾的词乱用古书成语地方更多，刘克庄词"使李将军遇高皇帝万户侯何足道哉"的句子，都是痛快的写起散文来。这里确是很有趣，胡适之先生所推崇的白话诗，倒或者与我们今日新散文的一派有一点儿关系。反之，胡适之先生所认为反动派"温李"的诗，倒似乎有我们今日新诗趋势。李商隐的诗应是"曲子缚不住者"，因为他真有诗的内容。温庭筠的词简直走到自由路上去了，在那些词里表现的东西，确乎是以前的诗所装不下的，这些事情仔细研究起来都很有意义，今天我只是随兴说到了罢了，而且说得多么粗糙。我的本意，是想告诉大家，我们的新诗应该是自由诗，只要有诗的内容然后诗该怎样做就怎样做，不怕旁人说我们不是诗了。

四　已往的诗文学与新诗

上回我说中国已往的诗文学向来有两个趋势，就是元白易懂的一派同温李难懂的一派，无论那一派都是在诗的文字之下变戏法，总而言之都是旧诗，胡适之先生于旧诗中取元白一派作为我们白话新诗的前例，乃是自家接近元白的一派旧诗的原故，结果使得白话新诗失了根据。我又说，胡适之先生所认为反动派温李的诗，倒有我们今日新诗的趋势，我的意思不是把李商隐的诗同温庭筠的词算作新诗的前例，我只是推想这一派的诗词存在的根据或者正有我们今日白话新诗发展的根据了。这个道理本不稀奇，只是中国弄新文学的人同以前弄旧文学的人都是一副头脑，见骆驼说是马肿背，诸事反而得不着真面目。我今天把胡适之先生谈新诗的文章，同他的《国语文学史》里讲诗词的部分，都再看了一遍，觉得此事还应该重新商量，我想把我自己平日所想到的说出来引起大家去留心。《谈新诗》一文里，作者最后谈到“新诗的方法”，他说“做新诗的方法，根本上就是做一切诗的方法”，这话不能算错。我常同学生们说，我们首先要练习运用文字，新诗并不就不讲究做文章，现在做新诗的人每每缺乏运用文字的工夫，旧诗人把句子写得好，我们也要把句子写得好。但这一番平常而切实的话，只〔是〕要在辨明新诗与旧诗的性质以后再来说的，胡适之先生则实在是说不出所以然来，从他所举的例子看来，他还是喜欢旧诗而已。他所举的例子之中，有“绿垂风折笋，红绽雨肥梅”，“芹泥垂燕嘴，蕊粉上蜂须”，“四更山吐月，残夜水明楼”，这些都是我上回所说的旧诗在诗的文字之下变戏法。他又举了“鸡声茅店月，人迹板桥霜”，说“是何等具体的写法!”这两句是温庭筠的诗，其实温庭筠的词比这两句更是具体的写法，只是懂得鸡声茅店月便说鸡声茅店月好，而那些词反而是“诗玩意儿”。据我看“鸡声茅店月，人迹板桥霜”，或者倒是诗玩意儿，同“枯藤老树昏鸦，小桥流水人家”一样是旧诗耍惯了的把戏。在这些例子之前，同一篇文章里，胡先生举了辛弃疾的词几句，“落日楼头，断鸿声里，江南游子，把吴钩看了，阑干拍遍，无人会，登临意”，说这种语气决不是五七言的诗能做得出的。不知怎的我很不喜欢这个例子，更不喜欢举了这个例子再加以主观的判断证明诗体的解放。我觉得辛词这些句子只是调子，毫不足取，用北京话说就是“贫”得很，如此的解放的诗，诗体即不解放我以为并没有什么损失。我们且来观察温庭筠的词怎样现得一种诗体的解放罢。胡适之先生在《国语文学史》里说温庭筠的词“却有一些可取的”，他以为可取的，却正不是温词的长处，他所取的是“梳洗罢，独倚望江楼，过尽千帆皆不是，斜晖脉脉水悠悠，肠断是〔白〕蘋洲”两三首近乎“元白”的诗玩意儿。我并不是说这些不可取，在温庭筠的词里总不致于这些是可取的。如果这个问题与我们今日的新诗风马牛不相及，我们也就可以不谈，据我看这个问题又很关乎新诗的前程。我前说，温庭筠的词简直走到自由路上去了，在那些词里所表现的东西确乎是以前的诗所装不下的，问题便在这里。我们应不惜多费点时间来多考察这件事情。温词为向来的人所不能理解，谁知这不被理解的原因，正是他的艺术超乎一般旧诗的表现，即是自由表现，而这个自由表现又最遵守了他们一般诗的规矩，温词在这个意义上真令我佩服。温庭筠的词不能说是情生文文生情的，他是整个的想像，大凡自由的表现，正是表现着一个完全的东西。好比一座雕刻，在雕刻家没有下手的时候，这个艺术的生命便已完全了，这个生命的制造却又是一个神秘的开始，即所谓自由，这里不是一个酝酿，这里乃是一个开始，一开始便已是必然了，于是在我们鉴赏这一件艺术品的时候我们只有点头，仿佛这件艺术品是生成如此的。这同行云流水不一样，行云流水乃是随处纠葛，他是不自由，他的不自由乃是生长，乃是自由。我的话恐怕有点荒唐，其实未必荒唐，我们且来讲温庭筠的词，——不过在谈温词的时候，这一点总要请大家注意，即是作者是幻想，他是画他的幻想，并不是抒情，世上没有那么的美人，他也不是描写他理想中的美人，只好比是一座雕刻的生命罢了。英国一位批评家说法国自然主义的小说家是“视觉的盛宴”，视觉的盛宴这一个评语，我倒想借来说温庭筠的词，因为他的美人芳草都是他自己的幻觉，因为这里是幻觉，这里乃有一点为中国文人万不能及的地方，我的意思说出来可以用“贞操”二字。中国文人总是“多情”，于是白发红颜都来入诗，什么“好酒能消光景，春风不染髭须，为公一醉花前倒，红袖莫来扶”，什么“此度见花枝，白头誓不归”，这些都是中国文人久而不闻其臭。像日本诗人芭蕉俳句，“朝阳花呵，白昼还是下锁的门的围墙。”本是东洋人可有的诗思，何以中国文人偏不行。温庭筠的词都是写美人，却没有那些讨人厌的字句，够得上一个“美”字，原因便因为他是幻觉，不是作者抒情。我们再来讲词，先讲《花间集》第一首：

> 小山重叠金明灭，鬓云欲度香腮雪。懒起画娥眉，弄妆梳洗迟。照花前后镜。花面交相映。新贴绣罗襦，双双金鹧鸪。

此词我以为是写妆成之后，系倒装法，首二句乃写新妆，然后乃说今天起来得晚一点，"懒起画娥眉，弄妆梳洗迟，"其实这时眉毛已经画好了。下半又写对了镜子照了又照，总是一切已打扮停当了。"小山重叠金明灭，鬓云欲度香腮雪，"上句是说头，温词另有"蕊黄无限当山额"句，也是把山来说额黄以上。头上戴了钗头之类，所谓"翠钗金作股"者是，所以看起来"小山重叠金明灭"了。这一句之佳要待"鬓云欲度香腮雪"而完成，鬓云固然是诗里用惯了的字眼，在温词里则是想像，于发曰云，于颊上粉白则曰雪，而又于第一句"小山"之山引动来的，在诗人的想象里仿佛那儿的鬓云也将有动状，真是在那里描风捕影，于是"鬓云欲度香腮雪"矣。这是极力写一个新妆的脸，粉白黛绿，金钗明灭，然而我们要替他解说那"鬓"的状态，大约无能为力，用温庭筠自己的句子或者可以用"楚山如画烟开"这一句罢，因为这里要极力形容一个明朗的光景，如眉毛之于眼睛，要分得开开的，于是才现得粉颊儿是粉颊儿，鬓云是鬓云，于是"鬓云欲度香腮雪"矣。这正是描画发云与粉雪的界线，正是描画一个明净，而"欲度"二字正是想象里的呼吸，写出来的东西乃有生命了。温词《更漏子》"花外漏声迢递，惊塞雁，起城乌，画屏金鹧鸪，"也是写静而从动势写。眼前本是"画屏金鹧鸪"，而"花外漏声迢递”，这个音声大概可以惊塞外之雁，起城上之乌，于是我们觉得画屏金鹧鸪仿佛也要飞了。到了《南歌子》“手里金鹦鹉，胸前绣凤凰，偷眼暗形相，——不如强嫁与，作鸳鸯，”话更说得明白一点，把金鹦鹉与绣凤凰尽看尽看，于是欲静物而活了。不过把金鹦鹉与绣凤凰尽看尽看，还可以说是善于状女子心理，若“鬓云欲度香腮雪”决与梳洗的人个性无关，亦不是作者抒情，是作者幻想。他一面想着金钗明灭，华丽不过的事情，一面却又拉来雪与云作比兴，“鬓云”因为乱用惯了自然人人可以用，若与雪度相关，便不是偶然写来的。温词另有“小娘红粉对寒浪”之句，都足以见其想像，他写美人简直是写风景，写风景又都是写美人了。这还是就一句一字举例。我们再讲一首《菩萨蛮》，《花间集》第二首：

> 水精帘里颇黎枕，暖香涊〔惹〕梦鸳鸯锦。江上柳如烟，雁飞残月天。藕丝秋色浅，人胜参差剪。双鬓隔香红，玉钗头上风。

此词开始写得像个水帘洞似的，然而“水精帘里颇黎枕”还要待“暖香惹梦鸳鸯锦”这一句乃好。于是暖香惹梦鸳鸯锦这一句真好。这一句是说美人睡。“暖香惹梦”完全是作诗人的幻想，人家要做梦人家自己不知道，除非做了一个什么梦醒来自己才知道，而且女人自家或者贪暖睡，至于暖香总一定已经鼾呼呼的，暖香或者容易惹梦，惹了梦，暖香二字却一定早已不在题目范围之内，总之这都是作诗人的幻想暖香惹梦罢了。梦见了梦他偏不说，这个不是梦中人当然不能知道，然而“暖香惹梦鸳鸯锦”，于是暖香惹梦鸳鸯锦比美人之梦还要是梦了。世上难裁这么美的鸳鸯锦。所以我说温庭筠的词都是一个人的幻想。试看《花间集》别人写梦的，都是戏台里人自家喝采，无论是正面的写男脚色做梦，如“昨夜夜半，枕上分明梦见，语多时，依旧桃花面，频低柳叶眉，”我们读者一看就知道不是做梦，是做文章。或者反面的写女梦，“子规啼破相思梦”也不是做梦是做文章。只有一个人写一点女梦，也不十分说明白梦见什么，只说着“倚着云屏新睡觉，思梦笑，”这个思梦笑的笑字与温词鸳鸯锦三字略相当，然而这还是局中人亲眼看见，温庭筠的词则都是诗人之梦，因此都是身外之物了。我们这〔还〕是来讲“暖香惹梦鸳鸯锦”。写着暖香惹梦鸳鸯锦，该是如何的在闺中，却又想到“江上柳如烟，雁飞残月天，”真是令人佩服，仿佛风景也就在闺中，而闺中也不外乎诗人的风景矣。这样落笔，温词处处如此，上面说过的“惊塞雁，起城乌，画屏金鹧鸪”是，《菩萨蛮》十余首也多半是。像这样四句，“翠翘金缕双鸡鹕，水纹细起春池碧，池上海棠梨，雨晴红满枝”，首句是女子妆，下三句乃是池上，令我们读之而不觉。接着“绣衫遮应〔笑〕靥，烟草粘飞蝶”两句，真是风景人物写一篇大块文章。其余如“杏花含露团香雪，绿杨陌上多离别，灯在月胧明，觉来闻晓鸳〔莺〕，”在这个灯在月明之外，莺声之前，杏花杨柳在古今路上矣。我由暖香惹梦鸳鸯锦说到绿杨陌上多离别，那首词却还没有讲完。其实那首词只剩下“玉钗头上风”一句还应该讲几句，这一句又只有一个“风”字要讲，不讲大家已可触类旁通，他把一个“风”字落到“玉钗头上”去，于是就玉钗头上风了。温词无论一句里的一个字，一篇里的一两句，都不是上下文相生的，都是一个幻想，上天下地，东跳西跳，而他却写得文从字顺，最合绳墨不过，居《花间》之首，向来并不懂得他的人也说“温庭筠最高，其言深美闳约”了。我们所应该注意的是，温词所表现的内容，不是他以前的诗体所装得下的，从我上面所举的例子，大家总可以看得出，像这样，长短句才真是诗体的解放，这个解放的诗体可以容纳得一个立体的内容，以前的诗体则是平面的。以前的诗是竖写的，温庭筠的词则是横写的。以前的诗是一个镜面，温庭筠的词则是玻璃缸的水——要养个金鱼儿或插点花儿这里都行，这里还可以把天上的云朵拉进来。因此我尝想，在已往的诗文学里既然有这么一件事情，我们今日的白话新诗恐怕很有根据，在今日的白话新诗的稿纸上，将真是无有不可以写进来的东西了。有一件事实我要请大家注意，温庭筠的词并没有用典故，他只是辞句丽而密。此事很有趣味，在他的解放的诗体里用不着典故，他可以横竖乱写，可以驰骋想像，所想像的所写的都是实物。若诗则不然，律诗因为对句的关系还可以范围大一点，由甲可以对到乙，这却正是情生文文生情，所以我们读起来是一个平面的感觉。正因此，诗不能(不)用典故，真能自由用典故的人正是情生文文生情。因为是典故，明明是实物我们也还是纸上的感觉，所以是平面的，温庭筠的词则用不着用什么典故了。说到这里我们就要说到李商隐。要说李商隐的诗，我感着有点无从下手，这个人的诗，真是比什么人的诗还应该令我们爱惜，在中国文学史上只有庾信可以同他相提并论。然而要我说庾信，觉得并不为难，庾信到底是六朝文章，六朝文章到底是古风，好比一株大树，我们只就他的春夏秋冬略略讲一点故事就好了，或者摘一片叶子下来给你们看，你们自己会向往于这一棵树，我也不怕有所遗漏，反正这个树上的叶子是多得很的，路上拾得一片落叶你也喜欢这棵树哩。李商隐的诗颇难处置，我想从沙子里淘出金子来给大家看罢，而这些沙子又都是金子。他有六朝的文采，正因为他有六朝文的性格，他的文采又深藏了中国诗人所缺乏的诗人的理想，这一点他也自己觉着。他的诗真是一盘散沙，粒粒沙子都是珠宝，他是那么的有生气，我们怎么会拿一根线可以穿得起来呢？在他当然都是从一个泉源里点滴出来的。现在有几位新诗人都喜欢李商隐的诗，真是不无原故哩。好在我今天讲到他是由用典故说来的，我们就从这一点下手。温庭筠的词，可以不用典故，驰骋作者的幻想。反之，李商隐的诗，都是借典故驰骋他的幻想。因此，温词给我们一个立体的感觉，而李诗则是一个平面的。实在李诗是“人间从到海，天上莫为河”，“星沉海底当窗见，雨过河源隔座看”，天上人间什么都想到了，他的眼光要比温庭筠高得多，然而因为诗体的不同，一则引我们到空间去，一则仿佛只在故纸堆中。这便是我所想请大家注意的。我们还是举例子，就说一千年来议论纷纷的《锦瑟》一首诗。胡适之先生说，“这首诗一千年来也不知经过多少人的猜想了，但是至今还没有人猜出他究竟说的是什么鬼话。”我且把这首诗抄引了来：

> 锦瑟无端五十弦，一弦一柱思华年。庄生晓梦迷蝴蝶，望帝春心托杜鹃。沧海月明珠有泪，蓝田日暖玉生烟。此情可待成追忆，只是当时已惘然。

这首诗大约总是情诗，然而我们(不)想推求这首诗的意思，那是没有什么趣味的。我只是感觉得“沧海月明珠有泪，蓝田日暖玉生烟”这两句写得美，这两句我也只是取“沧海月明珠有泪”一句来讲。如果大家听了我的话对于这一句有点喜欢，那么蓝田日暖之句仿佛也可以了解。“沧海月明珠有泪”，作者大约从两个典故联想起来的，一个典故是月满则珠全，月亏则珠阙，这个珠指蚌蛤里的珠。还有一个典故是海底鲛人泣珠。李诗另有“昔去灵山非拂席，今来沧海欲求珠”之句，那却是送和尚的诗，与我们所要讲的这句诗没有关系，不过看注解家在“今来沧海欲求珠”句下引杜甫诗“僧宝人人沧海珠”，可见“沧海”与“珠”这两个名词已有前例，容易联串起来，于是李商隐在《锦瑟》一诗里得句曰“沧海月明珠有泪”了。经了他这一制造，于是我也想大概真个沧海月明珠有泪似的——，这是我的一位老同学曾经向我说的话，他确曾经沧海回来，沧海月明珠有泪既然确实，于是蓝田日暖玉生烟亦为良辰美景无疑了。新诗人林庚有一回同我说，“沧海月明珠有泪，蓝田日暖玉生烟，”李商隐这两句诗真写得好。于是我也想大概是真写得好。但我尽管说好是不行的，我还可以说点理由出来。从上面列举的典故看来，“沧海月明珠有泪”这七个字是可以联在一起的，句子不算不通，但诗人得句是靠诗人的灵感，或者诗有本事，然后别人联不起来的字眼他得一佳句，于是典故与辞藻都有了生命，我们今日读之犹为之爱惜了。我便这样来强说理由。李商隐另外有两首绝句，一首题作“月”，诗是这样的，“过水穿楼触处明，藏人带树远含情〔清〕，初生欲缺虚惆怅，未必圆时即有情。”一首题作“城外”，诗是这样的，“露寒风定不无情，临水当山又隔城。未必明时胜蚌蛤，一生长共月亏盈。”这些诗作者似乎并无意要千〈千〉百年后我辈读者懂得，但我们却仿佛懂得，其情思殊佳，感觉亦美，一面写其惘然之情，一面又看得出诗人的贞操似的。“未必明时胜蚌蛤，一生长共月亏盈”，我觉得便足以做“沧海月明珠有泪”的注解。李诗有《题僧壁〔壁〕》一首，其末四句云，“蚌胎未满思新桂，琥珀初成忆旧松，若信贝多真实语，三生同听一楼钟。”蚌胎未满思新桂，即是用月与蚌蛤的典故，从这些地方我们都可以看出作者的幻想，总是他的感觉美。李商隐常喜以故事作诗，用这些故事作出来的诗，都足以见作者的个性与理想，在以前只有陶渊明将《山海经》故事作诗有此光辉，其余游仙一类的诗便无所谓，即屈原亦不见特色，下此更不足观了。像杜甫关于华山诗句，“西岳峻峭竦处尊，诸峰罗立似儿孙。安得仙人九节杖，拄到玉女洗头盆。……”直是应景而已。李商隐关于王母，关于嫦娥，关于东方朔，关于麻姑，关于鲛人卖绡，或成一篇，或得一句，都令我们如闻其语如见其人，表现了作者。只看他的这两句话，在他的诗里算是极随便的两句诗，“闻道神仙有才子，赤箫吹罢好相携，”便见他的个性，他要说神仙也有才了，若他人说便说某人是谪仙了。我今天并不是专门解诗，我再举一首《过楚宫》七言绝句，“巫峡迢迢旧楚宫，至今云雨暗丹枫。微生尽恋人间乐，只有襄王忆梦中。”他用故事不同一般做诗的是滥调，他是说襄王同你们世人不一样，乃是幻想里过生活哩，我再举一首，《板桥晓别》，看他的文采，“回望高城落晓河，长亭窗户压微波，水仙欲上鲤鱼去，一夜芙蓉红泪多。”这种句子真是写得美，因为他用的是典故，我们容易忽略他的幻想，只赏鉴他的文采，实在他的想像很不容易捉住，他倒好容易捉住了这个乘赤鲤来去水中的故典，我们却不容易哩。说到用典故，我还想补足一点意思，胡适之先生所谓白话诗家苏黄辛陆这一些人倒真是用典故，他们的词里有时用当日的方言，有时用古书上的成语，实在用方言也好，掉书袋也好，在他们是平等看待，他们写韵文同我们现在乱写散文是差不多的，成语到了口边就用成语，方言到了手下就用方言，他们缺少诗的感觉，而他们又习惯于一种写韵文的风气，结果写出来的韵文只用得着掉文与掉口语，并不是他们有温李的典故而不用，要说典故都应该归在典故的性质项下。他们缺少诗的感觉，他们有才气，所以他们的诗信笔直写，文从字顺，落到胡适之先生眼下乃认为同调，说他们做的是白话诗。真有诗的感觉如温李一派，温词并没有典故，李诗典故就是感觉的联串，他们都是自由表现其诗的感觉与理想，在六朝文章里已有这一派的根苗，这一派的根苗又将在白话新诗里自由生长，这件事情固然很有意义，却也是最平常不过的事，也正是“文艺复兴”，我们用不着大惊小怪了。我们在温庭筠的词里看着他表现一个立体的感觉，便可以注意诗体解放的关系，我们的白话新诗里头大约四度空间也可以装得下去，这便属于天下诗人的事情了。总之我以为重新考察中国已往的诗文学，是我们今日谈白话新诗最要紧的步骤，我们因此可以有根据，因此我们也无须张皇，在新诗的途径上只管抓着韵律的问题不放手，我以为正是张皇心里〔理〕的表现。我们只是一句话，白话新诗是用散文的文字自由写诗。所谓散文的文字，便是说新诗里要是散文的句子。昨天有一位少年诗人拿了朱湘的一首四行诗给我看，他说他喜欢这首四行，我乃也仔细看了一遍，并且请他讲给我听，为什么他喜欢，我听了他的讲，觉得这四行的意境确是很好，只是要成功一个方块不缺一角的原故，有一句乃不是散文的句子。我把这首四行诗照原作标点引了来：

鱼肚白的暮睡在水洼里
在悠悠的草息中作着梦。
云是浅的．树是深的朦胧．
远处有灯火了．红色的．稀。

这首四行的第四行不是中国散文的句法，而中国旧诗乃确乎有这样的恣〔姿〕态。“红色的”是形容灯火，“稀”也是形容红色的灯火，同林黛玉所称赞的“大漠孤烟直”的直字，“长河落日圆”的圆字，不是处于一样的地位吗？只不过这里多了“远处有灯火了”的有字做动词。这样的新诗的文字我以为比旧诗文字还要是诗的。因此我更佩服古人会写文字，像温庭筠写这四句，“绣衫遮笑靥，烟草粘飞蝶。青琐对芳菲，玉关音信稀。”他描写了好几样的事情，读者读之而不觉。至于“惊塞雁，起城乌，画屏金鹧鸪”又是较容易看得出的藕断丝连的句子了。我们的白话新诗是要用我们自己的散文句子写。白话新诗不是图案要读者看的，是诗给读者读的。新诗能够使读者读之觉得好，然后普遍与个性二事俱全，才是白话新诗的成功。普遍与个性二事俱全，本来是一切文学的条件，白话新诗又何能独有优待条件。“散文的文字”这个范围其实很宽，（但不能扯到外国的范围里去，）三百篇也是散文的文字，北大《歌谣周刊》的歌谣也是散文的文字，甚至于六朝赋也是散文的文字，我们可以写一句“屋里衣香不如花”，只是不能写“帘卷西风人比黄花瘦”。文字这件事情，化腐臭为神奇，是在乎豪杰之士。五七言诗，与长短句词，则皆不是白话新诗的文字，他们一律是旧诗的文字。

五　沈尹默的新诗

《新青年》时代的新诗作家，尚有沈尹默与刘半农二氏我们应该提起。刘氏后来有《扬鞭集》出版，沈氏的新诗则散见于《新青年》杂志。新诗第一次出现，在《新青年》第四卷第一号上面，作者便是胡适，沈尹默，刘半农这三个名字，时候是民国七年一月。在第一次出现的新诗里沈尹默氏有一首《月夜》，可谓很难得的作品了，只有四行文字：

月　　夜

霜风呼呼的吹着，
　月光明明的照着。
我和一株顶高的树并排立着，
　却没有靠着。

这首诗不愧为新诗的第一首诗，我今日翻开来看，觉得这件事情很有趣，试把这首诗《月夜》同《新青年》四卷一号别的几首诗相比（共有九首），便可以比得出来写新诗是怎样的与写旧诗不同，新诗实在是有新诗的本质了。那几首诗，有胡适的《鸽子》，有沈尹默的《鸽子》，有沈尹默的《人力车夫》，有胡适的《人力车夫》，还有胡适的《一念》等等，都只能算是白话韵文，即是句子用白话散文写，叶韵，诗的情调则同旧诗一样由一点事情酝酿起来的，好比是蜜蜂儿嘤嘤几声，于是蜂儿一只一只的飞来了，于是蜂儿成群，诗一句一句的写下来了，于是一首诗成，结果造成功的是旧诗的空气。胡适之先生后来说这些新诗是从古乐府化出来的，是从词调里变化出来的，其实这些新诗的内容本不能成为新诗，势必成为新诗的古乐府，成为“诗余”，所以我说这些新诗是白话韵文。他们那时候写新诗我想只是好奇，大约做得一首好诗成，抵得小孩子过新年一趟，大家见面高兴。平心说来，新文学运动的价值，乃在于提倡白话文，这个意义实在很大，若就白话新诗说，反而是不知不觉的替旧诗虚张声势，没有什么新文学的意义了。在《新青年》第五卷第二号的诗栏里有一段补白，署名“半农”，其文如左：

七月三十一日，得启明自绍兴来函，以其有趣，录此以补余白：

今日天气热，卧读寒山和尚诗，见一首甚妙，可代《新青年》新体诗作者答人批评之用；因以廿年前所买“诗笺”抄上，“博寒星大吟坛一粲”。

计开：——

有个王秀才笑我诗多失：
云，不识“蜂腰”仍不会“鹤膝”，
平仄不解压；凡言取次出。
我笑你作诗，如盲徒咏日！

这一段补白，我觉得很有意义，可见《新青年》新体诗作者的自信。他们那时作新诗的态度，与他们所作的新诗，实在都给寒山和尚这一首诗说得恰如其分，另外没有什么新诗的意义了。沈尹默氏是旧诗词的作家，然而他的几首新诗反而有着新诗的气息，简直是新诗的一种朝气，因此他的新诗对于以后以迄于今日的新诗说又可以说是新诗的一点儿古风，这却是一件有趣的事。沈氏写了不多的新诗，随着他不写这些新诗了。他又写他的旧诗词去，这件事又有趣，可惜我在这里不能把《新青年》四卷一号上面九首诗都抄了来，那样未免太占篇幅，大家如果本一点好奇心，去找《新青年》杂志翻阅，大约可以比较得出来，只有《月夜》算得一首新诗了。十一年八月北社出版的《新诗年选》，关于沈氏的《月夜》有署名"愚庵"的评语（据云愚庵即康白情）："这首诗大约作于一九一七年的冬天，在中国新诗史上，算是第一首散文诗。其妙处可以意会而不可以言传。"《新诗年选》后面附有《一九一九年诗坛略纪》，亦云"第一首散文诗而备具新诗的美德的是沈尹默的《月夜》"。这个评语很有识见，也无非是人同此感而已，这一首《月夜》确是新鲜而别致。不过他所谓"散文诗"，我们可以心知其意，实在这里"散文诗"三个字恐怕就是"新诗的美德"。与《月夜》同刊的那一些新诗，正是不能有这个散文诗的美德，乃是旧诗的余音。我由沈尹默氏的《月夜》联想到另一首诗，即《尝试集》里的《湖上》这首小诗：

湖　　上

水上一个萤火，
水里一个萤火，

平排着，
轻轻地，
打我们的船边飞过。
他们俩儿越飞越近，
渐渐地并作了一个。

这一首《湖上》是民国九年的出品，与那一首《月夜》可谓异曲同工。这样的诗都不必求之过深，作者只是当下便写得了一首好诗罢了。这样的诗又能见作者的个性，《月夜》与《湖上》便表现了两个诗人。各人都是“看来毫不用心，而自具有一种以异乎人的美”。旧诗不能有这里的疏朗，旧诗也不能有这里的完全。有这个新诗的感觉，自然写得这个散文的诗句。我前说新诗要用散文的句法写诗，如《月夜》与《湖上》的句子便是。至于用韵与不用韵都没有关系，用韵也要句子是散文的句子，不用韵也要句子是散文的句子，新诗所用的文字其唯一条件乃是散文的文法，其余的事件只能算是诗人作诗的自由了。

北社《新诗年选》选了沈尹默诗五首，我也想照样选下来，只是我将一首《白叶〔杨〕树》来换《年选》上面的一首《赤裸裸》。所选第一首即是上面所讲的《月夜》。第二首是：

月

明白干净的月光，我不曾招呼他，他却有时来照看〔着〕我；我不曾拒绝他，他却慢慢的离开了我。

我和他有什么情分？

这首诗我想评他“质直可爱，饶有风度”八个字。比起旧诗来，这首诗好像是小学一年级学生，然而，其高处，其非同时那些新诗所可及处，便在这个新诗有朝气，因此也便是新诗的古风了。所选第三首诗是：

公园里的“二月蓝”

牡丹过了，接着又开了几栏红芍药。路旁边的二月蓝，仍旧满地的开着；开了满地，没甚稀奇，大家都说这是乡下人看的。

我来看芍药，也看二月蓝；在社稷坛里几百年老松柏的面前，露出了乡下人的破绽。

这首诗大约要在北京中央公园看过花的人来读，否则有点漠然。我喜欢这首诗的原故也是因为这种新诗有一种朝气。这样的写景不是一般旧诗调子，也不是文情相生的，作者对于一件事情有一个整个的感觉，又写得很好，表现着作者的性情。作者另有一首新诗，描写北京大雪，却是旧诗的空气，我禁不住要把这一首《雪》抄了来，请大家比较观之，我觉得很有趣。《雪》是这样写的：

丁巳腊月大雪，高低远近，一望皆白；人声不喧哗，鸟声〔鹊〕绝迹。

理想中的仙境：甚么“琼栖〔楼〕玉宇”，“水晶宫阙”；恐怕不如此时京城清洁。

人人都嫌北方苦寒，雪地冰天；我今却不愿可爱的红日，照我眼前：

不愿见日，日终当出。红日出，白雪消，粉饰仙境不坚牢，可奈他何。

这种诗便是旧诗的写法。第二句固然写得不好，完全是白话韵文，就将这一句写得更好，这首诗还是旧诗的空气。那时的新体诗多半是这个空气了。

所选第四首诗是：

三　弦

中午时候，火一样的太阳，没法去遮阑，让他直晒着长街上。静悄悄少人行路；只有悠悠风来，吹动路旁杨树。

谁家破大门里，半院子绿茸茸〔茸茸〕细草，都浮着闪闪的金光，旁边有一段低低土墙，挡住了个弹三弦的人，却不能隔断那三弦鼓荡的声浪。

门外坐着一个穿破衣裳的老年人，双手抱着头，他不声不响。

这首《三弦》声名很大，大家都说好，我不必多说话了。最后我将沈尹默氏的《白杨树》选在这里：

白杨树

白杨树！白杨树！你的感觉好灵敏呵！微风吹过，还没摇动地上的草，先摇动了你枝上的叶；

没有人迹的小院落里。树上歇着几个小雀儿“啾啁啾啁”不住的叫。他是快乐吗？这样寂寞的快乐！

除了“啾啁啾啁”的小雀儿，不听见别的声响。地下睡着的一般人，他们沉沉的睡着，永远没有睡醒时。难道他们也快乐吗？这样寂寞的快乐！

白杨树！白杨树！现在你的感觉是怎么样的，你能告诉我吗？

六　扬鞭集

我今天早晨做了一件愉快的工作。真是一件愉快的工作。我料不到从《扬鞭集》里竟选了二十首诗之多，尚不嫌其多，有的还割爱。我要对《扬鞭集》的作者表示我的敬意。是的，在这里我对他表示敬意。这位作者已经死去了两年了，我今日因为选诗的原故乃成为他的新相知，能不有点惘然，然而我实是感得我做了一件愉快的工作。刘半农先生在世时我同他只是面熟，没有多谈话，其遣〔遗〕稿《双凤凰专斋小品文》后来在杂志上发表，有一则题曰“记砚兄之称”，文云：

“余与知堂老人每以砚兄相称，不知者或以为儿时同窗友也。其实余二人相识，余已二十七，岂明已三十三。时余穿鱼皮鞋，犹存上海少年滑头气，岂明则蓄浓髯，戴大绒帽，披马夫式大衣，俨然一俄国英雄也。越十年，红胡入关主政，北新封，《语丝》停，李丹忱捕，余与岂明同避菜厂胡同一友人家。小厢三楹，中为膳食所，左为寝室，席地而卧，右为书室，室仅一桌，桌仅一砚。寝，食，相对枯坐而外，低头共砚写文而已，砚兄之称自此始，居停主人不许多友来视，能来者余妻岂明妻之外，仅有徐耀辰兄传递外间消息，日或三四至也。时为民国十六年，以十月二十四日去，越一星期归，今日思之，亦如梦中矣。”

其实那时这个菜厂胡同的人家我也去过，不过我不是半农先生的来客，他却向我探听过外间的消息，这是我同他初次谈话，记得我心里还有点笑他，总之这件事情我也忘了，他更记不得我了，今天我乃记得他，有心来翻看这段记事。三年前在北大上课时，休息室里恰巧总是我们两人遇见，两人也没有什么话谈。我实在对刘半农先生表示我的敬意，因为他在世时我心里对于他有不敬之意。我对于他的文章向来没有仔细读，他的诗最初在《青年杂志》发表时我确曾热烈的崇拜过，如《新青年》四卷一号上面的《相隔一层纸》，然而那时我是少年，少年所崇拜的诗文每每是长大以后反而漠然的。后来《扬鞭集》出版我也没有买来看。《初期白话诗稿》我早有一册，我对于初期白话诗回转头来有兴趣，差不多是这一册诗稿引起来的，然而诗稿里头偏没有刘半农先生自己的诗(诗稿是他印的)，偏见他的篇序，我对于这篇序又偏有不敬之意。这回为得要讲新诗的原故，心想刘半农这个名字我们总应该提到，完全是因为历史的关系，他是《新青年》时代新诗作家三大巨头之一。首先我所翻阅的便是《新(青)年》杂志，再是北社的《新诗年选》，再是《中国新文学大系·诗集》，所选刘氏的诗都很少，不容易见他的特色，我几乎本着向来的偏见把他敷衍一下完事，却不料今天拿了在别处借来的《扬鞭集》从头至尾读一遍，愈看愈眼明，我觉得我同《扬鞭集》的作者是新相知了。凑巧昨天我又把徐志摩的诗大体读了一遍，颇有所感触，于是《扬鞭集》我决定选二十首。《扬鞭集》自序有云，“原来做诗只是发抒我们个人的心情。发抒之后，旁人当然有评论的权利。但澈底的说，他们的评论与我的心情，究竟有得什么关系呢?”另外作者对于作新诗这件事情的认真，有这两册诗

(《扬鞭集》出版上中二册)为证,我们后来的新诗作者,都应该敬重这一位新诗的元老了。《扬鞭集》里的诗当然有好些幼稚的地方,那些幼稚的地方我不禁都很是敬重,很是爱好。幼稚而能令人敬重,令人感好,正是初期白话诗的价值,也正是诗人刘半农的真不可磨灭。我还是赶紧报告我的愉快的工作要紧。为得不多占篇幅起见,这二十首诗,我大约不能多解说。我先写下《母亲》这一首,这首诗我认为是《扬鞭集》压卷的一首:

母　　亲

黄昏时孩子们倦着睡着了,
后院月光下,静静的水声,
是母亲替他们在洗衣裳。

(一九二三,八,五,巴黎)

这首诗表现着一个深厚的感情,又难得写得一清如许。这首诗在《扬鞭集》中卷,差不多是作者在巴黎最后的诗,大约我读到这里,对于诗人刘半农已经稔熟了,又仿佛知道他在巴黎的情形,所以读到这首诗只是点头。这首诗,比月光下一户人家还要令人亲近,所以点头之后我又有点惊讶,诗怎么写得这么完全,这么容易,真是水到渠成了。这样的诗,旧诗里头不能有,在新诗里他也有他的完全的位置了。

下面的十九首,都照《扬鞭集》原来的次序抄选下来。

其实……

风吹灭了我的灯,又没有月光,我只得睡了。

桌上的时钟，还在悉悉的响着。窗外是很冷的，一只小狗哭也似的呜呜的叫着。

其实呢，他们也尽可以休息了。

（一九一七，十二月，北京）

这首诗的年代很早，与《相隔一层纸》前后不多的日子写的，我觉得这诗里的情感真实，末句“其实呢，他们也尽可以休息了，”写得质直，但也恰好。因此刻对于《相隔一层纸》也觉得能以了解，那里的情感也不是浮夸的，只是写得“巧”一点，“屋子里拢着炉火，老爷分付开窗买水果，说‘天气不冷火太热，别任它烤坏了我。’屋子外躺着一个叫化子，咬紧了牙齿对着北风喊‘要死’！可怜屋外与屋里，相隔只有一层薄纸！”我抄引这一首诗，也是想请大家比较观之。《相隔一层纸》写得巧一点，这个巧却正是沾惹了旧诗的调子。《其实》这一首我们只能说写得幼稚，这个幼稚却正是新诗的朝气，诗里的情感无有损失了。

案　　头

案头有些什么？一方白布，一座白磁观音，一盆青青的小麦芽，一盏电灯。灯光照着观音的脸，却被麦芽挡住了，看它不清。

（一九一七，十二月，北京）

无　　聊

阴沉沉的天气，里面一座小院子里，杨花飞得满天，榆钱落得满地。外面那大院子里，却开着一棚紫藤花。花中有来来往往的蜜蜂，有飞鸣上下的小鸟，有个小铜铃，系在藤上。春风徐徐吹来，铜铃叮叮当当，响个不止。

花要谢了；嫩紫色的花瓣，微风飘细雨似的，一阵阵落下。

（一九一八，五月五日，北京）

大　风

我去年秋季到京，觉得北方的大风，实在可怕，想做首大风诗，做了又改，改了又做，只是做不成功。直到今年秋季，大风又括得利害了，才写定这四十多个字。一首小诗，竟是做了一年了！

呼拉！呼拉！
好大的风，
你年年是这样的括，也有些疲倦么？
呼拉！呼拉！
便算是谁也不能抵抗你，你还有什么趣味呢？
呼拉！呼拉(!)……

这首在《扬鞭集》目次里标明是一九一八年写的。我爱这诗里的生气。这种诗感很不容易写得下来，这疏疏的几行文字，做了一年，仍不失为一首诗。因了这首大风诗的原故，我想附带说几句神秘的话，即是说诗与散文确乎不是一个东西。大概作者自己觉得要写一首诗，读者读之也就是读一首诗。如果作者自己本是在那里布置写文章，读者读之也自然是读小说，读戏剧，或者读一篇散文了。好比庄子要写一篇《齐物论》，在文章里忽然来一句"大块噫气，其名为风，"这个风声决不是诗，因为庄子他本来不在那里写诗，所以我们读之只觉得庄子的文章一波未平一波又起了。散文便是前浪与后浪互相推出来的。说到风，我最记得莎士比亚的悲剧 *King Lear* 里面的一阵风，至今印像甚深，一个经历患难的人走在荒野，独白不幸，忽然迎着风道，"那么，你吹罢，我所怀抱的是无影的空气，不幸者已经受了你的颠播，在你的呼啸里再有没有什么叫做打击。"因为作者是因文生情，我们读之也就不是一个诗的感觉，我觉得莎士比亚的文章波澜太多。《扬鞭集》里这一首小诗，虽然作者自己说他做了一年，在这一年之后他还是一个诗的感觉，即是说这个感觉自己完全，所以我们读着也觉得是一首诗，在疏疏几行文字里，我们当下是一个完全的读诗之感了。我这番话玄之又玄，无法证明，所以我首先就说是神秘的话。

中　秋

中秋的月光，
被一层薄雾，
白濛濛的遮着，

暗而且冷的皇城根下，
一辆重车，
一头疲乏的骡，
慢慢的拉着。

（一九一九）

铁　　匠

叮当！叮当！
清脆的打铁声，
激动夜间沉默的空气。
小门里时时闪出红光，
愈显得外间黑漆漆的。

我从门前经过，
看见门里的铁匠，
叮当！叮当！
他锤子一下一上，
砧上的铁
闪作血也似的光，
照见他额上淋淋的汗，
和他裸着的，宽阔的胸膛。

我走得远了，
还隐隐的听见
叮当！叮当！
朋友，
你该留心着这声音，
他永远的在沉沉的自然界中激荡。
你若回头过去，
还可以看见几点火花，

飞射在漆黑的地上。

（一九一九，九月，北京）

《中秋》与《铁匠》这两首诗，都写得很结实，表现着作者的个性。

拟装木脚者语

欧战初完时，欧洲街市上的装木脚的，可就太多了。一天晚上，小客栈里的同居的，齐集在客堂中跳舞；不跳舞的只是我们几个不会的，和一个装木脚的先生。

灯光闪红了他们的欢笑的脸，
琴声催动了他们的跳舞的脚。
他们欢笑的忙，跳舞的忙，
把世界上最快乐的空气，
灌满了这小客店里的小客堂。

我呢？……
我还是多抽一两斗烟，
把我从前的欢乐想想，
我还是把我的木脚
在地板上点几下板，
便算是帮同了他们快乐，
便算是我自己也快乐了一场。

（一九二〇，三，二七，伦敦）

这首诗写着寂寞，却也写得很快乐，因为是天真的空气，总之是作者的感情敦厚，与后面的《老木匠》那一首对着，最见性情。

牧羊儿的悲哀

他在山顶上牧羊；
他抚摩着羊颈的柔毛，
说“鲜嫩的草，
你好好的吃罢！”

他看见山下一条小涧，
急水拥着落花，
不住的流去。
他含着眼泪说：
“小宝贝，你上那里去？”

老鹰在他头顶上说：
“好孩子！我要〔耍〕把戏给你看：
我来在天顶上打个大圈子！”

他远望山下的平原：
他看见礼拜堂的塔尖，
和礼拜堂前的许多墓碣；
他看见白雾里，

隐著许多人家。
天是大亮的了，
人呢？——早咧，早咧！

哇！
他回头过去，放声号哭：
“羊呢？我的羊呢？”
他眼光透出眼泪，
看见白雾中的人家；
看见静的塔尖，
冷的墓碣。
人呢？——早咧！
天是大亮的了！
他还看见许多野草，
开着金黄色的花。

（一九二〇，六，七，伦敦）

这首《牧羊儿的悲哀》与下面所选的《一个小农家的暮》，《稻棚》，在晚期的《新青年》杂志上发表时，我读之觉得喜欢，到现在还有着印像。刘半农的新诗，如果我今天不读《扬鞭集》，好像就只记得三首。至如《相隔一层纸》虽然记得，却只是给我一点经验，对于现在的少年们要求一种什么文学的意思，能以了解，少年都是一样。

雨

（这全是小蕙的话，我不过替她做个速记，替她连串一下便了。一九二〇，八，六，伦敦）

妈！我今天要睡了——要靠着我的妈早些睡了。听！后面草地上，更没有半点声音；是我的小朋友们，都靠着他们的妈早些去睡了。

听！后面草地上，更没有半点声音；只是墨也似的黑！只有墨也似的黑！怕阿！野狗野猫在远远地叫，可不要来阿！只是那叮叮咚咚的雨，为什么还在那里叮叮咚咚的响？

妈！我要睡了！那不怕野狗野猫的雨，还在墨黑的草地上，叮叮咚咚的响。它为什么不回去呢？它为什么不靠着它的妈，早些睡呢？

妈！你为什么笑？你说它没有家么？——昨天不下雨的时候，草地上全是月光，它到那里去了呢？你说它没有妈么？——不是你前天说，天上的黑云，便是它的妈么？

妈！我要睡了！你就关上了窗，不要让雨来打湿了我们的床。你就把我的小雨衣借给雨，不要让雨打湿了雨的衣裳。

这首诗很美。“只是那叮叮咚咚的雨，为什么还在那里叮叮(咚咚)的响？”“你说它没有家么？——昨天不下雨的时候，草地上全是月光，它到那里去了呢？”“你就把我的小雨衣借给雨，不要让雨打湿了雨的衣裳。”这些都是美的诗句。

教我如何不想她(歌)

天上飘着些微云，
地上吹着些微风。
啊！
微风吹动了我头发，
教我如何不想她？

月光恋爱着海洋，
海洋恋爱着月光。
这般蜜也似的银夜，
教我如何不想她？

水面落花慢慢流，
水底鱼儿慢慢游。
啊！
燕子你说(些)什么话？
教我如何不想她？

枯树在冷风里摇，
野火在暮色中烧。
啊！
西天还有些儿残霞，
教我如何不想她？

（一九二〇，九，四，伦敦）

这首诗很不容易写。起初我是翻阅《中国新文学大系·诗集》见有《教我如何不想她》这么个题目，心想这首诗倒要读他一遍，一读却一口气把他读完了。我说一口气把他读完了，正是我称赞这首诗的意思，正是这首诗的真实，令人心悦诚服。现在我因为读了《扬鞭集》之后，又觉得这首诗写得真实，是当然的。诗人刘半农原是很结实的人物。

一个小农家的暮

她在灶下煮饭，
新砍的山柴，
必必剥剥的响。
灶门里嫣红的火光，
闪着她嫣红的脸，
闪红了她青布的衣裳。

他衔着个十年的烟斗，
慢慢的从田里回来；
屋角里挂去了锄头，
便坐在稻床上，
调弄着只亲人的狗。
他还渡〔踱〕到栏里去，
看一看他的牛；
回头向她说，
“怎样了——

我们新酿的酒?”

门对面青山的顶上，
松树的尖头，
已露出了半轮的月亮。

孩子们在场上看着月，
还数着天上的星：
“一，二，三，四……”
“五，八，六，两……”

他们数，他们唱：
“地上人多心不平，
天上星多月不亮。”

(注)末二句是江阴谚。

（一九二一，二，七，伦敦）

稻　　棚

记得八九岁时，曾在稻棚中住过一夜。这情景是不能再得的了，所以把它追记下来。

（一九二一，二，八，伦敦）

凉爽的席，
松软的草，
铺成张小小的床；
棚角里碎碎屑屑的，

透进些银白的月亮光。

一片唧唧的秋虫声，
一片甜蜜蜜的新稻香——
这美妙的浪，
把我的幼稚的梦托着翻着……
直翻到天上的天上(!)……

回来停在草叶上，
看那晶晶的露珠，
何等的轻！
何等的亮！……

回　声

一

他看着白羊在嫩绿的草〈地〉上，
慢慢的吃着走着。
他在一座黑压压的
树林的边头，
懒懒的址〔坐〕着。
微风吹动了树上的宿雨，
冷冰冰的向他头上滴着。

他和着羊颈上的铃声。
低低的唱着。

他拿着枝短笛，
应着潺潺的流水声，
呜呜〔呜呜〕的吹着。
他唱着，吹着，
悠悠的想着；
他微微的叹息；
他火热的泪，
默默的流着。

二

该有吻般甜的蜜？
该有蜜般甜的吻？
有的？……
在那里？……

“那里的海”，
无量数的波棱，
纵着，横着。〔，〕
铺着，叠着，
翻着，滚着，……
我在这一个波棱中
她又在那里？（……）

也似乎看见她，
玫瑰般的唇，
白玉般的体，……

只是眼光太钝了，
没看出面目来。
她便周身浴着耻辱的泪，
默默的埋入那
黑压压的树林里！

黑压压的树林，
我真看不透你，
我真已看透了你？
我不要你在大风中
向我说什么；
我也很柔弱，
不能钩鳄鱼的鳃，
不能穿鳄鱼的鼻，
不能叫它哀求我，
不能叫它谄媚我；
我只是问，
她在那里？
“那里？”回声这么说。

唉！小溪里的水，
你盈盈的媚眼给谁看？
无聊的草，你怎年年的
替坟堰〔墓〕做衣裳？

去罢？——住着！——
住着？——去罢！——

这边是座旧坟，
下面是死人包〔化〕成的白骨；
那边是座新坟
下面是将化白骨的死人。

你！——你又怎么？
“你又怎么？”——回声这么说。

三

他火热的泪，
默默的流着；
他微微的叹息；
他悠悠的想着；
他还吹着，唱着；
他还拿着枝短笛，
应着潺潺的流水声，
呜呜〔呜呜〕的吹着；
他还和着羊颈上的铃声，
低低的唱着。

微风吹动了树上的宿雨，
冷冰冰的向他头上滴着；
他还在这一座黑压压的

树林的边头，
懒懒的坐着。
他还充满着愿望，
看着白羊在嫩绿的草上，
慢慢的吃着走着。

（一九二一，二，一〇，伦敦）

这一首《回声》，文情俱充实，写得很好。至于这首诗的意思怎么样，我不想另外加解说，让各人自己去读。我只想告诉大家，刘半农的原来乃只是蕴积的，是收敛的，而不是发泄的，这正是他的感情深厚之故，因此像《回声》这一〈诗〉首诗，我们读之只觉得有少的没有多余的，其铺排的地方乃是诗的文采，乃是诗人的感情了。

耻辱的门

“……生命中挣扎得最痛苦的一秒钟，
现在已安然的过去了！
这一刻——正恰恰是这一刻——
我已决定出门卖娼了！

自然的颜色，
从此可以捐除了；
榴火般红的脂，
粉壁般白的粉，
从此做了我谋生的工具了。

这亦许是值得纪念的一天,
唉!…………
但是算了罢,
我又不是做人家没做过的事,
算了罢,就是这么罢!

预料今后的你和我,
已处于相异的世界了!——
你可以玩弄我;
你,原是这个你,可以辱骂我。
你可以用金钱买我的爱
(无论这爱是真的,是假的,
却总得给你买些去),
而你转背就可以骂我是下流,骂我是堕落!
我呢?我除吞声承受外,
那空气,你的上帝所造的空气,
还肯替我的呻吟,
颤动出一半个低微的声浪么?

你转动着黄莺般灵妙的嘴与舌,
说人格,说道德,
说什么,说什么,……
唉!不待你说我就知道了;
而且我的宝贵它,

又何必不如你?
但饥饿总不是儿戏的事,
而人生的归结,
也总不是简单的饿死罢?

亦许多承你能原谅我。
我不敢说你的原谅是假意的;
但是唉!不免枉受了盛情了,——
我能把我最后挣扎的痛苦,
使你同样的感到一分么?

我承认你——
你的玩弄,侮辱,与原谅,
都是,而且永远是不错的,
因为你是个幸运者!
但是,也能留得一条我走的路么?——
唉!这也只是不幸运者的空想罢!
到我幸运像你时,
亦许我也就同你一样了。

多余的话太多了!
再见罢!
从此出了这一世,
走入别一世:
钻进耻辱的门,

找条生存的路！……

贼！时间是记忆的贼！
可是过去的事也总得忘记了！
再见罢，从此告别今天的我：
我此后不再记忆你，
不再认识你；
因为我既然要活着，
怎能容得你这死鬼的魂，
做我钻心的痛刺呢？…………

（一九二一，七，一六，巴黎）

这首诗后面作者附有“后序”，我觉得可不必抄引。这样的诗选在这里很占篇幅，然而我们不能割爱，这种题目都不容易写，非诗里头真有质量不可轻易下笔，这种诗最容易露马脚，写这种诗也最见诗人的本色。《扬鞭集》作者是很结实的诗人，所以他可以欲罢不能的写，虽然稍占篇幅，我也愈〔愉〕快的抄选下来了。

巴黎的秋夜

井般的天井：
看老了那阴森森的四座墙，
不容易见到一丝的天日。

什么都静了，

什么都昏了，
只飒飒的微风，
打玩着地上的一张落叶。

（一九二一，八，二〇，巴黎）

小　诗

酷虐的冻与饿，
如今挨到了我了；
但这原是人世间有的事，
许多的人们冻死饿死了。

（一九二一，九，一七，巴黎）

像这首小诗，很不容易写得好，作者却写得恰好，甚不易得。这正是作者的性情好，故能将一个难得表现合式的感情很朴质的表现着了。这种情感原是很平常的，人人可有的，要表现着平常生活的情感却最见性情，见学问，便是孔子说的“能近取譬，可谓仁之方也已。”

老木匠（记小儿语）

我家住在楼上，
楼下住着一个老木匠。
他的胡子花白了，
他整天的弯着腰，
他整天的叮叮当当敲。

他整天的咬着个烟斗，
他整天的戴着顶旧草帽。
他说他忙啊！
他敲成了许多桌子和椅子。
他已送给了我一张小桌子。
明天还要送我一张小椅子。

我的小柜儿坏了，
他给我修好了；
我的泥人又坏了，
他说他不能修，
他对我笑笑。

他叮叮当当的敲着，
我坐在地上，
也拾些木片儿的的搭搭的敲着。
我们都不做声，
有时候大家笑笑。

他说“孩子——你好！”
我说“木匠——你好！”
我们都笑了，
门口一个邻人(——，)
(他是木匠的朋友，
他有一只狗的)，

也哈哈的笑了。

他敲着烟斗向我说：
“孩子——你好。
我喜欢的是孩子。”
我说“要是孩子好，
怎么你家没有呢？”
他说“唉！
从前是有的，
现在可(是)没有了”。
他说了他就哭，
他抱了我亲了一个嘴；
我也不知怎么的，
我也就哭了。

（一九二一，一〇，一，巴黎）

(梦)

正做着个很好的梦，
不知怎的忽然就醒了！
回头努力的去寻罢！
可是愈寻愈清醒，〔：〕梦境愈离愈远了！

眼里的梦境渐渐远，
心里的梦影渐渐深：
将近十年了，

我还始终忘不了！

要忘是忘不了，
要寻是没法儿寻。
不要再说自由了，
这点儿自由我有么？

（一九二三，六，二九，巴黎）

我抄选这一首《梦》，我觉得很有趣，因为我记起《尝试集》里的《一笑》来了，那里的一首《一笑》同这里的一首《梦》，对比观之确是很有兴趣。

《一笑》一诗自然很有一种风度，却是铺张成篇，诗里的感情反而不足。《扬鞭集》这一首《梦》，却是感情充实，姿态见得老实一点，正是寞寂〔寂寞〕的姿态了。

尽管是……

她住在我对窗的小楼中，
我们间远隔着疏疏的一园树。
我虽然天天的看见她，
却还是至今不相识。
正好比东海的云，
关不着西山的雨。

只天天夜晚，
她窗子里漏出些琴声，

透过了冷冷清清的月，
或透过了屑屑濛濛的雨，
叫我听着了无端的欢愉，
无端的凄苦；
可是此外没有什么了，
我与她至今不相识，
正好比东海的云，
关不着西山的雨。

这不幸的一天可就不同了，
我没听见琴声，
却隔着胧朦〔朦胧〕的窗纱，
看她傍着盏小红灯，
低头不住的写，
接着是捧头不住的哭，
哭完了接着又写，
写完了接着又哭，……
最后是长叹一声，
将写好的全都扯碎了！……
最后是一口气吹灭了灯，
黑沉沉的没有下文了！……

黑沉沉的没有下文了，
我也不忍再看下文了！
我自己也不知怎么着，

竟为了她的伤心，
陪着她伤心起来了。

我竟陪着她伤心起来(了)，
尽管是我们俩至今不相识；
我竟陪着她伤心起来了，
尽管是我们间
还远〈远〉隔着疏疏的一园树；
我竟陪着她伤心起来，
尽管是东海的云，
关不着西山的雨！

（一九二三，七，九，巴黎）

我费了这么多的篇幅将《扬鞭集》十九首诗也都抄完了，而我认为《扬鞭集》压卷的诗，那一首《母亲》，乃是诗的纯净的表现，是新诗里最完全的诗篇之一了。那首诗只有三行文字，写得那么容易，那是〔么〕庄严，那么令人亲近。正非偶然，是作者整个人格的蕴积，遇着一件最适合于他的题材，于是水到渠成了。我在抄选《扬鞭集》的时候，不禁起一种感想，我总觉得徐志摩那一派的人是虚张声势，在白话新诗发展的路上，他们走的是一条岔路，却因为他们自己大吹大擂，弄得像煞有介事似的，因而阻碍了别方面的生机，初期白话诗家的兴致似乎也受了打击了，这不能不说是一件寂寞的事。新月派的诗人，其勤勉虽然可钦，其缺乏反省精神，也只好说是功过相抵，他们少数人的岔路几乎成为整个新诗的一条冤枉路，——终于还是此路不通行，故我说是冤枉路。这几句话是因为今天讲《扬鞭集》起的感想，随后再谈。

七　鲁迅的新诗

鲁迅先生也写了几首新诗，当时署名“唐俟”在《新青年》杂志上发表。唐俟的新诗第一回见于《新青年》第四卷第五号，时候为民国七年五月。我现在选一首《他》，见于八年四月出版的《新青年》第六卷第四号。

他

一

“知了”不要叫了，
他在房中睡着；
“知了”叫了，刻刻心头记着。
太阳去了，“知了”住了：——还没有见他，
待打门叫他，——锈铁链子系着。

二

秋风起了，
快吹开那家窗幕
开了窗幕，〈——〉会望见他的双靥。
窗幕开了，——一望全是粉墙，
白吹下许多枯叶。

三

大雪下了，扫出路寻他；

　这路连到山下，山上都是松柏，

　他是花一般，这里如何住得！

不如回去寻他，——阿！回来还是我家。

《新青年》杂志所刊这首诗，原也有错字，但都错得没有意思，一望而知其为错字，北社《新诗年选》选了这一首《他》，将几处错字都改正了。惟原诗"锈铁链子系着"的"锈"字，《新诗年选》误刊作"绣"，《中国新文学大系·诗集》因之，于是就成了"绣铁链子系着"，这一个错字似乎错得有点意思，我们应该改过来。《新青年》上所刊原诗的样式与选集所载也有小小的一点不同，即第三节二三两行原刊比第一行低一格，兹亦照原刊样式。鲁迅先生这一首《他》，我觉得是他的新诗写得最美的一首，那是说这一首《他》最是诗，其余几首便像短文，写得很峻绝罢了。这一首《他》怎么讲？便很难说。我曾问了几位朋友的读后感，大家有一个公共的感觉，说这首诗好像是新诗里的魏晋古风。这首诗里的情思，如果用旧诗来写，一定不能写得这样深刻，而新诗反而有古风的苍凉了。这首诗用旧诗来写恐怕还要容易懂些，那就要把作者的情调改削一些，要迁就于做旧诗的句法。新诗真是适宜于表现实在的诗感。这首诗所给我的，是"感彼柏下人"的空气。这首诗对于我的印象颇深，我总由这一首《他》联想到鲁迅先生《写在〈坟〉后面》那篇文章，那时鲁迅先生在厦门，我在《语丝》上读到他这篇《坟》的后记，不禁想着他很是一位诗人。这个诗人的感情，自然还是以较早的这一首新诗表现得最美好，我们读之也最感苍凉。在《药》那一篇小说里，描写着“分明有一圈红白的花，围着那尖圆的坟顶，”虽然《呐喊》自序里说，那时大家是不主张消极的，“所以我往往不恤用了曲笔，在《药》的瑜儿〈路〉的坟上平空添上一个花环，”我想原因还是因为鲁迅先生自己的诗的感觉罢，写到坟上他想到了画一点花。这个诗的感觉在我们现在所讲的这一首新诗里也显露着，“大雪下了，扫出先〔路〕寻他；这路运〔连〕到山上，山上都是松柏，他是花一般，这里如何住得！”这首诗里诗人的气分太〈分〉重了，像陶渊明的《荣木》与夫“寒华徒自荣”本来不完全是诗，尚有哲人的消遣法，鲁迅先生的《他》则是坟的象征，即是他说的“埋掉自己”，即完全是一首诗，乃有感伤。这首诗分三节，作者似乎也是有意的，即是春天的一节不写了，这或者因为作者自己觉得青年时期已经过去了或者因为鲁迅先生对于青年向来有一种感情，他的文章里都有这个气息，所以他在这首诗也不愿把春光改在他的“俟堂”的空气里。俟堂系鲁迅先生自己起的斋名，从他人的“待死〈其〉堂”三个字变成两个字。在《新青年》写随感录同新诗都署名“唐俟”，又是从俟堂变来的，唐有此姓，又唐者功不唐捐之唐，意云空等候。

八　小河及其他

今天我们讲周作人先生的新诗。周先生的新诗，后来结成一个集子名为《过去的生命》，周先生在序里说，“这里所收集的三十多篇东西，是我所写的诗的一切。”有名的一首《小河》长诗，原刊于民国八年二月初版的《新青年》第六卷第二号。当时大家异口同声的说这一首《小河》是新诗中的第一首杰作。最初的白话新诗都脱不了旧诗词的气息，大家原是自动的要求诗体的解放，何以还带着一种解放不了的意味呢？我想这还是因为内容的问题。大家习于旧诗词，大家新诗的题材离旧诗词不远，旧诗词的调子便本能似的和着新诗的盘子托出来了。胡适之先生缠足的比喻已经注定了命运，缠足的妇人就是缠足的妇人，虽然努力放脚，与天足的女子总不是一个自然了。到了《小河》这样的新诗一出现，大家便好像开了一个眼界，于是觉得新诗可以是这样的新法了。大家见了《小河》这首白话新诗这么的新鲜，而当时别人的新诗，无论老的少的，那么带有旧诗词的意味，于是就说别人的新诗是从旧式诗词里脱胎出来的，周先生的诗才合乎说话的自然，或者说周先生的语体走上欧化一路。其实这都是表面的理由，根本原因乃是因为周先生的新诗，其所表现的东西，完全在旧诗范围以外了。中国这次新文学运动的成功，外国文学的援助力甚大，其对于中国新文〈运〉学运动理论上的声援又不及对于新文学内容的影响。这次的新文学运动因为受了外国文学的影响，新文学乃能成功一种质地。新文学的质地起初是由外国文学开发的，后来又转为“文艺复兴”，即是由个性的发展而自觉到传统的自由，于是发现中国文学史上的事情都要重新估定价值了，而这次的新文学乃又得了历史上中国文艺的声援，而且把古今新的文学一条路沟通了，远至周秦，近迄现代，本来可以有一条自由的路。这个事实揭穿之后又是一个很平常的事实，正同别的有文学史的国度是一样，一国的文学都有一国文学的传统，只是中国的事情歪曲很多，大约与八股成比例，反动势力永远拨不开，为别人的国度里所〈没〉有的现象。周作人先生在新文学运动中，起初是他介绍外国文学，后来周先生又将中国文学史上的事情提出来了，虽然周先生是思想家，所说的又都是散文方面的话，然而在另一方面周先生却有一个“奠定诗坛”的功劳。我这话好像是说得好玩的，当然有点说笑话，然而笑话也要有事实的根据。现在的年青诗人都是很新的诗人了，对于当日的事情不生兴趣，当日的事情对于他们也无关系，较为早些日子做新诗的人如果不是受了《尝试集》的影响就是受了周作人先生的启发。而且我想，白话新诗运动，如果不是随着有周作人先生的新诗做一个先锋，这回的诗革命恐怕同《人境庐诗草》的作者黄遵宪在三十年前所喊出的“我手写我口，古岂能拘牵，即今流俗语，我若登简编，五千年后人，惊为古斓班”一样的革不了旧诗的命了。黄遵宪所喊的口号，就是一首旧诗。我在本篇第五讲里引《新青年》一段补白，里面引了寒山和尚一首诗，寒山和尚的宗旨也就等于黄遵宪的宗旨，都是要用白话作诗。他们用白话做诗，又正是作一首旧诗。我们这回的白话诗运动，算是进一步用白话作诗不作旧诗了，然而骨子里还是旧诗，作出来的是白话长短调，是白话韵文。这样的进一步更是倒楣，如果新诗仅以这个情势连续下去，不但革不了旧诗的命，新诗自己且要抱头而窜，因为自身反为一个不伦不类的东西，还不如人境庐白话诗可以旧诗的资格在诗坛上傲慢下去了。我这样说话，并不是嘲笑当时的诗革命运动，我乃是苦心孤诣的帮助白话新诗说话。白话新诗要有白话新诗的内容，新诗所表现的东西与旧诗词不一样，然后新诗自然是白话新诗了。周作人先生的《小河》，其为新诗第一首杰作事小，其能令人眼目一新，诗原来可以写这么些东西，却是关系白话新诗的成长甚大。青年们看了周先生所写的新诗，大家不知不觉的忘了裹脚布，立地便是天足的女孩子们想试试手段了。从此新诗有离开旧诗的可能，因为少年人的诗国里已经有一块园地了。这时新诗的园地有点像幼稚园，大人们的理论都没有用处，男孩子女孩子都在那里跳来跳去的做诗了。周先生稍后又翻译了国外的一些诗歌，成功所谓“小诗”空气，都给少年们开发了一些材料。周先生翻译的诗歌后来结成一集，名曰“陀螺”。我现在从《过去的生命》里选诗十首，共八个题目，关于每首诗我却不能加解说了。

小　河

　　一条小河，隐隐的向前流动。
经过的地方，两面全是乌黑的土，
生满了红的花，碧绿的叶，黄的果实。
　　一个农夫背了锄来，在小河中间筑起一道堰。

下流干了，上流的水被堰拦着，下来不得，不得前
　进，又不能退回，水只在堰前乱转。
水要保他的生命，总须流动，便只在堰前乱转。
堰下的土，逐渐淘去，成了深潭。
水也不怨这堰，——便只是想流动。
想同从前一般，稳稳的向前流动。
　　一日农夫又来，土堰外筑起一道石堰。
土堰坍了，水冲冲〔着〕坚固的石堰，还只是乱转。
　　堰外田里的稻，听着水声，皱眉说道，——
　　“我是一株稻，是一株可怜的小草，
　　我喜欢水来润泽我，
　　却怕他在我身上流过。
　　小河的水是我的好朋友，
　　他曾经稳稳的流过我面前，
　　我对他点头，他向我微笑。
　　我愿他能够放出了石堰，
　　仍然稳稳的流着，
　　向我们微笑，
　　曲曲折折的尽量向前流着，
　　经过的两面地方，都变成一片锦绣。
　　他本是我的好朋友，
　　只怕他如今不认识我了，
　　他在地底里呻吟，
　　听去虽然微细，却又如何可怕！
　　这不像我朋友平日的声音，

被轻风搀着走上沙滩来时，
快活的声音。
我只等他这回出来的时候，
不认识从前的朋友了，——
便在我身上大踏步过去。
我所以正在这里忧虑。”

田边的桑树，也摇头说，——
“我生的高，能望见那小河，——
他是我的好朋友，
他送清水给我喝，
使我能生肥绿的叶，紫红的桑葚。
他从前清澈的颜色，
现在变了青黑，
又是终年挣扎，脸上添出许多痉挛的皱纹。
他只向下钻，早没有工夫对了我的点头微笑。
堰下的潭，深过过〔了〕我的根了。
我生在小河旁边，
夏天晒不枯我的枝条，
冬天冻不坏我的根。
如今只怕我的好朋友。
将我带倒在沙滩上，
拌着他卷来的水草。
我可怜我的好朋友，
但实在也为我自己着急。”

田里的草和虾蟆，听了两个的话，

也都叹气，各有他们自己的心事。

水只在堰前乱转，
坚固的石堰，还是一毫不摇动。
筑堰的人，不知到那里去了。

一九一九年一月二十四日

所　见

三座门的底下，
两个人并排着慢慢地走来。
一样的憔悴的颜色，
一样的戴着帽子，
一样的穿着袍子，
只是两边的袖子底下，
拖下一根青麻的索子。
我知道一个人是拴在腕上，
一个人是拿在手里，
但我看不出谁是谁来。

皇城根的河边，
几个破衣的小孩们，
聚在一处游戏。
“马来，马来！”
骑马的跨在他同伴的背上了。
等到月亮上来的时候，
他们将柳条的马鞭抛在地上，
大家说一声再会，

笑嘻嘻的走散了。

一九二〇年十月二十日

儿　歌

　　小孩儿,你为什么哭?
你要泥人儿么?
你要布老虎么?
　　也不要泥人儿,
也不(要)布老虎。
对面杨柳树上的三只黑老鸦,
哇儿哇儿的飞去了。

秋　风

　　一夜的秋风,
吹下了许多树叶
红的爬山虎,
黄的杨柳叶。
都落在地上了。
只有槐树的豆子。
还是疏朗朗的挂着。
　　几棵新栽的菊花,
独自开着各种的花朵。
也不知道他的名字,
只称他是白的菊花,黄的菊花。

十一月四日

过去的生命

这过去的我的三个月的生命,那里去了?
没有了,永远的走过去了!
我亲自听见他沉沉的缓缓的一步一步的,
在我床头走过去了。
我坐起来,拿了一枝笔,在纸上乱点,
想将他按在纸上,留下一些痕迹,——
但是一行也不能写,
一行也不能写。
我仍是睡在床上,
亲自听见他沉沉的他缓缓的,一步一步的,
在我床头走过去了。

一九二一年四月四日在病院中

中国人的悲哀

中国人的悲哀呵,
我说的是做中国人的悲哀呵。
也不是因为外国人欺侮了我,
也并不指着姓名要打我,
也并不喊着姓名来骂我。
他只是向我对面走来,
嘴里哼着些什么曲调,一直过去了。
我睡在家里的时候,
他又在墙外的他的院子里,

放起双响的爆竹来了。

四月六日

山居杂诗

六

后窗上糊了绿的冷布，
在窗口放着两盆紫花的松叶菊。
窗外来了一个大的黄蜂，
嗡嗡的飞鸣了好久，
却又惘然的去了。
阿，我真做了怎样残酷的事呵！

六月二十二日

七

“苍蝇纸”上吱吱的声响，
是振羽的机械的发音么？
是诉苦的恐怖的叫声么？
“虫呵，虫呵！难道你叫着，业便会尽了么？”(注一)
我还不如将你两个翅子都粘上了罢。

(注一)这是日本古代失名的一句诗。

二十五日

小孩

一

我初次看见小孩子〔了〕。
我看见人家的小孩，觉得他可爱，

因为他们有我的小孩的美，
有我的小孩的柔弱与狡狯。
我初次看见小孩了，
看见了他们的笑和哭，
看见了他们的服装与玩具。

二

　　我真是偏私的人呵。
我为了自己的儿女才爱小孩，
为了自己的妻才爱女人。
为了自己才爱人。
但是我觉得没有别的道路了。

一九二二年一月十八日

我抄写这十首诗，每篇都禁不住要写一点我自己的读后感，拿了另外的纸写，写了又团掉了。我觉得写的不好，写的反而是空虚的话。于是我又很自满足，我觉得我将周先生的诗选的很好，周先生的和平与文明的德行，平平实实，疏疏朗朗的写在这些诗行里了。我又爱好这些诗里一种新鲜气息，此〔比〕“日出而作，日入而息，凿井而饮，耕田而食”还要新鲜，因此也就很古了。却又不能说羲皇以上，因为是现代的文明人。却又表现在最初的新诗里头。真真古怪，真真有趣，而且令我叹息。

九　草儿

康白情的《草儿》，是很惹我注意的一本新诗集。《草儿》是民国十一年三月出版的。后来又有修正版，书名改为《草儿在前集》，其实这并没有什么重要的意义，就历史的意义说我们还是讲《草儿》。我最初注意《草儿》，还是在《努力周报》的增刊《读书杂志》上读了胡适之先生《评新诗集〈草儿〉》一篇文章引起来的，觉得那些诗真是新鲜爽利，一直留着一个很好的记忆。这很像读了人家的游记，惹得自己也想去看看这一幅佳山水，但因为别的事情搁起来了，于是这件事情也就忘记了。事隔多年之后，在《中国新文学大系·诗集》里读到康白情的新诗，于是往日的记忆又流动起来了。我还得感谢那一首《和平的春里》，由这一首新诗引起我爱好一首很古的歌辞，"江南可采莲，莲叶何田田。鱼戏莲叶间。鱼戏莲叶东，鱼戏莲叶西，鱼戏莲叶南，鱼戏莲叶北。"这首古歌辞的古新鲜，一种质直的别致，与康白情的天籁实在并无相同的地方，然而我因为读了《和平的春里》触动我对于"鱼戏莲叶东"的欣赏，这里也便见康白情的这一首新诗令人不可及之处。这回我拿了《草儿》从头至尾一首一首的读，第一遍还是欲罢不能，觉得他写的真是很新鲜，真是"读来爽口，听来爽耳"，因此读了也就不得要领，于是我再从头至尾读一遍，再读一遍乃随处引起我的思索，不欲停读而不能，还是关于新诗由《草儿》引起我有一些话可说，于是我开始选《草儿》里的诗，选出来的新诗却只有四首，我很有点可惜似的，这么一种新鲜的诗集怎么只选得这四首。现在我且把我所选的《草儿》里四首诗抄出来，然后再说别的话。

窗　外

窗外的闲月
　紧恋着窗内蜜也似的相思。
相思都恼了，
　她还涎着脸儿在墙上相窥。

回头月也恼了，
　一抽身儿就没了。
月倒没了；
　相思倒觉着舍不得了。

（一九一九年二月九日，北京）

江　南

一

只是雪不大了，
颜色还染得鲜艳。
赭白的山，
油碧的水，
佛头青的胡豆土。

橘儿担着；

驴儿赶着；

蓝袄儿穿着；

板桥儿给他们过着。

二

赤的是枫叶，

黄的是茨叶，

白成一片的是落叶。

坡下一个绿衣绿帽的邮差

撑着一把绿伞——走着。

坡上踞着一个老婆子，

围着一块蓝围腰，

哼哼的吹得柴响。

二〔三〕

柳桩上拴着两条大水牛。

茅屋都铺得不现草色了。

一个很轻巧的老姑娘

端着一个撮草〔箕〕，

蒙着一张花帕子。

背后十来只小鹅

都张着些红嘴，

跟着她，叫着。

颜色还染得鲜艳，

只是雪不大了。

（一九二〇年二月四日，津浦铁路车上）

和平的春里

遍江北底野色都绿了。

柳也绿了。

麦子也绿了。

细草也绿了。

(水也绿了。)

鸭尾巴也绿了。

茅屋盖上也绿了。

穷人底饿眼儿也绿了。

和平的春里远燃着几围野火。

(四月四日,津浦铁路车上)

自　　得

中夏什刹海底清晨

是一组复杂的音乐,

是一幅活的画。

铁嘴儿飞着叽哄〔哩〕呱喇地叫。

鹌鹑儿对对地跟着,唧的一声,又投向芦苇里去了。

白的小蝴蝶儿端在空中飘着惹燕子。

柳阴里露出几栏遮不住底红楼,

一根挑子在楼下走着叫白菜。

满担底绿桃子红李子在一家屋檐下搁着。

卖东西的却坐在一块青石磴上打渴睡。

侧边又有一个班〔斑〕白的老头子，一针一针地坐在阶级上补他春天底破棉袄。

檐上底老乌呱的一声，

他举头看了一眼湖里底红藕。

沟里有些鱼儿跳出(水)来晒肚皮，

——卷出水红色的白肚皮——

碧水一井，又振起一个圈儿。

忽然飞来一只白鹭夹了一尾去了。

荷叶吹了些清香出来。

西山从屋顶上露了些黛晕出来。

白云在蓝空里随意浮动。

军警弹压处底五色旗晒在红楼边底篾棚下浪着。

隔岸一个打赤膊的，叽嘎叽嘎地推过满车白亮亮的冰。……

一组复杂的音乐，

一幅活的画，

尽在中夏什刹海底清晨里。

(六月二十二日)

《草儿》确是新诗运动声中很有意义的一本诗集。没有新诗运动一定没有康白情的这些诗，康白情的新诗大约又不能继续写下去，这两句话是我这回读了《草儿》总结的话。原来这里好像摆着一个事实，即是中国的白话新诗能够发展些什么东西。

康白情的新诗的文章，是《儒林外史》《老残游记》的文章，但他又确乎是写诗的人，因为他的天才是音乐的，是诗的天才。胡适之先生评《草儿》那篇文章里，引了《江南》作例子，说“《江南》的长处在于颜色的表现，在于自由的实写外界的景色。”又说，“但这种诗假定两个条件：第一须有敏捷而真确的观察力，第二须有聪明选择力。”胡先生这话只是说得表面，康白情的诗里所写的，并不是从真确的观察得来的，他当然也有他的选择，但他是“点点不离杨柳外，声声只在芭蕉里，”即是说外界的景色要恰恰碰在他的诗情的弦上，于是这个音乐就响起来了。这里头没有观察，这里头其实连选择也没有，只是刚好碰上，一碰上，再是挑拨，于是就自由的歌唱起来了。碰得好乃一首好诗，真是“谁把钿筝移玉柱，穿帘燕子双飞去。”碰得不好，或者诗弦并不十分紧张，有心来撩弄，于是诗便无论如何不是成功之作。总之这种诗的作者的天才都是音乐的，惟其是音乐的，写出来的东西才是颜色的交响。在旧诗里头也是如此，不过那更是主观的抒情，我且举韦庄的词，如“琵琶金翠羽，弦上黄莺语，劝我早归家，绿窗人似花。”这四句里头对几个颜色的字，然而我们读之而不觉，只觉得读来爽口，听来爽耳。实在写这词的人他也没有故意挑这几个颜色的字眼，他只是抒情，只是琴音罢了。又如晏几道有名的一首词，于“琵琶弦上说相思”句下紧接着“当时明月在，曾照彩云归”，诗人自己回忆月下美人，或者还是一个蛾绿桃红的印像，即是说记忆新鲜得很，于是就不知不觉的明月照着彩云，并不同乎普通的代字。大凡这类的诗人，都是抒情诗人，他们的眼里如是颜色，他们的笔下却是弹琴。有时又先是琴声然后表现之于画色，如这四句，“桃溪不作从容住，秋藕绝来无续处，当诗〔时〕相候赤栏桥，今日独寻黄叶路，”赤栏桥黄叶路正是音乐的表现，这些地方正是一气呵成一派的诗，与其说是人工，毋宁说是天籁。照旧诗文字的性质说，只要是这一派的天才在这里尽有发展的余地，但一种体裁到了后代成了疆〔强〕弩之末，只可以供模仿诗家当作破铜烂铁去制造，不复成其为利器，便是有创造才能的人也不知道这种器具可能的用处，谁也休想能够利用它。康白情的《草儿》在当时白话新诗坛上可谓一鸣惊人，正是作者的音乐才能忽然得到一个表现的利器，没有白话新诗，这个才能便压抑下去了，他既不是小说的天才，不能像《儒林外史》《老残游记》一样的写景，一旦他以《儒林外史》《老残游记》写景的笔墨来写白话新诗，于是若决江河沛然莫之能御了。(这个河流又不能久长的。)康白情写新诗，大约先是受了胡适之先生的影响，随后又受了周作人先生的启发。如我们所选的《窗外》这一首，便很像《尝试集》的笔致，确乎只是“浅淡不及胡适”。(按，北社《新诗年选》康白情的诗后面有署名愚庵的评语，有云，“大概浅淡不及胡适，而深刻不及周作人。浅淡深刻四个字，都不寓褒贬的意思。”)后来写《江南》一类的诗，大约是受了周作人先生的《画家》的影响，开发了他自己的诗的题材。我讲周先生的新诗的时候，没有选《画家》这一首诗，现在且把这首诗抄在这里：

画　　家

可惜我并非画家，
不能将一枝毛笔，
写出许多情景。——

两个赤脚的小儿，
立在溪边滩上，
打架完了，
还同筑烂泥的小腰。

车外整天的秋雨，
靠窗望见许多圆笠，——
男的女的都在水田里，
赶忙着分种碧绿的稻秧。(注一)

小胡同口，
放着一副菜担，——
满担是青的红的萝卜，
白的菜，紫的茄子，
卖菜的人立着慢慢的叫卖。

(注一)以上两节系夏间在日本日向道中所见。

初寒的早晨，
马路旁边，靠着沟口，
一个黄衣服蓬头的人，
坐着睡觉，——
屈了身子，几乎叠作两折。
看他背后的曲线，
历历的显出生活的困倦。

这种种平凡的真实印象，
永久鲜明的留在心上，
可惜我并非画家，
不能用这枝毛笔，
将他明白写出。

一九一九年九月二十一日

周先生这首诗给当时新诗坛的影响很大，一时做新诗的人大家都觉得有新的诗可写了，因为随处都有新诗的材料。康白情却最妙，他一且〔旦〕发现了诗材料，他乃不知不觉的以旧小说描写笔墨来写他的新诗，好像本来有这种东西的可能，只是在那里压抑了好久，这时才得到发泄的自由了，于是他的几首新诗最成其为白话新诗，别人不能学他，他自己后来不能学他。他的诗表面上看是图画，其实是音乐，却是说是天籁，我们且看《自得》这一首诗里有一句好玩的例子：

满担底绿桃子红李子在一家屋檐下搁着。
卖东西的却坐在一块青石(磴)上打渴睡。
侧边又有一个斑白的老头子，一针一针地坐在阶级上补他春天底破棉袄。
檐上底老鸟〔乌〕呱的一声，
他举头看了一眼湖里底红藕。

我说有一句好玩的例子便是“他举头看了一眼湖里的〔底〕红

藕。"试问诗人怎么知道这个"补他春天底破棉袄"的老头不是举头看了一眼湖里的红藕呢？他举头看了一眼大概总是正确的观察，至于举头看了一眼湖里底"红藕"在这里只是确切不可移易的一句好诗，自然画色做了诗人琴音罢了。那首诗里还有两句也很好玩，"柳阴里露出几栏遮不住底红楼，一根桃〔挑〕子在楼下走着叫白菜。"这个卖白菜的真来得凑巧，不可无一，亦太〔不〕可有二了。又如"隔岸一个打赤膊的，叽嘎叽嘎地推过满车白亮亮的冰。"说一句杀风景的话，北平街上，就是推粪车的，就是在夏天，也没有"一个打赤膊的"。然而"隔岸一个打赤膊的，叽嘎叽嘎地推过满车白亮亮的冰，"真是文章本天成，妙手偶得之。总而言之，康白情的诗是天籁。我将一本《草儿》选来选去只选了四首诗，本来还没有将《自得》这一首算数，四首里算了《妇人》那一首，等待要抄写这一首《妇人》的时候，觉得这首诗不行，好比"小麦都种完了，驴儿也犁苦了，大家往外婆家里去玩玩罢。"这三句诗弦并不紧张，通篇也是有意来描写，写得好也不能算诗，是活泼泼一段文章罢了。因为开始我就说我在《草儿》里选了四首诗，不愿再改为三首，于是改选《自得》一首，结果还是四首的数目。有时诗情倒是紧张的，即是说音乐很成功，却写不出，作者又舍不得不写，如题作"风色"的这一首，"旗呀！旗呀！红黄蓝白黑的旗呀！"这便同老太婆念阿弥陀佛差不多，不是心里没有得说，是口里说不出，于是指着名字叫一声。然而从一首失败的诗也可以看出康白情的诗是什么一回事，他不是画画，他倒是唱歌。胡适之先生在那篇诗评里称赞《草儿》里的纪游诗，并选了《日光纪游》第六首作例证，我从前读了也很佩服，其实那也是心里有得说口里说不出，什么"好雨！好雨！哈……哈……

哈……”只能算是哑吧做手势，算不得做诗了。

最后我要说我关于《草儿》里《庐山纪游》三十七首的意见。其实这里应该没有什么话可说，因为这些纪游诗都不成其为诗，一笔抹杀之可以〔也〕。但这里有一件有趣的事，要写纪游诗如果用旧诗写还可以写得是诗，康白情则是滥用写白话文的自由，因此这些纪游诗完全失败了。那时新文学运动初起来，新文学的少年先锋队正是旧文学的遗老，一鼓作气的卖弄一场，新瓶子里却正卖的是旧酒糟，从我们今日看来这是很有意义的事，说出他们失败的原故正是不埋没他们的战绩。胡适之先生在诗评里说，“白情的《草儿》在中国文学史的最大贡献，在于他的纪游诗。中国旧诗最不适宜做纪游诗，故纪游诗好的极少。白情这部诗集里，纪游诗占去差不多十分之七八的篇幅。这是用新诗体来纪游的第一次大试验，这个试验可算是大成功了。”又说，“占《草儿》八十四页的《庐山纪游》三十七首，自然是中国诗史上一条很伟大的作物了。”这个判断可谓大胆，但最初也难怪，我们现在只须说明中国旧诗适宜于做纪游诗，中国的白话新诗则不适宜于做纪游诗，这个事实又有关于新诗的发展。康白情的《庐山纪游》只是占的篇幅多，犹如一个旅行的学生做了许多日记，见其蓬蓬勃勃的生气，尚末〔未〕成功为一种文章，更谈不上诗了。这回我读《庐山纪游》诗，很觉得好玩，因了那些不伦不类的白话制作，每每记起一首旧诗来了，又想到民间的歌谣，可惜歌谣我记不得，要临时去找。如康白情的《庐山纪游》之十：

十日晴：
偕两叶，

束轻装，
请挑子，
裹面包，
带牛奶，
漫游去。

又如二十七：

十一日晴。
脱靴子；
换草鞋；
再上山；
蝉声泉声又远远地来迎我们了。

这些大约并不是作者故意写得好玩的，他大约真是在那里写他的诗感，也还是心里有得说口里说不出一种性质的东西，即是说这种诗感也还是音乐的。我从北大《歌谣周刊》找得两首河北歌谣，且抄在这里比较观之：

一

月亮斜，中秋节，
又吃月饼又供兔儿爷，
穿新袜，换新鞋，
也跟奶，也跟姐，
上趟前门逛趟街。

二

九月九，晴晴天，
奶娘同我到〔去〕到万寿山，
提黄酒，挟红毡，
走到山顶坐野盘。
观皇会，什锦幡。
南锣小鼓打的全。
奶娘渴了喝好酒，
饿了吃蟹作大餐。

这样的歌表现得一种欢乐之感，就意思说没有什么意思，却是把欢乐唱出来了，这正是歌谣的长处。诗人如果要写诗，许你用白话来写新诗，像这一种的音乐的欢感，却是奈何它不得，只好说不出。旧诗却有这个音乐的长处，这一点旧诗恰好与歌谣立在同一线上，都是以音乐性见长，不过一个是作家的诗人写的，一个是民间的天才唱出来的罢了。如这样一首唐诗，"雨歇杨林东渡头，永和三日荡轻舟。故人家在桃花岸，直到门前溪水流。"又如苏轼的这一首词，"莫听穿林打叶声，何妨吟啸且徐行，竹杖芒鞋轻胜马，谁怕，一蓑烟雨任平生。料峭春风吹酒醒，微冷，山头斜照却相迎。回首向来萧瑟处，归去，也无风雨也无晴。"又如辛弃疾的词，"着意寻春懒便回，何如信步两三杯。山才好处行还倦，诗未成时雨早催。携竹杖，更芒鞋，朱朱粉粉野蒿开。谁家寒食归宁女，笑语柔桑陌上来。"这些诗词，就文字里的意思说并没有什么意思，然而诗里的音乐就是意思，所以我们读着觉得它是诗了。因为这个诗情是表现于一种文字的音乐，旧诗之所以为诗每每归功于这个性质，如果将这个文字里的意义用我们的白话来写，无论如何不能成其为诗，倒可以写成一篇有情致的散文。我尝说〈说〉旧诗的内容是散文的，而其文字则是诗的，我的意思并不是否认旧诗不是诗，只是说旧诗之成其为诗与新诗之成其为诗，其性质不同。康白情的《庐山纪游》，是一堆乱写的文字，说不上新诗，也说不上白话散文，只是滥用自由。如果规规矩矩的写旧诗，发抒游兴，或者还能成一个样子，那么八十几页的篇幅本来没有什么可谈的，我的话可以说是完全不相干的，只是触动了多说几句话罢了。我还想抄几首普通的唐诗来说明一件事实：

登鹳雀楼

王之涣

白日依山尽，黄河入海流。欲穷千里目，更上一层楼。

江　　雪

柳宗元

千山鸟飞绝，万径人踪灭。孤舟蓑笠翁，独钓寒江雪。

勤政楼西柳

白居易

半朽临风树，多情立马人。开元一株柳，长庆二年春。

河满子

张　祜

故国三千里，深宫二十年。一声河满子，双泪落君前。

题水西寺

杜　牧

三日去还往，一生焉再游。含情碧溪水，重上粲公楼。

下江陵

李　白

朝辞白帝彩云间，千里江陵一日还。两岸猿声啼不住，
轻舟已过万重山。

宣城见杜鹃花

李　白

蜀国曾闻子规鸟，宣城还见杜鹃花。一叫一回肠一断，
三春三月忆三巴。

望天门山

李　白

天门中断楚江开，碧水东流向北回。两岸青山相对出，
孤帆一片日边来。

这些诗大约说得上读来爽口听来爽耳，文字里的意义并没有什么，用了许多的数目字，却最表现旧诗文字的音乐性。又如

词里这样的句子,“四月十七,正是去年今日,别君时,忍泪佯低面,含羞半敛眉。”又如“往来云过五,去住岛经三,正遇刘郎使,启瑶缄。”又如“走去走来三百里,五日以为期。六日归时已是疑,应是望多时。”如果这样写新诗,大约不成,然而做旧诗填词这些数目字反而有一种生气,好像是天籁。在歌谣里如此,数数的歌谣我却不记得,想来是很多的,一定读来爽口听来爽耳。我这番话还是由康白情的《草儿》引起来的。《庐山纪游》三十六有云:

十里走到隘口山。
走了五里还有二十里;
走了十里还有十六里;
走了十五里还有十二里;
走了二十里还有八里;
这二十里真长呵!
越陌又度阡,
沿岭又翻山,
远远还望不见马回岭。

这太不及“一根挑子在楼下走着叫白菜”来得出口成章了,大约图画的音乐性在白话新诗里还可以有几分成功,若一二三四五六七八九十的玩意儿大约只好让给歌谣了。说到这里,我的意思可以干脆的说出来完事,有一派做新诗的人专门从主观上去求诗的音乐,他们不知道新诗的音乐性从新诗的性质上就是有限制的。中国的诗本来有旧诗,民间还有歌谣,这两个东西的长处在新诗里都不能有，而新诗自有新诗成立的意义，新诗将严格的成为诗人的诗，它是完全独立，旧诗固然不必冒牌，歌谣亦不是一个新的东西了。康白情的《草儿》，给我们做了一个参考，他其实还是旧诗一派，他的新鲜乃因为初写白话文的原故，他乃以旧小说的文章偶然写得几首白话新诗，大约《和平的春里》是一首佳作，他有旧诗人苏辛一派的才情，这一派诗人还是适宜于旧诗，因为旧诗文字的音乐性能够限制才情，将泛滥的东西范围成一个形式。新诗将是温李一派的发展，因为这里无形式，意像必能自己完全，形式有时还是一个障碍了。旧诗既不能写，新诗又没有范围，中国的新诗看来不免渺茫，然而有范围并不就容易就范，没有范围又未始不正是一个范围，一切文学都待成功为古典的时候乃见创造的价值。

十　湖畔

《湖畔》是四个年青人的诗合起来的小小一册新诗集，民国十一年四月出版。据我的意见最初的新诗集，在《尝试集》之后，康白情的《草儿》同湖畔诗社的一册《湖畔》最有历史的意义。首先我们要敬重那时他们做诗的"自由"。我说自由，是说他(们)做的态度，他们真是无所为而为的做诗了，他们又真是诗要怎么做便怎么做了。康白情还做过旧诗，及至他感觉要自由的写他的新诗，旧诗那一套把戏他自然而然的在脑后了，他反而从旧小说中取得文字的活泼，因此他有他的抒写的自由，好像他本来应该写那些新诗，只是好容易才让他写了。这一来便很见中国新诗运动的意义，真有人从这里得到解放，而且应该解放。《草儿》那本集子第一首诗作《草儿》，在这里我且把康白情的这一首诗抄下来：

草　　儿

草儿在前，

鞭儿在后。

那喘吁吁的耕牛

正担着犁鸢，

眩着白眼，
带水拖泥，
在那里“一东二冬”地走着。

“呼——呼……”
“牛吔，你不要叹气，
快犁快犁，
我把草儿给你。”

“呼——呼……”
“牛吔，快犁快犁。
你还要叹气，
我把鞭儿抽你。”

牛呵！
人呵！
草儿在前，
鞭儿在后。

我抄这首诗的意思是因为我读着“在那里‘一东二冬’地走着”的句子觉得好玩，可以说是作者对于旧诗的怨苦很天真的流露出来了，他不是有意的挖苦，只是一点儿游戏的讽刺，因此见他的一种“修辞立其诚”，比喊起口号来打倒旧诗有趣多了，难怪他自己的新诗的文章是那时应该有的活泼文章，从旧小说得到白话文章的生气，旧诗一丢便丢到脑后去了。中国的新文学，在自己知道要解放之后，其命脉便在作者依附着修辞立其诚的诚字，新文学便自然而然的发展开了。湖畔诗社四个年青人在当时也真是很难得，因此也好像是应该有的，他们同康白情不一样，他们一点也没有与旧诗发生过关系，他们是不求解放而自解放，在大家要求不要束缚的时候，这几个少年人便应声而自由的歌唱起来了。他们的新诗可以说是最不成熟，可是当时谁也没有他们的新鲜，他们写诗的文字在他们以前是没有人写过的，他们写来是活泼自由的白话文字。胡适之先生在《蕙的风》序里说，"我现在看着这些澈底解放的少年诗人，就像一个缠过脚后来放脚的妇人望着那些真正天足的女孩子们跳来跳去，妒在眼里，喜在心头。他们给了我许多'烟士披里纯'，我是很感谢的。"这几句话是一个衷心的喜悦。《湖畔》里的诗当得起纯洁的尝试了。后来做新诗的人，架子好像更大，其实反而受了一层障碍，因为不免是成心要做新诗，而又一样的对于诗没有一个温故知新的认识，只是望了外国的诗行做倚傍，可谓毫无原故，较之当初康白情写《草儿》以及湖畔诗社几个年青人的诗，我以为还稍缺乏一个诚字。这是我屡次不能忘记《湖畔》这一本小册子的原故。我现在将《湖畔》里的诗选一些出来，作者是冯雪峰，潘漠华，应修人，汪静之，他们是西湖畔四个朋友。我所选的诗的次序是依照《湖畔》原来的次序。

杨　　柳

杨柳弯着身儿侧着耳，
听湖里鱼们底细语；
风来了，

他摇摇头儿叫风不要响。

——雪峰，西湖，一九二二，三，二三——

这首《杨柳》写得可爱，好像是一篇童话，那时真难得有这样天真活泼的新诗了，读了这样的诗，无论就句子说，就诗的空气说，仿佛中国新文学的前途很有希望，少年们挑了新鲜物儿上了市了。在这首《杨柳》下面，有作者的一首《花影》诗情也是很好的，诗却不很成功，这或者因为有些意境写出来可以成为好诗，甚至于写出来的诗比原来的意境还要好，如"摇摇头儿叫风不要响"的杨柳便是，有的时候意境虽好写出来却并不怎么动人，好比写《杨柳》的人写的这一首《花影》，这是一件有趣的事情，可以助诸位平日做诗作文一点兴致，故我想将这一首《花影》也抄在这里请大家比较观之：

花　　影

憔悴的花影倒入湖里，

水是忧闷不过了；

鱼们稍一跳动，

伊的心便破碎了

"憔悴的花影倒入湖里，水是忧闷不过了"，看这两句，作者似乎真有一个诗感，以"忧闷"来写水，又超脱，又实在，然而接着"鱼们稍一跳动，伊的心便破碎了"，似乎诗意不足，只是勉强凑足了两句，于是这里跳动的鱼们读者并不真像在水里看见似的，伊的心更不见得破碎了。至于上面的《杨柳》，读者眼前仿佛真个湖上柳叶儿生动，叫风不要响。当时的光景未必有这么好玩，写出来乃见诗趣罢了，这里的鱼儿也真个是柳影细语。我再抄应修人的一首《柳》给大家看看：

柳

几天不见，
柳妹妹又换了新装了！
　　——换得更清丽了！
可惜妹妹不像妈妈疼我，
妹妹总不肯把换下的衣裳给我。

这首《柳》，诗趣亦佳，写出春日乍见柳绿的风致，只是"可惜妹妹不像妈妈疼我"一句写得太幼稚，其实就是不自然，不够天真，大约是凑句子，好像配不上柳衣裳给我了。有些诗的好真是因为句子写得好，如《扬鞭集》里那一首《雨》，最后一句"你就把我的小雨衣借给雨，不要让雨打湿了雨的衣裳"，完全是写诗人造出的境界，也就是得句之佳。

孤　寂

（一）

沉闷的二月天底午后，
躺在屋角放着的藤椅上，
听那浮浪的朋友拉着寂寞的胡琴。
拉到呜呜咽咽了，
他面上忽涌出神秘的微笑；

待到微笑去了，
孤寂依然兜上他底心头。

（二）

石沙铺着的大街上，
他两手放在衣袋里向前走着。
红萝卜放在篮(里)担过去了，
妇人拿着艳黄的一串一串的丝走过去，
喊卖落花生的粗厚的声音也抹过他底耳边；
还有那大袖光发的青年兄弟，
那红裳白衫的青年姊妹，
都说着笑着走过他底身旁：
但他们却没有带了他底孤寂去。
他底眼尽看着花花落落的走来，
尽看着花花落落的过去；
却徐徐地更扩大他底孤寂的世界，
在人们看不见的深远处。

——漠华，杭州，一九二二，三，一九——

这首《孤寂》，是我选的《湖畔》诗的第二首。我觉得这首诗作者的诗感真实，句子也写得不虚浮，虽然是平铺直叙，难得却正是这里的老实，在当时初开风气的时候，作者能够写这种毫无障碍的白话句法，到现在我们读着尤其觉得可喜。

含　苞

露珠儿要滴了，

乳叶儿掩映，
含苞的蔷薇酝酿着簇新的生命。
任他风雨催你，
你尽管慢慢地开。
悠久的花期，
丰美的花瓣，
你知道正从这“慢慢地”而来吗？

“妹妹杜鹃花，伊已先我吐华了。”
可爱的蔷薇呵！这非你所应该较量的。
“春光迟暮，怕粉蝶儿要倦游了。”
这也非你我〔所〕应该猜疑的。

我爱这纤纤的花苞儿
蕴藉着无量的美，
——无量地烂漫的将来。
你尽管慢慢地开，
我底纯洁的蔷薇呵！

——修人，上海，一九二一，四，二五——

这首诗，我读到“你尽管慢慢地开，我底纯洁的蔷薇呵！”对于诗里一种诚实的气息真有着“纯洁的蔷薇呵，你尽管慢慢地开”之感慨。他们那时真是可爱，字里行间并没有染一点习气，这是最难得的。他们的幼稚便是纯洁。

黄昏后

　　悲哀轻烟似的来了！
红云泛上面颊，
用手掠过蓬茸的头发。
　　悲哀轻烟似的去了！
红云泛上面颊，
用手掠过蓬茸的头发。

——漠华，杭州，一九二二，三，四——

栖霞岭

栖霞岭上底大树，
虽然没有红的白的花儿飞，
却也萧萧地脱了几张叶儿破破寂寞。

——雪峰，栖霞岭，一九二二，四，一——

稻　　香

稻香弥满的田野，
伊飘飘地走来，
摘了一朵美丽的草花赠我。
我当时模糊地受了。
现在呢，却很悔呵！
为什么那时不说句话谢谢伊呢？
使得眼前人已不见了，
想谢也无从谢起！

三只狗

月亮底下的草场中，
三只狗面对面地坐着；
看看月亮怪凄凉的。

有个人走到那里，
他们向他点点头，
仍旧看他们的月亮，
而且亲亲嘴摇摇耳朵。
他呆视了一会，
说，“他们相恋着罢。”
他流流眼泪回去了。

月亮底下的草场中，
三只狗面对面地坐着；
看看月亮怪凄凉的。

——雪峰，杭州，一九二一，一二，八——

这一首《三只狗》也很好，从三只狗动了一个诗兴，在那时大约是这些少年人自己开辟的诗国。最可爱的，这些少年诗人，无论什么诗题，旧题目如说黄昏后说杨柳，新题目如三只狗他们一样的有生气，他们真是自己要做诗。

小诗二

风吹绉了的水，

没来由地波呀，波呀。

——汪静之，杭州，一九二二，二，六——

我们且把这一首小诗同作者另外一首小诗比较观之，那是小诗第四首，也是两行文字：

没有主人管束的

自在地在空中游荡的灰尘呵！

这个自在游荡的灰尘远不及那个没来由的波呀波呀来得动人，要说作者一个是真有所感，一个是诗感不足成心写诗，或者很难说，我想还是诗题的关系，我们平常有些感觉写出来可以成为好的诗，有的写出来并不好，会做文章的人慢慢的他熟悉这个情形，经过许多失败与成功之后，可以写得好的他就写，写不好的他就偷巧不写了，这同木匠对付木头一样，看见什么材料就知道做什么东西好，若夫大而不中绳墨就弃之不顾了。“风吹绉了的水，没来由地波呀，波呀。”我实在觉得很好，不知诸位以为何如，关于“小诗”这个名词，我还应该解释几句，周作人先生《自己的园地》里面有《论小诗》一文，最好大家自己去参看，那时诗坛上流行诗一行至四行的新诗，谓之小诗，“如果我们‘怀着爱惜这在忙碌的生活之中浮到心头又复随即消失的刹那的感觉之心’，想将他表现出来，那么数行的小诗便是最好的工具了。”那时写小诗，一方面是翻译过来的日本的短歌和俳句的影响，一方面是印度泰谷尔（Tay〔g〕ore）诗的影响。泰谷尔诗集《迷途的鸟》（*Stray Birds*），我自己曾经很喜欢，觉得那里面的诗，不但是刹那的感觉之心，而且是一个永久的宁静，最难得是诗的文句那么简单容易了。冰心女士的小诗，作者自己说明是受泰谷尔影响的。

隐　痛

我心底深处，
开着一朵罪恶的花，
从来没有给人看见过，
我日日用忏悔的泪洒伊。

月光满了田野，
我四看寂寥无人，
我捧出那朵花，轻轻地，
给伊浴在月底凄清的光里。

——漠华，杭州，一九二一，一二，一六，——

麦陇上

蓝格子布扎在头上，
一篮新剪的苜蓿挽在肘儿上，
伊只这么着
走在朝阳影里的麦陇上。

——修人，杨树浦，一九二二，三，二六，晨——

小诗六

“花呀，花呀，别怕罢，”

我慰着暴风猛雨里哭了的花，
“花呀，花呀，别怕罢！”

——汪静之，杭州，一九二二，三，二六——

幽　　怨

伊长日坐在房中哭泣，
群鸟怪好意的
唱起歌儿安慰伊。
伊反妒恨他们，
“你们倒有翼子，我怎样？”
伊用长竿逐鸟儿，
鸟儿去了，
只剩有静寂和悲哀。

——雪峰，杭州，一九二一，一二，四——

想　　念

我在大雾的早晨，
在认真的糊涂里，
就爱上那朵花了。
我随手拈了来，
我脸上涌出美爱的微笑；
聚起我手里底喜悦，
　　　足里底喜悦，
　　　（眼里底喜悦，）
　　　发里底喜悦，

　　　一切我身上底喜悦，
恨不得都一齐搁在那朵花底心里。

我捧了伊回得房来，
插伊在书桌上底瓶里。
读一回书，作一回字；
我沉思里向伊美爱的看着，
伊微笑了，——羞了，
伊娇小的心里，经不起这么多的喜悦！

伊伴我读书，伊伴我作字
一天又一天，
伊的叶渐渐枯去了。
一天又一天，
伊也渐渐悴憔去，——抖着，将谢了！
我向伊惜别的微红的面上，
尽情洒上山泉般的眼泪。
我看伊微弱地向我招摇
后来终于凝视着我而逝了！
我于是潜声饮涖〔泣〕，
聚起我手里底悲哀，
　　　足里底悲哀，
　　　眼里底悲哀，
　　　(发里底悲哀，)
　　　一切我身上底悲哀，

都一齐伴伊埋在黄土里去!

——漠华,杭州,一九二一,十一,一七——

读着这些少年人的诗,仿佛中国文人的习气我们很有摆脱的希望似的,这其实也就是,"葬花"一类的诗,但我们读了也不像看电影,更没有旧戏的气味,只觉得这里有朝气,这里好像真有手里的喜悦,足里的喜悦,眼里的喜悦,发里的喜悦,这一点很可敬重,诗里的空气如此,写诗的文字如此。后来做新诗的人,虽说是模仿外国的诗行,字句之间却还是旧文人一套习气的缠绕,不是初期新诗质素文章再经过的修辞,这是很可惜的一件事。

送橘子

我送一个橘子给撑篙的小弟弟;
　他笑着掷到舱下,
　又从舱里取起来
　笑着剥着吃了。
再送一个给摇橹的老婆婆;
　伊郑重地说,"多谢,多谢!"

——修人,太湖渡船里,一九二二,二,五——

这一首《送橘子》,是《湖畔》最末一首。《湖畔》薄薄一个小本子,我讲它的篇幅却不算小,我的意思是请大家注意他们那时的"自由",不但他们的题材是新诗这个小孩子的题材,他们写诗的文章也是新诗这个小孩子的文章。康白情的《草儿》同《湖畔》

四个少年人的诗，是新诗运动后自然的发展，仿佛这两方面做新诗的文章是提倡白话文以后恰好应该有的两种写诗的文章了。一个是旧小说的文章活泼泼地在新诗里出现一阵，一个没有沾染旧文章习气老老实实的少年白话新诗。新诗要发展下去，首先将靠诗的内容，再靠诗人自己如切如磋如琢如磨写出各合乎诗的文章，这个文章可以吸收许多长处，不妨从古人诗文里取得，不妨从引车卖酱〔浆〕之徒口里取得，又不妨欧化，只要合起来的诗，折〔拆〕开一句来看仍是自由自在的一的〔句〕散文。总之白话新诗写得愈进步，应该也就是白话散文愈进步，康白情与湖畔四个少年诗人正是在这条路上开步走了。后来新月一派诗人当道，大闹其格律勾当，乃是新诗的曲，不明新诗性质之故，我们也就可以说他们对于新诗已经不知不觉的失掉了一个“诚”字，陷于“做诗”的氛围之中，回转头来再看《草儿》与《湖畔》里的诗乃不能不有所感慨了。

湖畔四人之中，汪静之个人另有诗集《蕙的风》与《湖畔》同年出版，我再将汪静之的诗从《蕙的风》里选几首在下面。

芭蕉姑娘

芭蕉姑娘呀，
夏夜在此纳凉的那人儿呢？

（一九二一，十一，二四。）

月月红

月月红在风中颤抖
我的心也伴着伊颤抖了。

（一九二二，一，九。）

我　愿

我愿把人间的心，
一个个都聚拢来，
共总熔成了一个；
像月亮般挂在清清的天上，
给大家看个明明白白。

我愿把人间的心，
一个个都聚拢来，
用仁爱的日光洗洁了；
重新送还给人们，
使他误解从此消散了。

（一九二二，二，八。）

这种我愿式的诗，容易成为成熟的作品，也容易成为滥调，有时还容易发挥气焰。《蕙的风》里这一首《我愿》，确是可取。那时大家正是朝气，难得写一首“深入而浅出”的诗了。深入而浅出，是胡适之先生在《蕙的风》序里称赞这一首诗的话。

西湖小诗第十五

蛙的跳舞家呵，
你想跳上山颠〔巅〕么？
想跳上天罢？

最后我选这一首蛙的跳舞家，固然这首诗写得很成功，把蛙的神气写得恰好，又能表现出一种山水风景，然而我的意思还在于爱重当时新诗可有的新鲜气息。又如《西湖小诗》第一首：

夜间的西湖姑娘，
被黑暗吞下了。〔:〕
终不能见面，
虽然大睁着(眼)尽瞧。

这也是很新鲜的诗材料，真有生气，表现上却不及蛙的跳舞家成功，不知诸位同意否。又如这两首：

笑　笑

伊香甜的笑，
沁入我底心，
我也想跟伊笑笑呵。

爱的波

亲爱的！
我浮在你温和的爱的波上了，
让我洗个澡罢。

"笑笑"自然比"让我洗个澡罢"好一些，然而后者也只是令人读了觉得好笑，我们只能说他幼稚，这个幼稚却正是旧诗文里所没有(的)生机。我选出那一首蛙的跳舞家,同时又很不满足似的,新诗的生机似乎看见他萌发,接着却便是衰老的现象。汪静之的诗集后来有《寂寞的国》出版,我们没有什么话可谈。

十一　冰心诗集

我们在以前所讲的，可以说是初期新诗。现在我们讲到了冰心女士的诗，接着还要讲几个作家，新诗算是做到第二个阶段来了，可以称之曰第二期的新诗。新诗做到第二阶段的时候，与初期新诗有什么不同之点呢？其不同之点可以说是作诗的"意识"不同。初期新诗与白话文学运动直接发生关系，由写白话文的道理"要说什么就说什么，话怎么说就怎么说"轮到做诗上面便是"有什么题目做什么诗，诗要怎样做就怎样做"了，这可以说是大家有了一个自由做诗的要求。然而在这个"自由"里头无形中有一个"但书"——但不得做旧诗。换句话说，初期新诗的背后埋伏了一个大敌人，即是旧诗。及至"新诗"这件事情无形中已经被大家承认了，天下的诗人已经是要做诗就做新诗了，于是旧诗也换掉了他的敌人面目，反而与新诗有了交情了，这一来做新诗的人乃更是自由，他们固然不做旧诗，但他们做新诗的时候却尽管采用旧诗的词句了。这是第二期新诗不同之点，这个时候的新诗作家确乎是在那里自由做诗，诗要怎么做就怎么做了。第二期新诗不但自由采用旧诗词句，第二期新诗于方块字的队伍里还要自由写几个蟹行文字，较之当初"'群〔辟〕克匿克'来江边"更有一种"烟士披里纯"了，借用李金发的话就是新诗的"无治状态”(见李氏新诗集《微雨》导言)。郭沫若有一首《雪朝》,虽然按作诗的日子说(《沫若诗集》标明一九一九年十二月作)算是很早的新诗,但我想就引在这里做新诗的无治状态的一个标本也可以罢,我们也只好横行:

雪的波涛!
一个白银的宇宙!
我全身心好像要化为了光明流去,
Open, Secret 哟!

楼头的檐溜……
那可不是我全身的血液?
我全身的血液点滴出 Rhythmical 的幽音。
同那海涛(相和),松涛相和,雪涛相和。

哦哦!大自然的雄浑哟!
大自然的 Symphony 哟!
Hero-Poet 哟!
Proletarian poet(哟!)

诗就这样写,岂能成其为诗?然而我们似乎可以推测这一首《雪朝》的诗的情绪很是充足,同康白情的“好雨!好雨!哈……哈……哈……”一样的是心里有得说口里说不出的东西,诗人自己一首自由的诗不能够写在诗稿纸上面罢了。我们现在好像不留情面的对于这种诗加以裁判,其实正是理会得这时期的新诗人真是在那里做诗，他们的面前是他们自己的“诗”，在诗之国里岂有敌人，古今中外的诗人都可以旦暮遇之，新诗的诗的生命正在这个时候有一个起点，因其诗情泛滥，乃有诗文字之不中绳墨，——试问诗情泛滥是一件容易事吗？恐怕是“踏破铁鞋无觅处，得来全不费工夫。”这是新文学运动解放的收成。中国的旧诗早已失却其诗的生命了。

这回我将《冰心诗集》从头至尾的读了一遍，《沫若诗集》也从头至尾的读了一遍，我乃觉得这两个人的新诗恰是表现着第二期新诗特别之处，他们的诗里头真有“诗”，从我们现在的眼光看他们的诗又每每写得不完全。他们虽然是拿了新诗的稿纸来写新诗，精神上与旧诗并没有彼此的界限，多少又读了外国人的诗，他们提起笔来写诗只是写自己的诗罢了，写自己的诗而又是一个诗之交流。总而言之这个时期写新诗乃真有一个“诗”的空气，无论是写得怎样驳杂，其诗的空气之浓厚乃是毫无疑义的了。其写得驳杂，正因其诗的空气之浓厚。这是新诗发展上很好的现象，好像新诗将要成为“诗”应该有这一段经过。同时候李金发的诗也正不过如此，李金发的诗，其文字之驳杂又是一个极端的例子，他大约如画画的人东一笔西一笔，尽是感官的涂鸦，而没有一个诗的统一性，恐怕还制造不成一首完全的诗了。闲话少说，我们且来讲《冰心诗集》。冰心女士的《繁星》与《春水》是很有名的，作于十一年间，现在这两部分的诗都收在《冰心诗集》里头。打开《冰心诗集》一看，好像触目尽旧诗词的气分，据我想作者还是写新诗，而且无害其写新诗，与初期白话诗之为古乐府式的新诗长短句式的新诗者很不同。即是说《冰心诗集》里本有“诗”在，其旧诗词的气分乃是沾惹了旧诗词，或者因为喜欢旧诗词的原故。初期新诗之近乎古乐府近乎长短句者，其新诗里头本不必有诗，只能说是白话韵文。这个区别，我觉得不可忽视。我在选出《冰心诗集》里的诗来讲的时候，我想先举几首来说明我的观察。如《春水》第一五五首：

病后的树阴
　也比从前浓郁了，
开花的枝头，
　却有小小的果儿结着。
　我们只是改个庞儿相见呵！

这首诗我觉得写得成功，在新诗里表现着一个女诗人的诗情，大约看见什么果树，在以前看见它的时候，它盛开花，后来大约有好久不见了，诗人病了，等到病好了再出来看见树，树叶子都很茂盛了，而且那个“开花的枝头却有小小的果儿结着”，于是诗人看了很是喜悦，说道，“我们只是改个庞儿相见呵！”所以这首诗实在是相见之下很快的得着了一首好诗，新诗之成每每是如此，犹如照相师照相一样，一拍便成。然而这首新诗的诗情，却正是古时候一位女诗人在她的一首词里所写的诗情，即是“绿肥红瘦”四个字。我将李清照这一首《如梦令》全引了来，“昨夜雨疏风骤，浓睡不消残酒，试问卷帘人，却道海棠依旧，——知否知否，应是绿肥红瘦！”这样写便是旧诗。虽然表现着女诗人的个性，最不易得，然在而〔而在〕这里“绿肥红瘦”四个字好像与读者隔了好些距离，不能像新诗人的诗如当下相见。旧诗大约是由平常格物来的，新诗每每来自意料之外，即是说当下观物。古今两位女诗人，其诗情偶合之处是很有意思的事情，而新诗与旧诗的性质之不同又在同一个题材上面分别出来了，又是一件有趣的事。《冰心诗集》里这一首诗并没有旧诗词气分，我举出这首诗来只是想说明冰心诗里本自有诗，新诗与旧诗之性质上说是不会相混的，《冰心诗集》里当然有许多诗是惹了旧诗词调子，不是成功的新诗，而在当时的新诗人写来又是很自然的事了。

又如《春水》第一五九首：

凭栏久
　　凉风渐生
何处是天家？
真要乘风归去，
看——
　清冷的月
　　已化作一片光云
　轻轻地飞在海涛上。

这都是作者写刹那间的感觉，其表现方法犹之乎制造电影一样，把一刹那一刹那的影子留下来，然后给人一个活动的呈现。诗里虽然与旧诗词取同样的景物，而且简直用了旧诗词的句子，我们读着仍感着这不是旧诗的调子，这新诗里头有诗。这里亦足以见新诗与旧诗的性质不同，旧诗是情生文文生情的，新诗则是用文来写出当下便已完全的一首诗。旧诗当中如“小楼西角断虹明，阑干倚处，待得月华生”，也许是诗人当下的实感，但也可以不是的，可以是文情相生的，所以仅仅写这一件事情不能成其为一首诗或一首词。又如苏轼的“明月几时有，把酒问青天，不知天上宫阙，今夕是何年。我欲乘风归去，又恐琼楼玉宇，高处不胜寒。……”大约真是诗人当下的实感了，冰心女士“真要乘风归去”一句的出处也便在这里了，然而苏词能够坚持到底吗？一定还要写下别的悲欢离合的事情才成其为一首词。旧诗的问题本来不在这里，我那样问很近乎“愚问”，什么叫作实感不实感是一个可笑的说法，然而为针对新诗说话，这里确有一个严厉的界限，新诗要写得好一定要有当下完全的诗。至于怎样把这个当下完全的诗写得更好，那是另外一个问题，这回我读《冰心诗集》的时候每每联想到这个问题，也想乘便说起。

又如《春水》第一六一首：

隔窗举起杯儿来——
落花！
　和你作别了！
　　原是清凉的水呵，
　只当是甜香的酒罢。

这一首诗，我想也犹之乎拍照，当下诗来了，就描风捕影的将它移到诗稿纸上来了。大约诗人本是在那里喝凉开水，而窗外忽然看见一瓣花落，这真是千载一时，于是一首新诗顷刻成就。这个诗情也算是“无可奈何花落去”，虽然诗人手里是一杯凉开水，只好一曲新词酒一杯了。旧诗都不是这样写出来的，好比唐人诗句，“兴阑啼鸟换，坐久落花多，”总未必是当时的即景，恐怕是平日的格物吧。然而我们现在所讲的这一首新诗到底写得好不好呢？这确是一个有趣的问题。就新诗的性质说，《冰心诗集》里这一首落花诗确乎是一首新诗，这一首新诗却也可以变幻一下，即是把它写得更有普遍性，——我的意思说出来其实很简单，这一首新诗可以写成旧诗。就如这一首词罢，“一曲新词酒一杯，去年天气旧亭台。夕阳西〈夕〉下几时回。 无可奈何花落去，似曾相识燕归来。小园香径独徘徊。”一面表现着作者的个性，一面表现着“词”这个体裁的普遍性，像这样的制作便成为古典之作，诗情配合着体裁，诗情也就锻炼纯熟了。冰心女士的落花新诗，是真有一个诗的内容，大凡写新诗都好像有点迫不及待似的要将这个诗写出来，那时的新诗人有一首诗来自然更是应接不暇，直接的诗感又直接的写在纸上了，其结果诗自然还是诗，而写诗的方法乃太像写散文了，即是照当时的情形直描，一杯凉开水就当作甜香的酒了。我们可以感着这里的诗的情绪，而诗却缺乏普遍性。这里新诗的情绪如果变幻一下，我想适合于旧诗的体裁。前面我所引的那一首《浣溪沙》，六句里头所写的事情并没有一定的连接性，我们也不能知道诗人当时因那一件事情引起的诗兴，是“去年天气旧亭台”呢？是“小园香径独徘徊”呢？据我想这一首词的重心乃在于“夕阳西下几时回”罢？不管怎样，有名的“无可奈何花落去，似曾相识燕归来”两句总一定是做诗作出来的，即是情文相生的，合起来是一首绝妙好词了。一首新诗自有一首新诗的势力，它好比是短兵相接，有时却嫌来得唐突，冰心女士举起杯儿来叫一声落花便是一例，如果以这一点为重心加以锻炼，那应该就是古代诗人创造诗词的光景了。冰心女士这一首新诗的价值也便在这里，新诗人确乎只认得新诗，一心照顾着新诗，就作品本身说现在我们可以认为不完全，就新诗的性质说中国的诗人则已与新诗当面了，大约是欲罢不能。这些新装改装为旧诗词似乎更好，这不过是我们的推测，而这些可以改装为旧诗词的篇章竟确切无疑义的充溢其新诗的个性，乃是一桩最有意义的事情。

又如《春水》第一六四首：

将离别——
　舟影太分明。
　四望江山青；
微微的云呵！
　怎只压着黯黯的情绪，
　　不笼住如梦的歌声？

这首诗也是直接的诗感直接的写在纸上，即是说冰心女士的新诗太是散文的写法，虽然写着那么的近乎旧诗的句子。“舟影太分明”，“四望江山青”，我们读着很感着一种势力，真是舟影太分明，四望江山青，再一望便要望到微微入云去了，四面是如梦的歌声。像这样“将离别”的情绪，如果变幻一下，应该就是中国古代诗人创造诗的过程，然而新诗的生命自然是一个直接的抒写。这一点正是冰心女士的新诗在新诗历史上的意义，它表现新诗的个性，缺乏诗的普遍性，——如果意识到这个普遍性，冰心女士新诗的生命应是旧诗的题材了。这虽然是我个人的观察，但我很想引起大家留心这件事情，或者不无趣味，一方面可以明白新诗的性质一方面又关乎写诗的方法，写诗到底不是写散文。我们从新诗人的诗的创造性又可以知道古代诗人的创造性，旧诗到后来失掉了生命徒有躯壳的存在，而这个诗的生命反而在新诗里发见，这些关系都是无形中起来的，理会得这个关系乃见出新诗发展的意义。不过关乎写诗方法，在这里的写法尚不能多谈，以后遇到适当的机会再求发挥，只是请大家不要误会以为一个东西有两样的写法，两样的写法究竟成了两样的东西。新诗与写散文应不一样，犹之乎古人作文与做诗并不一样。

现在将我所选的《冰心诗集》里的诗依照原书的次序写在下面。

玫瑰的荫下

衣裳上
书页上
都闪烁着
　叶底细碎的朝阳。
我折下一朵来，
等着——等着，
浓红的花瓣，
正好衬她雪白的衣裳。

冰凉的石阶上，
坐着——坐着，
等她不来，
只闻见手里
　玫瑰的幽香！

繁　星

四四

自然呵！
请你容我只问一句话，
　一句郑重的话：
“我不曾错解了你么？”

七五

父亲呵！
出来坐在月明里，
　我要听你说你的海。

这首小诗，却是写得最完全，将大海与月明都装得下去，好像没有什么漏网的了。我想凡对于冰心女士的作品有点熟悉的人可以同意于我这句话。冰心女士的诗文都有一个海的气息，《冰心诗集》里有两首题作“安慰”，其二有云：

“二十年的海上，
　我呼吸着海风——
我的女儿！
　你文字中
　　怎能不带些海的气息！”

作者自己替我们解释这个原故。另外有几首诗也是直接说海的，但都不及“出来坐在月明里我要听你说你的海”写得干净无遗，像这样的诗乃是纯粹的诗，是诗的写法而不是散文的写法，表现着作者的个性，而又(有)诗的普遍性了。这一首诗与《扬鞭集》里那一首《母亲》有同样的不可及处，这里的海虽然没有说着声音，但同那里"静静的水声"令我们觉得都在月明之下了。如《繁星》第一一三首：

父亲呵！
我怎样的爱你，
　也怎样爱你的海。

同样的题材，这却不能算作一首诗，诗情总不能说是隔，诗反而写得隔了。又如《繁星》第一三一首：

大海呵，
　那一颗星没有光？
　那一朵花没有香？
　那一次我的思潮里
　　没有你波涛的清响？

这首也可以说是诗的写法，作者将诗情变幻了一下，要从一颗星的光一朵花的香问着海，但海的清响反而不在这一首诗里，好像在那一首月明里，这真有点古怪了。"那一次我的思潮里没有你波涛的清响？"这一句也不能算是诗句，虽然作者分作两行当着诗句看待，这一句还太是散文的写法了。又如《春水》第一〇五首：

造物者——
　倘若在永久的生命中
　　只容有一次极乐的应许，
　我要至诚的求着：
　　“我在母亲的怀里，
　　　母亲在小舟里，
　　　小舟在月明的大海里。”

这首诗最后三行岂不很好？倘若作者另外换上一个诗题这三行岂不就可以成一首诗？因为大人们自己总不好直接的说“我在母亲的怀里”，故可以将这一件事情换在一个小孩子名下，或者别的什么题目。诗人不这样做，却老老实实的说着自己的话，于是“造物者……至诚的求着”的话就摆脱不开了，就一首诗说乃不是诗的写法而是散文的写法了，故我说冰心女士关于海的诗以《繁星》里“出来坐在月明里，我要听你说你的海”一首为最完全。

一一六

海波不住的问着岩石，
　岩石永久沉默着不曾回答；
然而他这沉默，
　已经过百千万回的思索。

这首诗，无论就诗趣说，就诗里的意思说，是一首很高的诗。我们从这一首诗也可以看出作者写诗是同写散文一样，“然而他这沉默，已经过百千万回的思索”这一句太是散文的写法了。我觉得我很能了解这个原因，因为我自己也有这个经验，那时期的作家大约真是“行无余力”，大家好容易照顾着一个诗的生命了，有一首诗来就直接的写出来了。因为是直接的写出来，写出来才有许多不必要的曲线，“然而”“但是”之类的转折都随着气力带出来了，同写散文没有分别，这里正见那时新诗的意义，作者自己相信自己有一首诗，这首诗写得同散文没有分别，然而还是一首诗。我由冰心女士这首岩石的诗联想到泰谷尔的《迷途的鸟》里一首诗，由这两首诗很可以比较出来什么叫作诗的写法，什么叫做散文的写法，故我不惜将泰谷尔的诗抄在这里：

“What language is thine, O sea?”
“The language is eternal question.”
“What language is thy answer, O sky?”
“The language of eternal silence.”

译其大意若曰：

“你说的是那一种语言呢，啊，海？”
“语言而为永久之问。”
“你答的是那一种语言呢，啊，天？”
“语言而为永久之默。”

泰谷尔这首诗，便是诗的写法了。

一五八

我的朋友！
雪花飞了，
　我要写你心里的诗。

这首小诗写得很真实，很别致，令我们读者觉得很有意思。这首诗大约是女诗人才能写的诗，然而这首诗写得很有普遍性。

一六三

片片的云影，
　也似零碎的思想么？
然而难将记忆的本儿，
　将他写起。

春　水

二七

大风起了！
　秋虫的鸣声都息了！

这首小诗，从文字表面上看来同《庄子》上的“日月出矣，而爝火不息，其于光也不亦难乎”应该是相等的意思，然而读者所感觉的却极其相反，这件事情我觉得好玩。

六三

柳花飞时，
　燕子来了：〔;〕
芦花飞时，
　燕子又去了：
但她们是一样的洁白呵！

七四

在模糊的世界中——
　我忘记了最初的一句话，
　也不知道最后的一句话。

七九

我愿意在离开世界以前
　能低低告诉他说：
　　“世界呵，
　　　我澈底的了解你了！”

这首诗里所说的一句话，不知算不算得诗人在那首诗里不知道的“最后一句话”？《冰心诗集》里喊“自然”或者喊着“世界”而吟的诗，每见其诗感迫切，颇令我们感动，如我们所选的《繁星》第四四首，“自然呵！请你容我只问一句话，一句郑重的话：‘我不曾错解了你么’”都是新诗的园地里产生的问话，是一件很有意义的事情。我在这里对于这件事情自然不可多加评判，但我想说一句玩话，你这样低低的告诉他“世界呵，我澈底的了解你了！”便是诗人诗情太重了，不是“瞻之在前忽焉在后”的大弟子。孔子曰“朝闻道，夕死可矣，”虽然也不能说不是一个诗情，但孔子话的末尾一定不是一个惊叹符号。我说这句话，恐怕是有心来表示我这回读了《冰心诗集》所感得的喜悦，作者处处是直接表示他的诗感，惊叹符号用得非常之多，我看了很觉得好玩，又不由得要起一番敬想。“大风起了！秋虫的鸣声都息了！”诗人的诗情也真个的传给我们了！

一四一

雨后——
　随着蛙声，
荷盘上水珠，
　将衣裳溅湿了。

这是我所选的《冰心诗集》里最后的一首诗，就诗的表现上说或者也是《冰心诗集》里最完全的一首诗罢。

十二　沫若诗集

郭沫若有一首《夕暮》，是新诗的杰作：

一群白色的绵羊，
团围〔团〕睡在天上，
四园〔围〕苍老的荒山，
好像瘦狮一样。

昂头望着天
我替羊儿危险，
牧羊的人哟，
你为什么不见？

不知诸位读了怎样，这首《夕暮》我甚是喜爱。新诗能够产生这样诗篇来，新诗无疑义的可以站得住脚了，不怕旧诗在前面威胁，也不怕新诗自己再生出别的花样来煽惑。为什么呢？理由很简单，也很明白，这样的诗不明明是新诗吗？用旧诗的（体）裁不能写出这样的诗来，这首新诗也用不着什么新诗格律了。这首诗之成，作者必然是来得很快，看见天上的云，望着荒原的山，诗人就昂头诗成了，写得天衣无缝。这首诗真能表现一个诗人。

冰心女士的诗，当以前在报纸上零细发表的候时〔时候〕，我大致读过，郭沫若氏的诗我一直未曾读，这回才取了现代书局印行的《沫若诗集》读一遍。读完之后，我觉得这两位诗人很可以相提并论，他们的新诗都表现了第二期新诗的特点，他们做诗已经离开了新旧诗斗争的阶级，他们自己的诗空气吹动起来了，他们直有一个情的泛滥。这话用之于诗人郭沫若，读者大约容易同意，他的诗本来是乱写，乱写才是他的诗，能够乱写是很不易得的事。其实《冰心诗集》里的诗何尝不是乱写的，《离骚》的句子可以写在郭沫若氏的新诗里，苏东坡的词句自然也可以写(在)冰心女士新诗里了。我们再来看这两位新诗人的夸大狂，几乎是应有尽有，我们读着觉得很好玩，只不过一个是“无限的太平洋鼓奏着男性的音调”，所以说起话来“你该不嫌我黑奴卤莽？要我这黑奴的胸中，才有火一样的心肠。”这是诗人郭沫若借了煤炭说话。冰心女士虽然高喊着：

旗儿举正了，
　聪明的先驱者呵！

但先驱者到底是女诗人的身分，所以有时又说：

先驱者！
　你要为众生开阔前途呵，
　束紧了你的心带罢！

我推想这是十字街头女童子军的装束。这里的“心带”大约也就是诗人另外一首诗里写“罗带”的那个潜意识，即是说女子写的诗。那首诗说雨后虹的，我们且抄了来！

虹儿！
你后悔么？
　雨后的天空
　偶然出现，
世间儿女
已画你的影儿在罗带上了。

郭沫若《月下的故乡》一首诗云：

啊啊，大海已近在我眼前了。

我自从离却了我月下的故乡，那浩淼茫茫的大海，我驾着一只扁舟，沿着一道小河，逆流而上。

上流的潮水时来冲打我的船头，我是一直向前，我不曾回过我的柁，我不曾停过我的浆〔桨〕。

不怕周围的风波如何险恶，我不曾畏缩过，我不曾受过他们支配，我是一直向前，我是不曾回过我的柁，不曾停过我的浆〔桨〕。

我是想去救渡那潮流两岸失了水的人们，啊啊，我不知道是几时，我的柁也不灵，浆〔桨〕也不听命，上流(的)潮水，把我这只扁舟又推送了转来。

如今大海又近在我眼前了！

我月下的故乡，那浩淼无边的大海又近在我眼前了！

这一首《月下的故乡》，我们可以抄《冰心诗集》《春水》里头两首诗来响应，其一云：

先驱者！
　前途认定了
　切莫回头！
一回头——
　灵魂里潜藏的怯弱，
　要你停留。

又《春水》五九云：

乘客呼唤着说：
　“舵工！
　小心雾里的暗礁罢。”

舵工宁静的微笑说：
　“我知道那当行的水路，
　这就够了！”

这个舵工乃很有把握，而且船上正渡着人了。奇怪，在《冰心诗集》里的诗像比《沫若诗集》里的诗都更利害一点。郭沫若氏《立在地球边上放号》这个诗〈集〉里极力说“啊啊！力哟！力哟”，他只不过如诗人自己所说是力的诗歌，力的舞蹈，所以“无限的太平洋提起他全身的力量来要把地球推倒”。冰心女士一些豪放的诗作却更是夸大，《冰心诗集》里这种诗很多，如《春水》一九：

诗人！
　笔下珍重罢！
众生的烦闷
　要你来慰安呢。

又如《春水》一五二：

先驱者！
　绝顶的危峰上
　　可曾放眼？
便是此身解脱，
　也应念着山下
　劳苦的众生！

这个“绝顶的危峰上可曾放眼”比起郭沫若氏“笔立山头展望”可谓一点也没有望见什么，那里还望见了“数不尽的轮船，一枝枝的烟筒都开着了朵黑色的牡丹呀！”《春水》二四云：

小岛呵！
　何处显出你的挺拔呢？
无数的山峰
　沉沦在海底了。

这种诗写得很好玩，因为无数的山峰沉沦在海底，所以显出小岛的挺拔，但小岛也似乎没有格外可以骄傲的道理，若小岛因此在诗人的眼里显出挺拔来，反不若沧海变为桑田给古时候的麻姑说得情理些。郭沫若氏《立在地球边上放号》只不过说无限的太平洋提起他全身的力量来要把地球推倒，然而据我想无限的太平洋把地球推倒了，地球上也无非又来一个"洪水时代"罢了，太平洋自己也在滔天大浪之中，而冰心女士《春水》一〇一云：

我的朋友！
　最后的悲哀
　　还须禁受。
在地球粉碎的那一日，
　幸福的女神，
　　要对绝望众生
作末一次凄感的微笑。

这简直说到"地球粉碎的那一日"的事情了，不知成何景象。郭沫若氏是崇拜光的，"太阳万烛光，我是五烛光，"所以他有歌"日出"的诗，写得很是雄奇。冰心女士喜欢写夜里的星，如《春水》(九)二云：

星儿！
　世人凝注着你了，
导引他们的眼光
　超出太空以外罢！

又如《春水》三七：

太空！
揭开你的星网，
容我瞻仰你光明的脸罢。

这当然不是乡下女人抓破脸皮，而是摩登女子揭开面纱，是美丽的幻想，总很要有一个英雄的气魄才行。所以冰心女士的诗也实在是光芒万丈。

《沫若诗集》有《蜜桑索罗普之夜歌》云：

无边天海呀
一个水银的浮沤！
上有星汉湛波，
下有融晶泛流。
正是有生之伦睡眠时候，
我独披着件白孔雀的羽衣，
遥遥地，遥遥地，

在一只象牙舟上翘首。

啊,我与其学做个泪珠的鲛人
返向那沉黑的海底流泪偷生,
宁在这缥渺的银辉之中,
就好像那个坠落了的星辰,
曳着带幻灭的美光,
向着"无穷"长殒!
前进(!)……前进!
莫辜负了前面的那轮月明!

"二十世纪的亚坡罗!你也改乘了摩托车么?我想做个你的运转手,你肯雇我么?"这是诗人歌咏日出的话。在《蜜桑索罗普之夜歌》里又是一番情景,"我独披着件白孔雀的羽衣,遥遥地,遥遥地,在一只象牙舟上翘首。"因为孔雀的羽衣的原故,我好像记得《冰心诗集》里也有,在《春水》里翘〔翻〕得这一首,

我的心忽然悲哀了!
　昨夜梦见
　　独自穿着冰绡之衣,
从汹涌的波涛中
　渡过黑海

另外《冰心诗集》里有一首题作"解脱",篇幅稍长,我们抄取一段:

珍惜她如雪的白衣，
　　却仍须渡过
　　　　这无边的黑海。
我的朋友！
　　世界既不舍弃你，
　　　　何如你舍弃了世界？

冰心女士美的诗句“沉思里拾起枯枝，慨然的鞭自己地上月中的影子”，也便是这首《解脱》里的句子。今天本是讲《沫若诗集》，却抄了不少《冰心诗集》里的诗，我对于这两位诗人很表示敬重，在中国诗体解放运动之后，应有这一番诗人的本色了。

现在我们撇开那一位诗人再来谈谈这两〔一〕位诗人。郭沫若在《创造者》一诗里说，“我唤起周代的雅伯，我唤起楚国的骚豪，我唤起唐世的诗宗，我唤起元室的词曹”，郭沫若的新诗里楚国骚豪的气分确是很重，大概因为诗体解放而有诗情解放，因为诗情解放而古代诗人的诗之生命乃在今代诗人的体制里复活，原是一个很自然的事情。我们且抄他一首《凤歌》来：

即即！即即！即即！
即即！即即！即即！
茫茫的宇宙，冷酷如铁
茫茫的宇宙，黑暗如漆
茫茫的宇宙，腥秽如血！

宇宙呀,宇宙,
你为什么存在?
你自从那儿来?
你坐在那儿在?
你是个有限大的空球?
你是个无限大的整块?
你若是有限大的空球,
那拥抱着你的空间
他从那儿来?
你的外边还有些甚么存在?
你若是无限大的完整〔整块〕,
这被你拥抱着的空间
他从那儿来?
你的当中为什么又有生命存在?
你到底还是个有生命的交流?
你到底还是个无生命的机械?

昂头我问天,
天徒矜高,莫有点儿知识。
低头我问地,
地已死了,莫有点儿呼吸。
伸头我问海,
海正扬声而鸣〔呜〕咆。

啊啊!

生在这样个阴秽的世界当中，
便是把金刚石的宝刀也会生锈。
宇宙呀，宇宙，
我要努力地把你诅咒：
你浓血污秽着的屠场呀！
你悲哀充塞着的囚牢呀！
你群鬼叫号着的坟墓呀！
你群魔跳梁着的地狱呀！
你到底为什么存在？
我们飞向西方，
西方同是一座屠场。
我们飞向东方，
东方同是一座囚牢。
我们飞向南方，
南方同是一座坟墓。
我们飞向北方，
北方同是一座地狱。
我们生在这样个世界当中，
只好学着海洋(哀)哭。

这一首《凤歌》，可算是新诗的“天问”，自从楚国的骚豪屈原以来很少有诗人这样问过的。郭沫若在新诗坛上出现，楚国骚豪的空气在新(诗)里鼓动起来了。诗人自己宣言过，诗不是做出来的，只是写出来的。这大约是这一派诗人的特色。因为新诗而脱去了“做”诗的束缚，这一派的诗人乃自由滋长，结果是上下古今乱写，没直〔有〕一毫阻碍。这时候的阻碍又在于文字语言不听命令即是说感情有时写不出说不出，如郭沫若的《梅花树下醉歌》一首诗，从“梅花！梅花！我赞美你！”一直写到“破！破！破！我要把我的声带唱破！”，我觉得还是不中用的，读者当然也受到了一点影响，即是理会得作者有一种感情用语言文字唱不出来。又如《夜步十里松原》一首诗，一直写到“我的一枝枝的神经纤维在身中战栗”，虽然是把他的枝枝的神经(纤)维在身中战栗都告诉我们了，我们还是觉得作者是写不出，故隔靴抓痒的说一句。又如《司春的女神歌》云：

司春的女神来了。
提着花篮来了。
散着花儿来了。
唱着歌儿来了。

“我们催着花儿开，
我们散着花儿来，
我们的花儿
只许农人管簪戴。”

红的桃花，白的李花，
黄的菜花，蓝的豆花
还有许多不知名的草花。
散在树上，散在地上。
散在农人们的田上。

沿路走,沿路唱:
"花儿也为诗人开,
我们也为诗人来,
如今的诗人
可惜还在吃奶。"

司春的女神去了。
提着花篮去了。
散完花儿去了。
唱着歌儿去了。

这一首歌真是唱得很好,只是唱到"如今的诗人可惜还在吃奶"大约也是唱不出,故勉强以吃奶二字了事,我读到这里真有点为诗人可惜,觉得一首好诗破坏了一角。这并不能说是作诗人幼稚的原故,白话新诗对于这一派诗人的天才,有时反而不能加以帮助,好比冰场上溜冰一样,本来是没有阻碍的,但滑就是阻碍,随便的滑一下自己觉着,别人也看着你滑一脚了,好像气力不够似的。郭沫若的诗在这一点上又与康白情的诗相似,两位诗人的天才都是音乐的。不过康白情的诗是描写的,诗人的感情与外界景物和在一起的;郭沫若的诗是直抒的,诗人的感情碰在所接触的东西上面。因为是诗人的感情碰在所接触的东西上面,所接触的如果与诗感最相适合,那便是天成,成功一首好诗,郭沫若的《夕暮》成功为一代的杰作,便是这个原故。这首《夕暮》,不但显出自由诗的价值,也最显出自由歌唱的诗人的个性,也最明显的表现着自由诗的音乐,可谓相得益影〔彰〕了。郭沫若还有一首《灯台》，也是一首杰作：

那时明时灭的，
那是何处的灯台？
陆地已近在眼前了吗？
转令我中心不快。

啊，我怕见那黑沉沉的山影，
那好像童话中的巨人！
那是不可抵抗的，
陆地已近在眼前了。

这首诗也是天成，诗人的感情与所接触的东西好像恰好应该碰作一首诗，于是这一首诗的普遍性与个性俱有了。若诗感与所碰的东西还应加一番制造，要有人工的增减，此事便出乎诗人郭沫若的能力之外，那么这一首诗便多少要不完全，诗人的个性自然还是有的，诗的普遍性乃成问题了。我们且从《沫若诗集》里提出几首诗来裁判一下。如《日暮的婚筵》一诗云：

夕阳，笼在蔷薇花色的纱罗中，
如像满月一轮，寂然有所思索。

恋着她的海水也故意装出个平静的样儿，
可他嫩绿的绢衣却遮不过他心中的激动。

几个十二三岁的小姑娘，笑语娟娟地，
在枯草原中替他准备着结欢的婚筵。

新嫁娘最后涨红了她丰满的庞儿，
被她最心爱的情郎拥抱着去了。

这首诗大约是作者实写其所见，也就是作者好〔实〕写其诗情，第三段两句大约是在枯草原中确有几个小姑娘玩要，所以诗人把她们写在《日暮的婚筵》之中了，然而这一段的情景在诗里反而没有一个必然性，以之构成一首诗，失却诗的普遍性了。

又如这一首《偶成》：

月在我头上舒波，
海在我脚下喧豗，
我站在海上的危崖，
儿在(我)怀中睡了。

这首诗的情景恐怕很好，但诗却写得不成功，因为第四句一件偶然的事情，不足以构成诗普遍性。所以诗有时还是要“做”出来的，不只是〈的〉写出来的。《扬鞭集》里那一首《母亲》，我想再抄在这里比较一下：

黄昏时孩子们倦着睡着了，
后院月光下，静静的水声，
是母亲替他们在洗衣裳。

这首诗所写的情景，读者自然不问是描写当时实在的情景或者不是的，即因为这首诗有诗的普遍性，这首诗也不能〈能〉不说是“做”出来的。郭沫若的《偶成》确是写出来的了。

又如《天上的市街》：

远远的街灯明了，
好像闪着无数的明星。
天上的明星现了，
好像点着无数的街灯。

我想那缥渺的空中，
定然有美丽的街市。
街市上陈列的一些物品，
定然(是)世上没有的珍奇。
你看，那浅浅的天河
定然是不甚宽广。
我想那隔河的牛女，
定能够骑着牛儿来往。

我想他们此刻，
定然在天街闲游。
不信，请看那朵流星
那怕是他们提着灯笼在走。

这首诗想总不能不说是做出来的，而且第四段四句做得很好，第三段牵牛织女骑牛过河却不能不说是“如今的诗人可惜还在吃奶”，远不如古典派“此日六军同(驻)马，当时七夕笑牵牛”做得好玩了。古典派虽然在那里“做”诗，却是很能了解诗的普遍性这个道理。郭沫若的诗是写出来的，写出来好就好，不好也就没法子好，有时想做也做不出来的了。

我再抄《西湖纪游·赵公祠畔》末二节：

草上的雨声，
打断了我的写生。
红的草叶不知名，
摘去问问舟人。

雨打平湖点点，
舟人相接殷勤。
登舟问草名，
我才不辨他的土音。
汲取一杯湖水，
把来当作花瓶。

这两节诗情真是很好，而且很有点纷至沓来，作者奈何它不得，好像黑旋风李逵大刀阔斧使惯了，斯文事有点干不来，所以“登舟问草名，我才不辨他的土音。”然而“汲取一杯湖水，把来当作花瓶”，写得恁地文秀。我(抄)这两节诗的意思是说郭沫若的诗可惜只是写出来的，他如果能做出来，这一首《赵公祠畔》，便是天上的街市，定然是世上没有的珍奇。《沫若诗集》里有《江湾即景》，算是作者很特别的诗，我抄来做我这一篇的结束：

蝉子的声音！

一湾溪水，
满面浮萍。

郊原的空气——
这样清新！

对岸的杨柳
摇……摇……

白头鸟！
十年不见了！

柳阴下，
浮着一群鸭子呀！

附录　怀废名

药　堂

“余识废名在民十以前，于今将二十年，其间可记事颇多，但细思之又空空洞洞一片，无从下笔处。废名之貌奇古，其额如螳螂，声音苍哑，初见者每不知其云何。所写文章甚妙，但此是隐居西山前后事，《莫须有先生传》与《桥》皆是，只是不易读耳。废名曾寄住余家，常往来如亲属，次女若子亡十年矣，今日循俗例小作法事，废名如在北平，亦必来赴，感念今昔，弥增怅触。余未能如废名之悟道，写此小文，他日如能觅路寄予一读，恐或未必印可也。”

以上是民国二十七年十一月末所写，题曰《怀废名》，但是留得底稿在，终于未曾抄了寄去。于今又已过了五年了，想起要写一篇同名的文章，极自然的便把旧文抄上，预备拿来做个引子。可是重读了一遍之后，觉得可说的话大都也就有了，不过或者稍为简略一点，现在所能做的只是加以补充，也可以说是作笺注罢了。关于认识废名的年代，当然是在他进了北京大学之后，推算起来应当在民国十一年考进预科，两年后升入本科，中间休学一年，至民国十八年才毕业。但是在他来北京之前，我早已接到他的几封信，其时当然只是简单的叫冯文炳，在武昌当小学教师，现在原信存在故纸堆中，日记查找也很费事，所以时日难以确知，不过推想起来这大概总是民九民十之交吧，距今已是二十年以上了。废名眉棱骨奇高，是最特别处。在《莫须有先生传》第四章中房东太太说，莫须有先生，你的脖子上怎么那么多伤痕？这是他自己讲到的一点，此盖由于瘰疬，其声音之低哑或者也是这个缘故吧。

废名最初写小说，登在胡适之的《努力周报》上，后来结集为《竹林的故事》为新潮社文艺丛书之一。这《竹林(的)故事》现在没有了，无从查考年月，但我的序文抄存在《谈龙集》里，其时为民国十四年九月，中间说及一年多前答应他做序，所以至迟这也就是民国十二年的事吧。废名在北京大学进的是英文学系，民国十六年张大元帅入京，改办京师大学校，废名失学一年余，及北大恢复乃复入学。废名当初不知是住公寓还是寄宿舍，总之在那失学的时代也就失所寄托，有一天写信来说，近日几乎没得吃了。恰好章矛尘夫妇已经避难南下，两间小屋正空着，便招废名来住，后来在西门外一个私立中学走教国文，大约有半年之久，移住西山正黄旗村里，至北大开学再回城内。这一期间的经验于他的写作很有影响，村居，读莎士比亚，我所推荐的《吉诃德先生》，李义山诗，这都是构成《莫须有先生传》的分子。从西山下来的时候，也还寄住在我们家里，以后不知是那一年，他从故乡把妻女接了出来，在地安门里租屋居住，其时在北京大学国文系做讲师，生活很是安定了，到了民国二十五六年，不知怎的忽然又将夫人和子女打发回去，自己一个人住在雍和宫的喇嘛庙里。当然大家觉得他大可不必，及至芦沟桥事件发生，又很羡慕他，虽然他未必真有先知。废名于那年的冬天南归，因为故乡是拉锯之地，不能在大南门的老屋安居，但在附近一带托迹，所以时常还可彼此通信，后来渐渐消息不通，但是我总相信他仍是在那一个小村庄里隐居，教小学生念书，只是多“静坐深思”，未必再写小说了吧。

翻阅旧日稿本，上边抄存两封给废名的信，这可以算是极偶然的事，现在却正好利用，重录于下。其一云：

“石民君有信寄在寒斋，转寄或失落，信封又颇大，故拟暂留存，俟见面时交奉。星期日林公未来，想已南下矣。旧日友人各自上飘游之途，回想《明珠》时代，深有今昔之感，自知如能将此种怅惘除去，可以近道，但一面也不无珍惜之意，觉得有此怅惘，故对于人间世未能恝置，此虽亦是一种苦，目下却尚不思即舍去也。匆匆。九月十五日。”时为民国廿六年，其时废名盖尚在雍和宫。这里提及《明珠》，乘便想说明一下。废名的文艺的活动大抵可以分几个段落来说。甲是《努力周报》时代，其成绩可以《竹林的故事》为代表。乙是《语丝》时代，以《桥》为代表。丙是《骆驼草》时代，以《莫须有先生(传)》为代表。以上都是小说。丁是《人间世》时代，以《读论语》这一类文章为主。戊是《明珠》时代，所作都是短文。那时是民国二十五年冬天，大家深感到新的启蒙运动之必要，想再来办一个小刊物，恰好《世界日报》的副刊《明珠》要改编，便接受了来，由林庚编辑，平伯、废名和我帮助写稿，虽然不知道读者觉得何如，在写的人则以为是颇有意义的事。但是报馆感觉得不大经济，于二十六年元旦又断行改组，所以林庚主编的《明珠》只办了三个月，共出了九十二号，其中废名写了很不少，十月有九篇，十一二月各五篇，里边颇有些好文章好意思。例如十月分的《三竿两竿》，《陶渊明爱树》，《陈亢》，十

一月分的《中国文章》,《孔门之文》,我都觉得很好。《三竿两竿》起首云:

“中国文章,以六朝人文章为最不可及。”《中国文章》也劈头就说道:“中国文章里简直没有厌世派的文章,这是很可惜的事。”后边又说:

“我尝想,中国后来如果不是受了一点佛教影响,文艺里的空气恐怕更陈腐,文章里恐怕更要损失好些好看的字面。”这些话虽然说的太简单,但意思极正确,是经过好多经验思索而得的,里边有其颠扑不破的地方。废名在北大读莎士比亚,读哈代,转过来读本国的杜甫李商隐,《诗经》,《论语》,《老子》(,)《庄子》,渐及佛经,在这一时期我觉得他的思想最是圆满,只可惜不曾更多所述著,这以后似乎更转入神秘不可解的一路去了。

我的第二封信已在废名走后的次年,时为民国二十七年三月,其文云:

“偶写小文,录出呈览。此可题曰《读〈大学〉〈中庸〉》,题目甚正经,宜为世所喜,惜内容稍差,盖太老实而平凡耳。唯亦正以此故,可以抄给朋友们一看,虽是在家人亦不打诳语,此鄙人所得之一点滴的道也。日前寄一二信,想已达耶,匆匆不多赘。三月六日晨,知堂白。”所云前寄一二信悉未存底,唯《读〈大学〉〈中庸〉》一文系三月五日所写,则抄在此信稿的前面,今亦抄录于后:

“近日想看《礼记》,因取郝兰皋笺本读之,取其简洁明了也。读《大学》《中庸》各一过,乃不觉惊异。文句甚顺口,而意义皆如初会面,一也。意义还是很难懂,懂得的地方也只是些格言,二也。《中庸》简直多是玄学,不佞盖犹未能全了物理,何况物理后学乎。《大学》稍可解，却亦无甚用处，平常人看看想要得点受用，不如《论语》多多矣。不知道世间何以如彼珍重，殊可惊诧，此其三也。从前书房里念书，真亏得小孩们记得住这些。不佞读下中时十二岁了，愚钝可想，却也背诵过来，反复思之，所以能成诵者，岂不正以其不可解故耶。”此文也就只是《明珠》式的一种感想小篇，别无深义，寄去后也不记得废名复信云何，只在笔记一叶之末录有三月十四日黄梅发信中数语云：

“学生在乡下常无书可读，写字乃借改男的笔砚，乃近来常觉得自己有学问，斯则奇也。”寥寥的几句话，却很可看出他特殊的谦逊与自信。废名常同我们谈莎士比亚，庾信，杜甫(,)李义山，《桥》下篇第十八章中有云：

“今天的花实在很灿烂，——李义山咏牡丹诗有两句我很喜欢，我是梦中传彩笔，欲书花叶寄朝云。你想，红花绿叶，其实在夜里都布置好了，——朝云一刹那见。”此可为一例。随后他又谈《论语》，《庄子》，以及佛经，特别是佩服《涅槃经》，不过讲到这里，我是不懂玄学的，所以就觉得不大能懂，不能有所评述了。废名南归后曾寄示所写小文一二篇，均颇有佳处，可惜一时找不出来，也有很长的信讲到所谓道，我觉得不能赞一辞，所以回信中只说些别的事情，关于道字了不提及，废名见了大为失望，于致平伯信中微露其意，但即是平伯亦未敢率尔与之论道也。

关于废名的这一方面的逸事，可以略记一二。废名平常颇佩服其同乡熊十力翁，常与谈论儒道异同等事，等到他着手读佛书以后，却与专门学佛的熊翁意见不合，而且多有不满之意。有余君与熊翁同住在二道桥，曾告诉我说，一日废名与熊翁论僧肇，大声争论，忽而静止，则二人已扭打在一处，旋见废名气哄哄的走出，但至次日，乃见废名又来，与熊翁在讨论别的问题矣。余君云系亲见，故当无错误。废名自云喜静坐深思，不知何时乃忽得特殊的经验，趺坐少顷，便两手自动，作种种姿态，有如体操，不能自已，仿佛自成一套，演毕乃复能活动。鄙人少信，颇疑是一种自己催眠，而废名则不以为然。其中学同窗有为僧者，甚加赞叹，以为道行之果，自己坐禅修道若干年，尚未能至，而废名偶尔得之，可谓幸矣。废名虽不深信，然似亦不尽以为妄。假如是这样，那么这道便是于佛教之上又加了老庄以外的道教分子，于不佞更是不可解，照我个人的意见说来，废名谈中国文章与思想确有其好处，若舍而谈道，殊为可惜。废名曾撰联语见赠云，微言欣其知之为诲，道心恻于人不胜天。今日找出来抄录于此。废名所赞虽是过量，但他实在是知道我的意思之一人，现在想起来，不但有今昔之感，亦觉得至可怀念也。

三十二年三月十五日，记于北京。

跋

《谈新诗》为废名先生在前北京大学教现代文艺编的讲义，这一部分是关于新诗方面的，专讲过去与将来的新诗上的意见，盖自五四旧诗解放以来，虽然常常有人做过研讨新诗的题目，大抵议论纷纷，总未得要领，好像还没有怎样值得注意的成绩，我想本书似乎可以填充这个空白的吧，那么现在再把它重刊出来，又仿佛恰像是在粮荒时，借来了一些食物，对于饥饿的读者，不是也有一点益处么。再〔在〕本书付印前，曾请教于知堂先生拟函知著者征求同意，嗣因交通不便，最近始有音讯，所以迟延至今才得出版，中间踌躇了二年，不即刊行，非无因也。我是这讲义的保存人，并且当年听过他一章章的现身说法，以今忆昔，难免有些惆怅，虽然我今仍得日夕出入红楼，景山无恙，汉花园风景依稀，岂有殊耶。承知堂先生慨允为序，复命写跋，自己深愧无话可说，爰略述其原委如斯。至于印行的一切手续，完全由尤平白先生与新民印书馆负责办理，故不赘。唯尚欲与陌生读者一言，著者原名冯文炳，乃知堂先生门人之一，不独于诗有卓见，亦写得一笔好小说，《莫须有先生传》与《桥》即是也。中华民国三十三年七月二十五日、黄雨、于北大文学院。

“十年诗草”①

我的《新诗讲义》讲到郭沫若学年便完了，那时是民国二十六年，接着七七事变我离开了北京大学，再也没有写这个讲义的机会了，到现在这还是一个未完的工作。这个未完的工作一直放在我的心里，但它的原来的计划我忘记了很多，讲了郭沫若之后应该讲谁，简直记也记不起。三十五年重回北平，关于新诗所搜集的书籍统统散失了，只有卞之琳林庚以及一个少年（现在他已不是少年了）朱英诞的诗集尚保存着，因为他们三个人的集子（林庚与朱英诞是自己出版的）我另外保存在一个箱子里，而这个箱子是我唯一存在的东西。与之琳见面后他又送给我他的《十年诗草》。冯至也送给我一册《十四行诗》。于是我微微一笑，我要完成我的未完的讲新诗的工作，只要把卞之琳林庚讲讲，再加一点冯至的十四行诗便已成了。对于有些作新诗的人当然有点抱歉，我对于我的工作确是不抱歉，我觉得它已经完成

---

① 载北平《华北日报·文学》1948年3月21日第12期，署名废名。文后有：“编者按：这是废名先生《新诗讲义》中的第十三章。《新诗讲义》曾由艺文社印行，易名《谈新诗》，抗战时在华北出版，当时销路极佳，人手一编，知者皆谓为先生不可多得的佳作。最近先生续写若干章，完成全书，不日由上海再版。而在出书以前，承先生厚意，允将来〔未〕发表的几章，陆续在本版刊载。这实在是非常难得的事。除了向读者们预告，并向废名先生致谢。”

了。我知道我遗漏了一些好诗,因为我记得我还读过许多好诗,但我的工作可以无遗憾了,我所遗漏的诗也正是说明我的工作。可见我对于这件事是胸有成竹,我可以把它公之于天下后世。于是我开始继续工作,我把卞之琳林庚的诗重新读几遍,我真是叹息,他们的成绩真是很好。冯至的十四行诗也很好。中国的新文学算是很有成绩了,因为新诗有成绩。五代的词人编有《花间集》,南宋的词人编有《绝妙好词》,成为文学史上有意义的两部书,我们现代的新诗也可以由我们编一本新诗选了,它可以在文学史上成为一件有意义的工作。是的,我们的新诗简直可以与唐人的诗比,也可以有初唐盛唐晚唐的杰作,也可以有五代词北宋词南宋词的杰作,或者更不如说可以与整个旧诗比,新诗也有古风有近体,这不能不说是一件盛事。我劝大家不要菲薄今人,中国的新诗成绩很好了。

今天我就来讲卞之琳。我把他的诗重读之后,除了爱他的诗而外,我还有一个满足,便是,在我的讲新诗里头虽然没有讲徐志摩,并没有损失,卞之琳的文体完全发展了徐志摩的文体,这个文体是真新鲜真有力量了,那么天下为公,还有什么不足的地方呢?徐志摩的新诗可以不讲,徐志摩的文体则决不可埋没,也决不能埋没,所以有卞之琳之诗了。我现在对于新诗的形式问题比以前稍为宽一点,即是新诗也可以有形式,不过这不是根本的事情,根本的事情还是我以前的话,新诗要诗的内容散文的文字。我再一想,新诗本来有形式,它的唯一的形式是分行,此外便由各人自己去弄花样了。因为是散文的文字,同西洋诗的文字一样,要合乎文法,于是形式确是可以借助于西洋诗的形式写成好诗的。卞之琳与冯至的有规律体的诗确是很好了。我自信我没有成见，我是从事实观察，在我以前编讲义的时候，我还没有发现有规律体的好诗。林庚后来的诗也有形式，他完全是旧诗的原则，只不过拿复音字代替了单音字，他却失败了。

下面是我选的卞之琳的诗，每首之后总想附点意见，最好是就我所能懂得的解释给大家听，不过解释便太占篇幅，附意见则意见每写不出，因为卞之琳的新诗好比是古风，他的格调最新，他的风趣却最古了，大凡“古”便解释不出。如古诗“江南可采莲，莲叶何田田，鱼戏莲叶间，鱼戏莲叶东，鱼戏莲叶西，鱼戏莲叶南，鱼戏莲叶北”，同小孩写字的一样，谁能解释呢？但这真是古诗，写得有趣。记得旧日的诗家在这首古诗上批一句“格最奇”。是的，最奇而最古了。我一点也不附会，我顶喜欢这首古诗。卞之琳有些新诗便是如此，如此的诗你不懂得它好，旁人真无从解释，只好说茶热得好了。卞之琳的诗又是观念跳得利害，无题诗又真是悲哀得很美丽得很，我最初说卞诗真个像温飞卿的词，其时任继愈君在座，他说也像李义山的诗，我当时有点否认因为温李是不同的。李诗写得很快，多半是乱写的，写得不自觉的。卞之琳的诗是很用功写的。后来我想卞之琳美丽的悲哀温词是没有的，卞诗有温的浓艳的高致，他却还有李诗温柔缠绵的地方了。李诗看起来是华丽，确是“清”，卞之琳没有李商隐金风玉露的清了，林庚却有。故我最初否认任继愈君的话。实在我想他的话有理由，单是温飞卿的“画屏金鹧鸪”不足以尽卞之琳的新诗。本来画屏金鹧鸪亦不足以尽温词，我在本讲义最初已讲过，温飞卿每每从美人身上一点一点东西写到身外之物很远很远的山水上面去了。我选择的标准是很严的，首先当然要诗意充足，就是诗意充足而文章有些微不自然的地方我都割爱，如《寂寞》这一首：

乡下小孩子怕寂寞，
枕头边养一只蝈蝈，
长大了在城里操劳，
他买了一个夜明表。

小时候他常常羡艳
墓草做蝈蝈的家园；
如今他死了三小时，
夜明表还不曾休止。

乡下小孩子枕边养蝈蝈与买夜明表都是最新鲜不过的文字，是卞之琳的特色。“如今他死了三小时，夜明表还不曾休止。”诗意佳，句子亦极新鲜，尤其是“如今他死了三小时”一句真好，来得有力量，来得自然。然而像起头“乡下小孩子怕寂寞”一句便差好些，仿佛同一般作文章起头时许多意思无从下笔，于是勉强来一句破题，新诗可不能这样。一首新诗要同一个新皮球一样，要处处离球心是半径，处处都可以碰得起来。句句要同你很生，因为来自你的意外；句句要同你很熟，本来在你的意中了。若“乡下小孩子怕寂寞”这一句我们都可以写，无须乎卞之琳。故《寂寞》这首诗不能入选。有观念跳得利害而诗不能文从字顺者不选，不普遍者不选，如《圆宝盒》，《距离的组织》，《鱼化石》等篇是。卞之琳跳动的诗而能文从字顺，跳动的思想而诗有普遍性，真是最好的诗了。所选的一共有十一首。

道　　旁

家驮在身上像一只蜗牛，
弓了背，弓了手杖，弓了腿，
倦行人挨近来问树下人
（闲看流水里流云的）
“请教北安村打哪儿走？”

骄傲于被问路于自己，
异乡人懂得水里的微笑；
又后悔不曾开倦行人的话匣
像家里的小弟弟检查
远方回来的哥哥的行箧。

这首诗最初在《水星》杂志上刊出时，我读了非常之喜欢。我并不是读一遍便懂得的，但我读一遍便喜欢它的新鲜，于是读了好几遍，愈读愈喜欢。到现在我还是喜欢这首诗，它古朴得好，新鲜得好，句子是真好，意境也是真好，把作者的个性都显出来了。你若问我这首诗到底有什么意思呢？我告诉你这种诗是新诗的古风，很难说有什么意思的。陶渊明“五六月中，北窗下卧，遇凉风暂至，自谓是羲皇上人”，有什么意思呢？然而陶渊明甚爱惜之，“意浅识罕，谓斯言可保。”下诗的句子之好则是可以说得出的，是欧化得有趣，欧化得自然！首两行是形容第三行的倦行人，“家驮在身上像一只蜗牛”，谁会这样形容“家累”呢？要我能写出这个句子来，我便说我不食人间烟火！然而我们的诗人他年青得很，他只是天真罢了，“多思”罢了。“多思”这两个字他的诗里头常用的。括弧里面“闲看流水里流云的”形容树下人也好。来一个括弧也有趣味。接着一句问话也有趣味。诗情闲得很，忙得很，令我们读着仿佛山阴道上应接不暇的光景了。第二段“骄傲于被问路于自己”，这个骄傲真可爱，句子真像蜗牛，蜷曲得有趣。“异乡人懂得水里的微笑”，微笑得有趣。最后一句真是淘气得可爱，话长得可爱，真是不会说话的小弟弟的话匣子了。不会说话，我这话说错了，小弟弟是顶会说话的。我常常想学卞之琳的造句，结果我的句子只能做到“乡下小孩子怕寂寞，枕头边养一只蝈蝈”这个样子，自己非常之不满意。读者别误会我是叫人学蹩扭，我倒是叫人懂得自然，便是“渐近自然”的自然。很有趣，称赞自然的人便很蹩扭，什么叫做“丝不如竹，竹不如肉”呢？答曰，渐近自然。我恐怕我的话还不足以赞美蹩扭，即自然。我不如举《论语》来做保护人。你能说《论语》的文章不好吗？我觉得《论语》的句子与卞之琳是一派、很蹩扭、很自然。我决不是附会。而且我敢担保卞之琳写这一首《道旁》时，还在学英文，并没有读《论语》。其所以同工巧之故，乃是他们讲究文法。造句子而讲究文法，故有时又像是欧化。故我曾戏称《诗经》《论语》的句子是欧化。那么可见中国人不讲究文法了。“有朋自远方来”，这个句子便很蹩扭，很自然，合乎文法。这是《论语》的文章。“叶公问孔子于子路。”这也是《论语》的句子。“子罕言利与命与仁。”这个句子是怎样蹩扭，怎样自然！若译作外国文，可以照字直译了。“不义而富且贵，于我如浮云”，这完全是卞之琳的句法了。“吾不与祭，如不祭”，“尧舜其犹病诸”，“窃比于我老彭”，都是很蹩扭很自然的。《诗经》的句子亦然。

“七月在野，八月在宇，九月在户，十月蟋蟀入我床下”，“瞻乌爰止于谁之屋”，私塾先生不懂文法，以七月在野句为五句，瞻乌爰止为两句，以为读起来很自然，其实是合乎文法的很蹩扭的一句了。我读了卞之琳的诗句很喜欢它，故而引子曰诗云以表示我的欢喜。

航　　海

轮船向东方直航了一夜，
大摇大摆的拖着一条尾巴，
骄傲的请旅客对一对表——
“时间落后了，差一刻。”
说话的茶房大约是好胜的，
他也许还记得童心的失望——
从前院到后院和月亮赛跑。
这时候睡眠朦胧的多思者
想起在家乡认一夜的长途
于窗槛上一段蜗牛的银迹——
“可是这一夜却有二百浬？”

这一首《航海》我也很喜欢。我喜欢它比喜欢安徒生的童话还要喜欢。我是喜欢写实的，童话而是写实，故我喜欢。童话而是写实者，如瓦特之弄开水壶是也。卞之琳的诗即是如此，他的幻想好像是思想家，不，他是诗人了。他能像打糖锣的一样，令我像一个小孩子给他吸引去了。“在家乡认一夜的长途于窗槛上一段蜗牛的银迹”，这句子该有多好！真像是蜗牛的银迹。这思想又是多妙，蜗牛的一段银迹等于一只轮船的二百浬的一夜，而茶房的差一刻钟又要对一对，时间与空间真是严格得很，荒唐得很，有趣得很。不过我这一引申很有点不妙，作者只不过同乡下小孩子买夜明表一样，他好奇罢了，他喜欢它罢了。然而我所以引申者，也有我的原故，我喜欢具体的思想，不喜欢“神秘”，神秘而要是写实，正如做梦一样，我们做梦都是写实，你不会做我的梦我不会做你的梦。凡不是写实的思想我都不喜欢了。只要你是写实，无论怎样神秘，我都懂得。惟其写实，乃有神秘。否则是糊涂了，是空虚了。我喜欢卞之琳的航海，喜欢乡下小孩子买夜明表。卞之琳的思想真是“明”得很，然而夜明表又在“夜”里。我虽然认得他，但认得人并不就认得诗。他大约是近视眼。又真是多思者。他的句子又是最新鲜最准确的技巧，真像一只表。我是写我自己的实在感觉，我初读卞之琳的诗（百读还是如此）诚如刘姥姥初见自鸣钟也。

倦

忙碌的蚂蚁上树，
蜗牛寂寞的僵死在窗槛上
看厌了，看厌了；
知了，知了只叫人睡觉。

蟪蛄不知春秋，
可怜虫亦可以休矣！
华梦的开始吗？烟蒂头
在绿苔地上冒一下蓝烟吧？

这首诗很别致，很有情趣，写得很容易，而是写实。我前说惟其写实乃有神秘者，因为你看见的东西我不一定看见，我看见的东西你不一定看见，写出来每每不在意中也，故神秘得很。陶渊明“采菊东篱下，悠然见南山”，我们说他写得自然，其实神秘得很。此诗最后一句“烟蒂头在绿苔地上冒一下蓝烟”亦是悠然见南山之类。我前说卞之琳的句子像蜗牛蜷曲得有趣，我今抄这一首诗，我觉得我的话很有根据，我选了他三首诗，我毫无成见，我忽然发现三首诗就有三个“蜗牛”，很有趣。

归

像一个天文家离开了望远镜，
从热闹中出来闻自己的足音。
莫非在自己圈子外的圈子外？
伸向黄昏去的路像一段灰心。

这首诗为什么题作“归”？真是神秘得很。岂“我欲乘风归去”耶？我不能说我懂得作者的作意，但我觉得他写得很好玩。头两行意思非常之明白，我顶喜欢他的比喻新鲜，非常之显得个性。天下最热闹的地方莫过于天文家的望远镜，世上最没有声音的场所也莫过于天文家的范围，自己的足音倒真是一件奇事了，理应出来听听！自己站在那里听什么呢？若说声音吗？“莫非在自己圈子外的圈子外？”这时所看见的，“伸向黄昏去的路像一段灰心。”这可见是整天的忙碌之后。我这番话说得太不含糊了，仿佛事无对证似的，可以由我乱说。倘若作者笑我：“我作诗的意思不是这样!”那我的话便没有一点价值了。

车　站

抽出来,抽出来,从我的梦深处
又一列夜行车。这是现实。
古人在江边叹潮来潮去;
我却像广告纸贴在车站旁。
孩子,听蜜蜂在窗内着急,
活生生钉一只蝴蝶在墙上
装点,装点我这里的现实。
曾经弹响过脆弱的钢丝床,
曾经叫我梦到过小地震,
我这串心跳,我这串心跳,
如今莫非是火车的怔忡?
我何尝愿意做梦的车站!

这真是最美丽最新鲜而且最具体的诗,除了卞之琳任何人不能写。诗大约总是在车站上等车等得着急写的。“抽出来,抽出来,从我的梦深处又一列夜行车”,这是写实,故紧接着一句“这是现实。”这两句十分切实,十分空灵,因为是又一列“夜行车”,故如从“我的梦深处”来了。诸君,车站上的火车来了,不像是从我们的梦深处来了吗?故曰“这是现实”。接着“古人在江边叹潮来潮去,我却像广告纸贴在车站旁。”真是太好了,令我非常之同情,我仿佛卞之琳像一张广告一样贴在火车站上等车。其实诗情是无我,是美丽,我一点也不替他着急了。那么你就是钉一只蝴蝶在墙上，虽然无聊，虽然着急，还是美丽的，即是诗情美丽，可以与庄周梦蝴蝶比美也。现代诗人的梦真应该在火车站上！所以有卞之琳的诗也。底下写诗人的心跳都跳得令我们非常之能了解，但一点也不同情他，因为有这一首好诗。本来身如逆旅，古今同有此情，而卞之琳说得太新鲜了，太可爱了，太切实了，心跳是“火车的怔忡”，于是身子是“梦的车站”！我说他“无我”，是非常之实在的一句话。此他的诗所以空灵之故。而感情那么切实。

雨同我

天天下雨，自从我走了；
自从我来了，天天下雨，
两地友人雨我乐意负责。
第三处没消息寄一把伞去？

我的忧愁随草绿天涯：
鸟安于巢吗？人安于客枕？
想在天井里盛一只玻璃杯，
明朝看天下雨今夜落几寸。

我讲前一首诗说“无我”，这一首诗偏偏说“雨同我”，其实雨同你有什么关系呢？你的诗却是写得太好了，天下雨便让你去负责。首两句句子该是多好，也是平常可有的事情，我在这里，这里不下雨，我走了天天下雨；我没有来，那里不下雨，我来了天天下雨。对于两地友人我很抱歉。其实两地友人未必怎样介意这件事情，诗人自己多情罢了，或者自己心里烦，不喜欢雨，于是雨真是美丽了，因为写了这一首绝妙好诗。“第三处没消息”，第三处当然是情人，然而无奈没消息何！那么寄一把伞去。因为天下雨。究竟那里下雨了没有呢？你不还是没消息么？这把伞真是太可爱了，这个诗情真是太可爱了，太美丽了，比写这讲义的人一向所喜欢的“细雨梦回鸡塞远”还要好，因为卞之琳的这句诗一定来得很快，是真的心情，不是想像了，故我们更应该爱惜它。究竟还只有雨同诗人有关系，朋友未必要你负责，各有各的生活，各有各的甜蜜，或者还如古诗说的“入门各自媚，谁肯相为言！”第三处没消息倒是自己的事。自己大约寄住在朋友家里罢，或者住旅馆罢，故曰“客枕”。于是要在天井里盛一只玻璃杯，明朝看天下雨今夜落几寸。这个玻璃杯里所盛的不是水，是天下雨，是诗人一切的意思了，否则世界太抽象了。“明朝看天下雨今夜落几寸。”这个句子真是神乎其神。这个思想真是具体得很，是大家都可以看得见的几寸雨了，然而谁能有这一份美丽呢？李商隐有一句诗写雨真是写得奇怪，这句诗是：“雨不厌青苔。”这雨该是多干净！卞之琳的天下雨也一点不拖泥带水了。新诗还不是美丽的溢露，是一座雕像，是整个的庄严。

无题一

三日前山中的一道小水，
掠过你一丝笑影而去的，
今朝你重见了，揉揉眼睛看
屋前屋后好一片春潮。

百转千回都不跟你讲，

水有愁，水自哀，水愿意载你。

你的船呢？船呢？下楼去。

南郭外一夜里开齐了杏花。

卞之琳的《无题》之佳，应是无以复加，不知子都之美者无目者也。我本来想选四首，现在只选两首。这第一首，诗分两章，首章是想像，三日前你在山中看见的水，今朝你重见了，你揉揉眼睛看，看屋前屋后好一片春潮！于是有第二章，你知道水是百转千回走去的么？水不跟你讲，却是很寂寞，很有哀伤，他愿意载你哩！往下两行便很神秘了，你说你愿意载我，你的船呢？你的船呢？因为载我我非坐船不可。女人真是咄咄逼人，不管人家的哀愁。这是可以讲的。也可以这样讲：是诗人自己同自己说话，你说你愿意载她，你的船呢？你的船呢？于是自己觉得自己好笑了，这时正在下楼，下楼去罢，南郭外一夜开齐了杏花。清早下楼看见外面许多杏花，这是现实。其余的都是痴情罢了。诗中令人糊涂的是“你的船呢？”问话里面的“你”字，这个“你”不是“水愿意载你”的“你”，一是水做的，一是泥做的，用贾宝玉的话。我说这首诗好，你大约可以承认罢。

无题二

窗子在等待嵌你凭倚。

穿衣镜也怅望，何以安慰？

一室的沉默痴念着点金指，

门上一声响你来得正对！

杨柳枝招人，春水面笑人。
鸢飞，鱼跃；青山青，白云白。
衣襟上不短少半条绉纹，
这里还差你右脚——这一拍！

作者送我一本《十年诗草》的时候，曾把这首诗指给我看，生怕我不懂最后一行破折号后面的“这一拍”，他说“这一拍”的地位是所差的右脚已经到了，诗的韵律虽差一拍，而人到了。其实我想他告诉我的并不是这个，我倒是觉得“衣襟上不短少半条绉纹”有点晦涩。衣的绉纹应该如水的绉纹才对，所谓吹绉一塘春水，那么这个衣襟仍是来人的衣襟，即女儿走路衣服走得动了，即是望见人来了。那么这个衣襟并没有半条绉纹，应该是电烫得平平的，何以说绉纹呢？所以这个句子里面的“绉纹”二字用得很有问题。或者指有一件衣裳挂在那里，因为人儿不来，于是把她身上穿的衣服一点一点的都看清楚了乎？总不致于是泛说一句，如上面青山白云等等一样。故我说这个句子晦涩。然而无论如何这首诗新鲜。

水　分

蕴藏了最多水分的，海绵，
容过我童年最大的崇拜，
好奇心浴在你每个隙间，
我记得我有握水的喜爱。

然后我关怀出门的旅人：
水瓶！让骆驼再多喝几口！
愿你们海绵一样的雨云
来几朵，跟在他们的尘后！

云在天上，熟果子在树上！
仰头想吃的，凉雨先滴他！
谁教挤一滴柠檬，然后尝
我这杯甜而无味的红茶？

我敬你一杯。酒罢？也许是。
昨夜我做了浇水的好梦：
不要说水分是柔的，花枝，
抬起了，抬起了，你的愁容！

这种诗真是可爱，作者不但遇事见其新鲜的人，他又是一个热情的人，这首诗便是他的热情。文章怎么这么会写？感情怎么这么不浮泛？他真是写出水分的感情来了。诗没有不明白的地方，只是空灵而突兀，首章我读之喜爱，二三章为其关怀所动，四章为之悲伤，我真是同情于诗人之思。不要说水分是柔的，你看你看，花抬起来了，抬起了她的愁容！不是水分的因缘么？

淘　气

淘气的孩子，有办法：
叫游鱼啮你的素足，

叫黄鹂啄你的指甲，
野蔷薇牵你的衣角……

白蝴蝶最懂色香味
寻访你午睡的口脂。
我窥候你渴饮泉水
取笑你吻了你自己。

我这八阵图好不好？
你笑笑，可有点不妙，
我知道你还有花样！

哈哈！到底算谁胜利？
你在我对面的墙上
写下了“我真是淘气”。

这首诗很像徐志摩的，尤其是诗的题目同第三章，不过徐志摩不能写得这样有节制，他总不免有撒野的地方了。下诗便完全得很。

灯　虫

可怜以浮华为食品，
小蠓虫在灯下纷坠，
不甘淡如水，还要醉，
而抛下露养的青身。

多少艘艨艟一齐发，
白帆蓬拜倒于风涛，
英雄们求的金羊毛
终成了海伦的秀发。

赞美吧：芸芸的醉仙
光明下得了梦死地，
也画了佛顶的圆圈！

晓梦后看明窗净几，
待我来把你们吹空，
像风扫满阶的落红。

这首灯虫赞美丽极了，同以前的诗有点不同，以前是立体的，这是平面的，所以很容易懂。以极浓的一幅画，用了极空的一枝笔，是《花间集》的颜色，南宋人的辞藻了。

我将卞之琳的诗讲完了，我算是很用了一番心，想对得起作者。原来还选了几首，如《无题三》，《无题四》，《妆台》，《白螺壳》，后来都割爱了，尤其是《妆台》很有点舍不得。所以终于舍弃之故，因为已经选了许多，诗虽好而稍为有铺张之处我便不选。我觉得新诗最好是不要铺张，宁可刻画，能够自然的描绘出来当然最好。有文字不能相生的我亦不取，如《无题三》首章最佳，若二章“我明白海水洗得尽人间的烟火”，何以见得海水洗得尽人间的烟火呢？没有典故，又没有物理在里头，容易成滥调，故这首终亦不选。《白螺壳》真是不应该舍掉,但我终于还是舍《白螺壳》而不舍《水分》。现在我将《白螺壳》的首章抄在下面,算是我写的卞之琳诗人赞:

空灵的白螺壳,你,
孔眼里不留纤尘,
漏到了我的手里,
却有一千种感情:
掌心里波涛汹涌,
我感叹你的神工,
你的慧心啊,大海,
你细到可以穿珠!
可是我也禁不住:
你这个洁癖啊,唉!

诗人,我也禁不住:你这个洁癖啊,唉!

林庚同朱英诞的诗[①]

林庚的诗早在我的意中，我早已喜欢他那一份美丽。他从前曾同我谈旧诗，他说有许多诗只有一句好，也本只有一句诗，其余的都是不能不加上去的罢了，因为不加上去便不能成一首诗，而实在只有一句诗。他举了杜甫的“花近高楼伤客心”做例子，又举了杜甫的“玉露凋伤枫树林”。另外他又赞美李商隐的“沧海月明珠有泪”一句。我很佩服他的话。而实在我也很喜欢他的诗了。他这一句诗的话，和他所举的例子，很足以说明他自己的诗品了。真的，我读了他的诗，总有一种“沧海月明”之感，“玉露凋伤”之感了。我爱这份美丽。所以此回我预备重写新讲义的时候，林庚的诗是毫不成问题的，一定不令我费力，我可以很容易地选好些首了。他虽然有四本集子，我又毫不迟疑的只要他的《春野与窗》。孰知我讲完卞之琳之后，要动手讲林庚，把《春野与窗》看了又看，结果只能选四首，大出乎我的意外，我本意决不以为只会选四首了。卞之琳乃选了十一首。在二十六年我同他们两位分别的时候，卞诗我只得一首《道旁》，林诗则不特意地记那一首，因为决不只一首了，何必记呢？那么，照我现在

① 载北平《华北日报·文学》1948年4月25日第17期，署名废名。

看来，林庚的诗不好了吗？不然，他的诗，在我的眼中，一点没有失却美丽，就诗的完全性说，恐怕只有这四首了。本来读古今人的诗，并不一定要看他的完全，不完全的诗或者还更有可爱处，但我的工作却不容许我泛滥地爱好了。我选的林庚这四首诗，却都能见其美丽，这是我差自告慰的。另外我将朱英诞的诗附在讲林庚这一章里头，在我却是有深意存焉。我并不是说林庚的分量不够，要拉一个人来合力才足以与人抗衡。在新诗当中，林庚的分量或者比任何人要重些，因为他完全与西洋文学不相干，而在新诗里很自然地，同时也是突然地，来一份晚唐的美丽了。而朱英诞也与西洋文学不相干，在新诗当中他等于南宋的词。这不是很有意义的事吗？这不但证明新诗是真正的新文学，而中国文学史上本来向有真正的新文学。如果不明白这一点，是不懂文学了。亦不足以谈新文学。真正的中国新文学，并不一定要受西洋文学的影响的。林朱二君的诗便算是证明。他们的诗比我们的更新，而且更是中国的了。这是我将他们两人合讲的原故。此外还有道义的关系，朱君是林君的学生，他又总说他是我的学生，虽不是事实，我却有情，他作诗年龄甚青，我将他同林老师合讲，是表示我对于后生总有无限的希望，不必专列一章，那样便反而没有进步的意思。朱英诞的诗比林庚的诗还要选的多，也并不是说青出于蓝，蓝本来就是他自己的美丽，好比天的蓝色，谁能胜过呢？现在说来，我同他们两位好像很熟似的，当然很熟，但熟是从不熟来的，我同他们本没有一点关系，并不如之琳尚有北大同学关系，我与林朱的关系是新诗罢了。我一读了他们的诗就很喜欢，这真是很古的一句话，“乐莫乐兮新相知”了。中国的文坛却也是应该害羞的，因为专讲势力，不懂得价值，林朱二君的诗都是自己花钱出板的，朱君的集子恐怕没有人知道。此外程鹤西有一本薄薄的散文集，是真正的新文学，几位诗人都爱好，都是二十六年前的事，到现在无处出板，所以“不薄今人爱古人”，这句话也很不容易了。我这话却讲到题外去了。

下面是我选的林庚的四首诗。

大风之夕

风在冬夜是格外紧的
风中的旅行者啊
昨夜的路上我赶着走里
追上前面一个相识的人了

暮

屋顶的炊烟散入四方
夜欲收拾零乱的村舍
家家的双扉深闭上
模糊中路上的行人
渐渐踏上了熟悉的路
履声传到远处
招来一个同样的人了
履声从对面走来

《大风之夕》与《暮》这两首诗我从前初读时便很喜欢，诗的意思很明白，很像初期的新诗，但初期的新诗决没有这里的清新。我喜欢这里面的诗人的哀愁，其哀愁总不以题目里的事实为止，总另外见诗人的性灵。这是这种诗所以清新之故。若初期时则是浑朴的。今天因为选诗的原故，选了《大风之夕》，照抄下来，觉得无须加解释，再抄《暮》，抄了两首诗之后，乃觉得两首诗原来是一个性灵，难怪我们读着觉其完全了。新诗的必有诗的完全性而后能成为好诗，确乎是颠扑不破的事实。在我拿着诗集选定这两首诗的时候，只觉得诗好，并没有注意到两首诗都是“路上”的诗情，便是作者自己一定也不能留心到了。我说这话，是表示我的诗选的工作确乎是切实的。

沪之雨夜

来在沪上的雨夜里
听街上汽车逝过
檐间的雨漏乃如高山流水
打着柄杭州的油伞出去吧

雨水湿了一片柏油路
巷中楼上有人拉南胡
是一曲似不关心的幽怨
孟姜女寻夫到长城

这首诗真是写得太好，我很早就向作者表示我的赞美的。它真是写得太自然，太真切，因之最见作者的性情了。凡属诗，当然都是见性情的，难得想像之不可抑制，而眼前的现实都是诗人的性情，而诗人无心于悲哀，倒是倔强于自己的一份美丽，结果是这份美丽弹其知音之曲了，所以我们读之喜欢它的哀音。凡是美丽都是附带着哀音的，这又是一份哲学，我们所不可不知的。这话说得太玄了，我们还是具体地讲这首诗罢。林庚是福建人，但他是不是生长在福建我还不知道，他是在北平长大的确是知道的，凡属南方人而住在北方沙漠上，最羡慕江南，江南对于他们真是太美丽了，无论在他们的想像中，或者有一天他们到江南去了，所以林庚的《江南》有云："满天的空阔照着古人的心，江南又如画了。"江南真不知从什么时候起便是"暮春三月，行〔江〕南草长"那么可爱了。林庚到江南去的诗都是"满天空阔照着古人的心"的诗，而作者又是现代的摩登少年，故诗都写得很有趣，而以《沪〈上〉之雨夜》为一篇神品，也写得最完全。诗是写实，"来在沪上的雨夜里，听街上汽车逝过"，上海街上的汽车对于沙漠上的客一点也不显得它的现代势力了，只仿佛是夜里想像的急驰的声音，故高山流水乃在檐间的雨漏，那么"打着柄杭州的油伞出去吧"也无异于到了杭州，西湖的雨景必已给诗人的想像撑开了，这两句诗来得非常之快，但只是作诗的一点萌芽。到了"雨水湿了一片柏油路，巷中楼上有人拉南胡，是一曲似不关心的幽怨，孟姜女寻夫到长城"，则诗已完全了，并不是写完全了，本来没有写的，要写也不过是这四句：

雨水湿了一片柏油路
巷中楼上有人拉南胡
是一曲似不关心的幽怨
孟姜女寻夫到长城

这确是同陶渊明“采菊东篱下，悠然见南山”一样是写实的，同时也没有另外的抒情方法了。我告诉诸君，这种诗都是很不容易有的，要作者的境界高，局促于生活的人便不能望见南山，在上海街上忙着走路的人便听不见一曲似不关心的幽怨，若听见也不过是贩夫走卒听见楼上有人拉胡琴而已，诗人则是高山流水，林庚一定在北方看见过万里长城，故在上海的夜里憧憬于“孟姜女寻夫到长城”了。李白诗“黄鹤楼中吹玉笛，江城五月落梅花”，大约也是写实，但还不及林庚来得自然，来得气象万千。王之渔〔涣〕诗“羌笛何须怨杨柳，春风不度玉门关”，大约只是想像，不是身临其境，故又不及林庚的新诗的沉着了。读者以为我把新诗捧得太高否？我还告诉诸君一件事，卞之琳的《雨同我》所写的或者也是“沪之雨夜”，这两首诗最能表现两个作者不同，而同是诗人，目中无现代的上海，而在上海的夜里各自写出那么的在中国文学史上占地位的新文学的新诗了。我这个判断的句子长得可笑，但我喜欢它有意思。卞诗确乎像《花间集》卷首的词，林诗确乎像玉溪生的诗，若二者不可得兼问两首诗我取那一首，我还是取林庚的《沪之雨夜》，因为它来得快些。再说我同卞之琳是一派，我总觉得文章是别派的好。

无　　题

一盆清丽的脸水。
映着天宇的白云万物
我俯下去洗脸了
肥皂泡沫浮满了灰蓝色的盆
在一个清晨或一个傍晚

光渐变得微弱了的时候
我穿的盥衣是一件国货
华丽的镶边与长穗的带子
一块湖滨新买来的面帕
漂在水上如白净的船蓬
于是我想着一件似乎很怅惘的事
在把一盆脸水通通的倒完时

林庚的诗有两首《无题》，我选了这第一首。这首诗很见作者的豪放，但一点也不显得夸大，因为他的豪放是美丽，是幻想，都是自己的私事，旁人连懂也不懂得，何致于夸大呢？温飞卿的词每每是这种写法，由梳洗的私事说到天宇的白云万物了，不过温词是约束，林庚的诗确是豪放。“于是我想着一件似乎(很)怅惘的事，在把一盆脸水通通的倒完时”，这种感情我最能了解，我从前写小说常有这种感情，林庚以之写诗来得非常之响亮，仿佛一盆脸水通通倒完了，豪放得很。而倒出去的都是诗人之幻想，所以美丽得很。这所谓“很怅惘的事”，一定关于女子的事，故诗题作“无题”。

下面是我选的朱英诞的诗，从他的诗集《无题之秋》里面选出来的，共选了十二首。为什么选这么多呢？当然由于爱惜这些诗思，而且叹息古今的人才真是一般的，读了朱君的诗，或者一个句子，或者用的一个字，不像是南宋词人的聪明么。此外我还有一点恳切的意思，附志于此，说到南宋词人，则其为人也已经是限于慧业文人了，徒徒令我爱好，而他自己却是可惜的，我觉得我们总应该做伯夷柳下惠，要特立独行，用陶渊明的话是

“不学狂驰子，直在百年中”！我这话或者有点过分，正如厨子做了好菜给我们吃而我们还要求厨子的道德，不苛刻了吗？不然，诗人是我的朋友，故我们是应该相尚以道德的。

冬　室

冬室度过的日子
鞋子走在铺地的芦席上
除了窗的半面
四壁别无响动的
窗上度过北地的沙风
挟着远近的寒光
在冷漠的各家墙头
与家室的同感

我很喜欢“在冷漠的各家墙头”的“各家”二字，以及“与家室的同感”的“同感”二字。家室确是同感，墙头确是各家，在冷漠的冬日里。我佩服这个少年人善感，而且很别致地写得出来。

红　日

人间隐隐一声鸡
蓦地唱出红日来
更分明的颜色
各方的眼界。

归鸦若有远方的逃避

红日乃茫然而没落了
一个黯然的追求
谁将成梦呢。

首四行当然是写旭日,“蓦地唱出红日来”的“唱”字可爱。但我喜欢第二个四行的写落日,够得上伟大的诗思。“归鸦若有远方的逃避”真写得像,是厌世诗人的美丽,严肃得很,而紧接着“红日乃茫然而没落了”乃更不可及,仿佛红日的没落是附和着归鸦的逃避了。读者试想这个归鸦的颜色与那个红日的颜色,这时的天空该是怎样的分明,谁知是一个逃避呢?而紧接着“一个黯然的追求,谁将成梦呢”乃更不可及,红日的没落真是黯然的追求,那么谁将成梦呢?我们谁都应该替落日时的黯然作一个追求的梦似的。

雪之前后

亮云下若静室的幸福
普天之下无所献
夜来暖意暗暗
月乃无处投宿

无叶树开出花来
冬来才有的敦厚之路啊
门外朝行人的足迹
与人以薄命之感

这种诗真刻画得可爱，刻画而令人不觉其巧，只觉其天真。比南宋人的词要天真多了，可爱多了。“敦厚之路”，“薄命之感”，正是南宋词的巧处，但我们为朱君的修辞之诚所笼罩了。

春　　及

两列树的一点天色里
潮潮的道上静静的
乃是我要走的路了吗
是谁的履痕且浅浅的呢
石头转出另一条路来
远远的笼护着戴红帽的人
独自走得极慢。

“两列树的一点天色里”，这都是刻画，但仍有其亲切之感，所以我们读着只觉其生动了。

海

海是常有风浪孤舟的吗
巨涛是为了什么呢
珊瑚岛上有真珠
深深的
多年的水银黯了
自叹不是鲛人
海水于我如镜子
没有了主人

这些思想也都很可爱，因为相传鲛人住在海里，那么海是鲛人的了，自己不是鲛人，那么“海水于我如镜子没有了主人”。想起海来海像一个镜子，想起海来海像一个镜子没有主人。说没有主人，天真的思想正有主人的境界了，是很可喜的。“多年的水银黯了”，银黯二字用得很好。

画

我愿意我的生命如一张白纸
如圣处女有她青青的天堂
日出的颜色追回昨晚落霞之梦
游子乃他乡的点缀
故里的情形将又是一番
温柔的睡去之后
明朝将是另一个宇宙
我想我将照太阳照出颜色来。

我最喜欢思想都是各人自己的，而真是各人自己的思想亦必是大家公共的，即所谓个性与普遍。这首诗“游子乃他乡的点缀，故里的情形将又是一番”，真是作者自己的思想，令我十分爱好，我仿佛做梦也梦不见这两句话，这两句话又仿佛正是我追求的梦境了，美丽得很。我们平常总是梦见故里，其实故里的情形又是一番，我们乃是在他乡的纸上画一张画罢了。“明朝将是另一个宇宙，我想我将照太阳照出颜色来”，这个句子是真巧，思想也是真好。

少年行

如春花与秋月
珍藏着一半的生命
梦与夜
找不着的此外之行踪
像池花台上的空间
停眸与驻足
在一张图画里
那定形的风迹呢

这首诗真是美丽得很，它的意义，也真是神秘得很，恐怕也具体得很，令我不敢赞一辞。大凡读者觉得很神秘的诗，作者一定是很具体的，从用的比喻便可以看得出。春花与秋月，我们都觉得它可惜似的，仿佛它只露出了一半的生命，那一半给藏起来了，其实是完全的，你到那里去找那一半呢？梦与夜都找不着此外之行踪，梦是春花与秋月的梦，没有另外的行踪，夜是春花与秋月的夜，没有另外的行踪。若池花台上的空间，大家停眸与驻足，都是看它，但却还有另外水上的风迹哩。我这番话不知能说得作者的神韵于万一否？

落　花

走在无人之境里，
似过去前面就是座桃源；
一朵落花有影子闪下，

那翩翩的一闪，
觉出无声与无言；
仿佛落了满地的后悔，
寻不见一处回避的地方
与水面的不自然。

这首诗写落花真是写得神，尤其是最后的“仿佛落了满地的后悔，寻不见一处回避的地方与水面的不自然”，可以说是前无古人，在古人的诗与文里都没有的。落花落在地上真是仿佛落了满地的后悔。落花真是寻不见一处回避的地方。落花与水面也真是没有一点不自然的地方，所谓落花流水也。

往下的四首方块诗是我选得好玩的。那时林庚试着写他的方块诗，朱君继之。林庚的理想甚好，但事实不可能，他要造成一种规律而可以自由歌咏，不必靠诗人的意境，此事连旧诗都做不到，何况新诗呢？故林庚的方块诗都失败了，即是自由歌咏不出来。朱英诞的方块诗仍等于不方块诗，靠诗人的意境，只是作者聪明会写文章，能写出一个方块的样子罢了。是作者帮助方块，并不是方块帮助作者，正如我们作文造句有时欧化得有趣而已。

过燕大

朱漆的门柱与古意的廊檐
是谁的幸福在友人的窗前
那同样的天却各自成一处
越野的一处多蝴蝶的林园

这首诗我觉得可爱。第二行“是谁的幸福在友人的窗前”首五个字不可解，但我亦不求甚解，仿佛就这样读读可以，可以引起许多憧憬似的。究竟什么叫做“是谁的幸福”在友人的窗前呢？今天我忽然大悟，大约是有一好看的女子“在友人的窗前”，故年青的诗人那么写。不过我这话太冒险了。

长夏小品一

轻雷驰过后的半个黄昏天与流汗的脸
落下来的蜂窠伞下的竹竿丁香的树前
孩子的狂欢里汗意与胭脂一片的声色
雨后的小巷风纳凉人说着天上的留恋

我很喜欢这首诗里面“伞下的竹竿”之一词，比庾信的“一寸二寸之鱼，三竿两竿之竹”还要引起我的欢喜，我真不知何故。我只知道南宋词的巧妙。大约伞是最集中诗人的想像的，何况南边人到北方来打伞，何况在这里不见竹子，故伞下的竹竿如池鱼思故渊也。

长夏小品四

热情时的林下找不着的风找不着宁静
塔上小小的人树外的楼台高高的心情
水边的细道上林隙的小景浅浅的颜色
轻轻的深呼吸不见有人来远远的语声

这首诗大概是少年人讲卫生在北海行深呼吸所见。我所以选者，是喜欢“塔上小小的人树外的楼台高高的心情”。作者有时真是高高的心情也。

破　　晓

破晓时我醒来想着梦仍枕着枕上的温泪痕
无力的伤心里又睡去在一个素艳的清晨里
飞来的群鸦的朝气中招来了似生命的原始
那赤日如一团的严峻呈现了人间的色与声

这首诗我喜欢第三行的“朝气”与第四行那赤日如一团的“严峻”。写至此我言有尽而意无穷，愿与朱君再见。

十四行集[1]

我预备写冯至的《十四行集》，颇感得难以下笔。我讲卞之琳讲林庚都有一个讲诗的快乐，只怕我说不出他们的好来，但他们的好处我已是先尝之，现在只是吐哺给别人了。我对于冯至的《十四行集》则不然，是大家先说他好，我乃再仔细地读，我也确实读出了他的好来，我是被动地罢了。现在说起来，大家都是朋友，但真正论起友谊来《十四行集》的作者同我是很早的朋友，比林卞诸人都早的多，如今论诗，老朋友反而觉得要客气些，难以下笔。大约这里面要排除一些俗氛，有不能不讲的一份公话。关于卞之琳林庚的话当然也是公话，但朋友之间私谈密语亦不过如此而已。老实说我对于《十四行集》这个诗集的名字颇有反感，作者自己虽不一定以此揭示于天下，他说他是图自己个人的方便，而天下不懂新诗的人反而买椟还珠，以为这个形式是怎么好怎么好，对于新诗的前途与其说是有开导，无宁说是有障碍。故我很想来说一份公话。如果冯至的诗写得不好，话又很容易说，而冯至的诗确是写得很好的，话又要说得无损于冯至的诗的

---

① 载北平《华北日报·文学》1948 年 5 月 23 日第 21 期，署名废名。文后有："编者按：本篇为废名先生《新诗讲义》的末一讲。"

价值，对得起诗篇，故我的话很难说了。我愿大家感得到我的说话之诚，便是我的幸福了。

是的，我虽然知道冯至的《十四行集》写得很好，但如果他不以“十四行集”做诗集的名字，我未必讲它。我所遗漏的好诗本来很多，因为我原不是选诗，我讲新诗是有我的主要的目的，即是新诗的发展出来与当初提倡新诗者的意思不同，好像哥伦布发现西半球，他以为西半球是东半球是印度，而其实是美洲，出乎发现者的意外了！我们现在的新诗是白话诗，但当初新文学运动者所排斥的古典派乃正是今日新诗的精神了。古典派是以典故以辞藻驰骋想像，总面〔而〕言之是有想像，今日的新诗也无非是有想像罢了。今日新诗的生命便是诗人想像的跳动，感觉的敏锐，凡属现实都是它的材料，它简直可以有哲学的范围，可以有科学的范围，故它无须乎靠典故，无须乎靠辞藻，它只要合乎文法的“文学的国语”，它与散文唯一不同的形式是分行。你是诗人便可以写诗，所以容易得很，世间有多少诗人便有多少新诗，便有多少新诗的内容，所以新诗的前途非常之广阔了，——旧诗人拿着典故尚且应用无穷，何况新诗是以新鲜的世界为材料呢？但你如不是诗人，你也便休想做诗！新诗不同旧诗一样谁都可以做诗了，你做了贪官污吏你还可以做得好旧诗了，因为旧诗有形式，有谱子，谁都可以照填的，它只有作文的工巧，没有离开散文的情调，将散文的内容谱成诗便是诗的情调了。不懂得新诗与旧诗的性质，徒徒雷同做新诗，以为新诗也总有形式，(其实一切的诗，古今中外的诗，本来都有共同的形式，即是分行，这话是林庚说的，很得要领。中国新诗的形式便只有这个一切诗共同的形式，分行。)以前有新月派的追求“商籁体”，除了下之琳不是以形式而成功是以写诗的技巧而成功外，可以说是白嚷一顿。现在有冯至的《十四行集》，他聪明些；虽不怎样以此标榜，却不无标榜之嫌了，他的诗虽然很好，但在中国文学史上没有根，因为他是诗人，有诗人的“烟士披里纯”，自然要写好诗，我选诗当然要选他，我讲诗则有讲诗的目的可以不讲他了。讲他是因为“十四行集”这个名字的原故。《十四行集》一共有二十七首诗，每首都没有题目，只总名曰“十四行集”。我老实说，《十四行集》如果写得好，是作者本来有诗的，虽然十四行体也给了他的帮助；《十四行集》如果写得不好，便可见十四行体并不真是唯一的方便（作者在《十四行集》再版自序里说他采用十四行体纯然是为了自己的方便），方便首先要文章自然，若文章不自然还谈什么方便呢？《十四行集》里面写得不好的例子似乎很有，有些可以不举，我只举两首，因为这两首诗我很喜欢，因为十四行体而成功而稍有毛病，如第六首：

我时常看见在原野里
一个村童，或一个农夫
向着无语的晴空啼哭，
是为了一个惩罚，可是

为了一个玩具的毁弃？
是为了丈夫的死亡，
可是为了儿子的疾创？
啼哭得那样没有停息，

像整个的生命都嵌在
一个框子里，在框子外
没有人生，也没有世界。

我觉得他们好像从古来
就一任眼泪不住地流
为了一个绝望的宇寅〔宙〕。

这首诗最自然最朴质，应该是冯至的一首好诗，只可惜首章第四行“是为了一个惩罚，可是”写得太不自然。就说学外国罢，在外国诗里面没有因为韵律的原故单独把一个连接词放在一行的末尾，如冯至的“可是”，前面还要加一个逗点！这样讲韵律，岂不太笑话吗？中国旧诗如三百篇，一章而句子没有完的没有，但一行而句子没有完的有的是，都非常之自然，如：

关关雎鸠
在河之洲。

又如：

瞻乌爰止
于谁之屋。

又如：

七月在野，
八月在宇，
九月在户，
十月蟋蟀
入我床下。

又如唐诗：

玉颜不及寒鸦色
犹带昭阳日影来。

这些句子愈分行而愈巧妙愈自然，所以我很赞成林庚的话，分行就是诗的形式。十四行体也不过是分行之一体罢了，你采用十四行体确乎是看你的方便，或者更不如说由于你的好奇，但它不能掩你的短处。它也确实能给你以长处。它能给你以长处者，有时你的诗情虽不十分充足，不能像箭在弦上不得不发，它能"像一面风旗，把住一些把不住的事体"，如《十四行集》最后一首诗的话。如果你的诗情充足，好像弓拉得满满的，一发便中，如郭沫若的《夕暮》便是，何暇采用形式呢？又何尝没有形式呢？我觉得我的话说得公平，是真真爱护新诗而说的话。关于冯至的话我确实很难说，我今举出例子来，或可以把我的意思说明白了。冯至是有诗的，但他的诗情并不充足，想借形式的巧而成其新诗，我说这话一点没有不足的意思，完全是善意，艺术上的"巧"本来是美德，有什么可非难的地方呢？《十四行集》里的诗也确是因"巧"而成功了，其有拙劣处是冯至运用文字的手段不及卞之琳，如我们现在讨论的“是为了一个惩罚，可是”这一行，如果落在卞之琳的笔下，他一定有另外的花样了。这首诗没有这点小毛病，便是很朴质很自然的诗了。其所以成为很朴质很自然的诗之故，确乎是因为十四行体，即是“巧”，这一章波动到那一章，真像波浪似的，章完而句子不完，很有趣，章法的崎岖反而显得感情生动，这不是十四行体的好处吗？至其文章上有毛病，本不是十四行体的毛病，乃是作者的技巧不足，我今特为指出，是告诉大家不要盲从，见骆驼说马肿背固然好笑，一定要指着鹿非说马不可也是天下最大的奴隶了。那么我请大家只看诗写得好不好就是了，不必问十四行体好不好，因为十四行体不能保护一切。我们可以用十四行体写新诗，但最好的新诗或者无须乎十四行体。冯至我深知他是一个诗人，但他诗的力量不够，“智譬则巧也，圣譬则力也”，因为力不够故求助于巧。新诗本不必致力于形式，新诗自然会有形式的。

上面的一段话虽然说得累赘，但我的意思好像说明白了。第二个例子是《十四行集》里的第十七首：

你说，你最爱看这原野里
一条条充满生命的小路，
是多少无名行人的步履
踏出活活泼泼的道路。

在我们心灵的原野里
也有一条条宛转的小路，
但曾经在路上走过的

行人多半都已不知去处：

寂寞的儿童，白发的夫妇，
还有些年纪青青的男女，
还有死去的朋友，他们都

给我们踏出来这些道路；
我们纪念着他们的步履
不要荒芜了这几条小路。

这首诗也很质朴，但如第三章第三行“还有死去的朋友，他们都”未免笑话！此地的“他们都”不等于外国文里面的关系代名词么？外国诗行没有拿一个关系代名词断行而前面还要加一个逗点的！如果以这样为方便，为得韵律便有这样的妙处，那是自欺欺人了。

下面七首是我认为《十四行集》里面有十四行体的好处而没有坏处的好诗，按着原集的次序抄下来。

一

我们准备着深深地领受
那些意想不到的奇迹，
在漫长的岁月里忽然有
彗星的出现，狂风乍起：

我们的生命在这一瞬间

仿佛在第一次的拥抱里
过去的悲欢忽然在眼前
凝结成屹然不动的形体。

我们赞颂那些小昆虫：
它们经过了一次交媾
或是抵遇了一次危险，

便结束它们美妙的一生。
我们整个的生命在承受
狂风乍起，彗星的出现。

作者是一个诗人，他的思想与中国的文化没有关系，与西洋的关系也很浅，他是赤裸裸的一个诗人，诗人而又是一个凡人，凡人故不免投降于生活，诗人故不免向往于美丽，这样也便叫做“心为形役”。其与中国传统思想不同者，“形役”也还是美丽，只不免要脱掉一个壳，如作者在《十四行集》第二首里所说“我们安排我们在自然里，像蜕化的蝉蛾把残壳都丢在泥里土里”，但这壳是无法脱掉的，我们不能空口说着“让它化作尘埃”了，所以诗人是自己悲哀的，自己是生活的“小鬼”，故说着“我们准备着深深地领受那些意想不到的奇迹，在漫长的岁月里忽然有彗星的出现，狂风乍起”。这个感情很切实，一点也不空。接着三章都非常之好，是平凡的伟大了，也便是赞美“自然”。诗人的美丽便是这样的自然，不奈人生偏有世俗。我很懂得这首诗的好处，其运用十四行体的好处是使得诗情不呆板，一方面是整齐，而又实在不整齐,好像奇巧的图案一样,一新耳目了。同样的诗情,如果用中国式的排偶写法,一定单调不见精神。我前说讲冯至的诗没有快乐,熟〔孰〕知我将障碍排出去之后,讲起诗来很是快乐了。

一五

看这一队队的驮马
驮来了远方的货物,
水也会冲来一些泥沙
从些不知名的远处,

风从千万里也会
掠来些他乡的叹息:
我们走过无数山水,
随时占有,随时又放弃,

仿佛鸟飞翔在空中,
它随时都管领太空,
随时都感到一无所有。

什么是我们的实在?
从远方什么也带不来,
从面前什么也带不走。

一六

我们并立在高高的山巅

化身为一望无边的远景，
化成面前的广漠的平原，
化成平原上交错的蹊径。

哪条路，娜〔哪〕道水，没有关连，
哪阵风，哪片云，没有呼应：
我们走过的城市，山川
都化成了我们的生命。

我们的生长，我们的忧愁，
是某某山坡的一棵松树，
是某某城上的一片浓雾；

我们随着风吹，随着水流，
化成平原上交错的蹊径，
化成蹊径上行人的生命。

这两首诗虽是铺张，但我们读着都感得切实，一点也不空泛，十四行体真是有助于诗情了。若用自由体，必不会有这两首诗，必显得诗情不够。但也不必须要有诗然后才能借助于形式，不同作旧诗等于作文，旧诗可以越做越好了。冯至在十年二十年的日子里头也只写了二十七首十四行诗，而二十七首并不都好，是可见徒形式决无益于新诗了。这不是形式摆在面前而没有用处么？反之，我们如果否认形式，但决不能否认新诗，你知道我不能写一首好诗么？真是“后生可畏，焉知来者之不如今也!”有人说新诗的范围窄,其实不然,旧诗因为有形式而宽,谁都可以写;新诗因为没有形式而宽,谁都可以写。十四行体是你自己的自由,并不是新诗的形式。

一九

我们招一招手,随着别离
我们的世界便分成两个,
身边感到冷,眼前忽然辽阔,
像刚刚产生的两个婴儿。

啊!一次别离,一次降生,
我们担负着工作的辛苦,
把冷的变成暖,生的变成熟,
各自把个人的世界耕耘,

为了再见,好像初次相逢,
怀着感谢的情怀想过去
像初晤面时忽然感到前生。

一生里有几回春几回冬,
我们只感受时序的轮替,
感受不到人间规定的年龄。

人生本来只有别离时好,再见时好,这时我们不俗!死也就是别离,生也等于再见,这时我们也最有人生的意义,糊涂虫也不至于太糊涂了，也有一份悲喜。至于在一次别离一次降生之间，“我们担负着工作的辛苦，把冷的变成暖，生的变成熟，各自把个人的世界耕耘”，智愚贤不肖诗人与俗人的分别便太大，我们每每习而不觉察了，丝毫未能“怀着感谢的情怀想过去，像初晤面时忽然感到前生”。所以我很喜欢这首诗。首章四行非常之美丽，“像刚刚产生的两个婴儿”，把两个世界写得生动极了。大凡诗人，虽然投降于世俗，总是憧憬于美丽的，在漫长的岁月里当然不会“忽然有彗星的出现，狂风乍起”，却是“随着别离我们的世界便分成两个”，“像刚刚产生的两个婴儿”，所以世界未必不可厌，而“死”每每使诗人向往了，那里总应该是美丽之乡罢。冯至每每有这个感情，他对于“死”的想像都很好，而这第十九首把“生”也写成一个婴儿了。我说他对于“死”的想像都很好，因为他确实给了我一个很好的印象，如《十四行集》第二首有云：“我们把我们安排给那个未来的死亡，像一段歌曲，歌声从音乐的身上脱落，归终剩下了音乐的身躯化作一脉的青山默默。”又如《十四行集》附录里面的杂诗有两首我很喜爱，都是写“死”的，现在也附录在这里：

给秋心

一

我如今知道，死和老年人
并没有什么密切的关连，
在冬天我们不必区分
昼夜，昼夜都是一般疏淡——
反而是那些黑发朱唇

时时潜伏着死的预感。
你像是一个灿烂的春
沉在夜里，宁静而阴暗。

四

我见过一个生疏的死者，
我从他的面上领悟了死亡，
像在他乡的村庄风雨初过，
我来到时只剩下一片月光——
月光颤动着在那儿叙说
过去风雨里一切的景象。
你的死觉是这般的静默
静默得像我远方的故乡。

我抄了这些赞美“死”的诗，我觉得我能了解诗人了。诗人本来都是厌世的；“死”才是真正的诗人的故乡，他们以为那里才有美丽。我选的《十四行集》里的诗还有三首。

二一

我们听着狂风里的暴雨
我们在灯光下这样孤单，
我们在这小小的茅屋里
就是和我们用具的中间

也生了千里万里的距离：
铜炉在向往深山的矿苗，

瓷壶在向往江边的陶泥，
它们都像风雨中的飞鸟

各自东西。我们紧紧抱住
好像自身也都不能自主。
狂风把一切都吹入高空

暴雨把一切又淋入泥土，
只剩下这点微弱的灯红
在证实我们生命的暂住。

这首诗的感情真是深厚得很，超逸得很。这首诗的技巧也极佳，我顶喜欢一至五行的句法有趣，接着五行的比兴也真是无以复加了。

二五

案头摆设着用具
架上陈列着书籍，
终日在些静物里，
我们不住地思虑，

言语里没有歌声
举动里没有舞蹈，
空空问窗外飞鸟
为什么振翼凌空。

只有睡着的身体
夜静时起了韵律
空气在身内游戏

海盐在血里游戏——
梦里可能听得到
天和海向我们呼叫?

这首诗想得很新奇,而诗的空气还是很质朴,所以很可爱了。

二六

我们天天走着一条熟路
回到我们居住的地方,
但是在这林里面还隐藏
许多小路,又深邃,又生疏。

走一条生的,便有些心慌,
怕越来越远,走入迷途,
但不知不觉从树疏处
忽然望见我们住的地方

像座新的岛屿呈在天边。
我们的身边有多少事物

在向我们要求新的发现：

不要觉得一切都已熟悉，
到死时抚摸自己的发肤
生了疑问：这是谁的身体？

这首诗前九行当然都是实感，后五行当然是做出来的，但做也做得恰好。凡属诗文而能说到死，便是匠心制作而也有不自觉的成分了。

我将冯至的《十四行集》讲完了，又有点后悔我对于《十四行集》这个名字不应该起反感，冯至的诗确是因十四行而好了，他之命名或者有自知之感，岂夸大之感？不过我另外又有一个反感，即是《十四行集》再版自序确不免有夸大之感，我且把话抄在下面：

"有些宝贵的经验，永久在我的脑里再现；有些人物，我不断地从他们那里吸取养分；有些自然现象，它们给我许多启示：我为什么不给他们留下一些感谢的纪念呢？由于这个念头，于是从历史上不朽的精神到无名的村童农妇，从远方的千古名城到山坡上的飞虫小草，从个人的一小段生活到许多人共同的遭遇，凡是和我生命发生深切的关连的，对于每件事物我都写出一首诗……"

这虽然是事实，但放大了，如果我们不是有这薄薄的一本《十四行集》在手头，能不相信这部诗集有好大的篇幅吗？我说这话决不是吹毛求疵，我们还是应该创造新诗的。

关于我自己的一章[①]

我觉得我是能够天下为公的。在我最初编造讲义的时候，好像记得把自己的诗也讲它一章的意思，那时要讲的人还多，自己觉得自己的诗也可以一讲了。但这回重写，确是没有讲自己的诗的意思，虽然三十五年我初回北大时应北大同学之约作了一回关于新诗的公开讲演，讲题是“谈我自己的新诗”。现在离那次讲演时又已是一年半了，我对于我自己的诗简直忘记了。因为讲卞之琳林庚冯至诸人的诗，把他们的诗仔细地读。等到把他们的诗都弄清楚了，乃忽然又记起自己的诗，我觉得我还是应该把它讲一讲。为什么呢？他们的诗都写得很好，我是万不能及的，但我的诗也有他们所不能及的地方，即我的诗是天然的，是偶然的，是整个的不是零星的，不写而还是诗的，他们则是诗人写诗，以诗为事业，正如我写小说。为得这个原故，我应该讲讲我自己的诗了。让我说一句公平话，而且替中国的新诗作一个总评判，像郭沫若的《夕暮》，是新诗的杰作，如果中国的新诗只准我选一首，我只好选它，因为它是天然的，是偶然的，是整

---

① 载《天津民国日报·文艺》1948 年 4 月 5 日第 120 期，署名废名。题上标“新诗讲义”。又载重庆《时事新报·青光》1948 年 6 月 1 日、3 日渝新第 69 号、第 70 号，署名废名。

个的不是零星的，比我的诗却又容易与人人接近，故我取它而不取我自己的诗，我的诗也因为是天然的，是偶然的，是整个的不是零星的，故又较下之琳林庚冯至的任何诗为完全了。这是天下为公的话。不过我还是喜欢他们的诗，诗是应该诉之于感官的，我的诗太没有世间的色与香了，这是世人说它难懂之故。若就诗的完全性说，任何人的诗都不及它。

我选了七首，每首略加解释。

妆台

因为梦里梦见我是个镜子，
沉在海里他将也是个镜子，
一位女郎拾去，
她将放上她的妆台。
因为此地是妆台，
不可有悲哀。

这首诗，首先是林庚替我选的。那时是民国二十年，我忽然写了许多诗，送给朋友们看。有一天有一人提议，把大家的诗，一人选一首，拿来出一本集子，问我选那一首。我不能作答，我不能说那一首最好。换一句话说，最好的总不止一首，不能割爱了。林庚从旁说，他替我选了一首《妆台》。他的话大出乎的我〔我的〕意外，我心里认为我的最好的诗没有《妆台》。然而我连忙承认他的话。这首诗我写得非常之快，只有一二分钟便写好的。当时我忽然有一个感觉，我确实是一个镜子，而且不惜于投海，那么投了海镜子是不会淹死的，正好给一女郎拾去。往下便自然吟成了。两个“因为”，非常之不能做作，来得甚有势力。“因为此地是妆台，不可有悲哀”，本是我写《桥》时的哲学，女子是不可以哭的，哭便不好看，只有小孩子哭很有趣。所以本意在妆台上只注重在一个“美”字，林庚或未注意及此，他大约觉得这首诗很悲哀了。我自己如今读之，仿佛也只是感得“此地是妆台，不可有悲哀”之悲哀了。其所以悲哀之故，仿佛女郎不认得这镜子是谁似的。奇怪在作诗时只注意到照镜子时应该有一个美字。

小　园

我靠我的小园一角栽了一株花，
花儿长得我心爱了。
我欣然有寄伊之情，
我哀于这不可寄。
我连我这花的名儿都不可说，——
难道是我的坟么？

这首诗只是写得好玩的，心想，年青的人想寄给爱人一件东西，想寄而不可寄才有趣。不可者，总是其中有委曲。然而就文章的表面说，什么东西不可寄呢？栽的一株花不可寄，不能打一个包裹由邮政局里寄去。再一想花也未尝是不可寄的，托人带去不行了吗？只有自己的坟是真不可寄，于是诗便那样写了。及今读之，这首诗同《妆台》一样，仿佛很有哀情似的。我当时写它，只觉得它写得很巧妙，“小园”这个题目也很有趣，这里面栽了有花，而花的名儿就是自己的坟，却是想寄出去，情人怎么忍看这株花呢，忠实的坟呢？那么我现在以一个批评家的眼光来分析，前一首《妆台》里面的镜子，与这一首《小园》里面的坟都是一个东西。这两首诗都是很有特别的情诗。不但就一首说是完全的，就两首说也是完全的。这就是说，我的诗是整个的。

海

我立在池岸
望那一朵好花
亭亭玉立
出水妙善，——
“我将永不爱海了！”
荷花微笑道：
“善男子，
花将长在你的海里。”

这首诗，来得非常之容易，而实在有深厚的力量引得它来，其力量可以说是雷声而渊默。我当时自己甚喜欢它。要我选举我自己的一首诗，如果林庚不替我“妆台”，我恐怕是选举这首《海》了。我喜欢它有担当的精神。我喜欢它超脱美丽。“我将永不爱海了！”望着眼前的花而说这一句话，不是真爱海者不会说的。不是真爱花者也不会说这话。谢灵运诗句“池塘生春草”幽美可爱，拙作恰是新诗的境界，海与花会联在一起，一个大海，一朵花，仿佛池塘生春草似的。

掐〔掐〕花

我学一个摘花高处赌身轻，

跑到桃花源岸攀手掐〔掐〕一瓣花儿，
于是我把他一口饮了。
我害怕我将是一个仙人，
大概就跳在水里淹死了。
明月出来吊我。
我欣喜我还是一个凡人
此水不现尸首，
一天好月照彻一溪哀意。

这首诗也是信口吟成的，吟成之后我知道成功它有许多下意识。小时候我常常喜欢站在河边玩，有时看着水急流，头晕了，坠到水里去了，心想，“糟糕，我这回淹死了！”结果只是咕噜咕噜饮了几口水，并没有淹死。所以淹在水里而没有淹死，在我是有着实在的经验。另外我有几次读书的经验，当然都是做大学生时的事，我喜欢吴梅村“摘花高处赌身轻”这句词，仿佛我也可以往上一跃；另外我读《维摩诘经》僧肇的注解，见其引鸠摩罗什的话，“海有五德，一澄净，不受死尸；……”我很喜欢这个不受死尸的境界，稍后读《大智度论》更有菩萨故意死在海里的故事。许地山有一篇《命命鸟》，写一对情人蹈水而死，两个人向水里走是很美丽，应是“凌波微步，罗袜生尘”，第二天不识趣的水将尸体浮出，那便臃肿难看了，所以我当时读了很惆怅。在佛书上看见说海水里不留尸，真使我欢喜赞叹。这些都与我写掐〔掐〕花有关系，不过我写时毫不加思索，诗的动机是我忽然觉得我对于生活太认真了，为什么这样认真呢？大可不必，于是仿佛要做一个餐霞之客，饮露之士，心猿意马一跑〈到〉跑到桃花源去掐〔掐〕一朵花吃了。糟糕，这一来岂不成了仙人吗？我真有些害怕，因为我确是忠于人生的，这样大概就跳到水里淹死了，只是这个水不浮尸首，自己躲在那里很是美丽。最后一句“一天好月照彻一溪哀意”，只不过是描写，写这里有一个人死了而人不得而知之而已。这一个人或者也是情人，那么这一首《掐〔掐〕花》仍可作《妆台》作《小园》观之，很有趣。我喜欢海不受死尸的典故给我活用了，若没有这个典故，这诗便不能写了，然而我写时未曾加思索。“我欣喜我还是一个凡人此水不现尸首”，这是一句，分两行写，“我欣喜我还是一个凡人”下面不要加逗号，(这)样分行是活的分行。我欣喜我还是一个凡人者，是死了而不现尸首之故也。此首或胜过《海》亦未可知。

上面四首诗都是民国二十年写的。下面三首大概写在二十四五年。

理发店

理发匠的胰子沫
同宇宙不相干，
又好似鱼相忘于江湖。
匠人手下的剃刀
想起人类的理解
划得许多痕迹。
墙上下等的无线电开了，
是灵魂之吐沫。

这首诗是在理发店理发的时候吟成的。我还记得那是电灯之下，将要替我刮脸，把胰沫涂抹我一脸，我忽然向着玻璃看见了，心想，“理发匠，你为什么把我涂抹得这个样子呢？我这个人就是代表真理的，你知道吗？”连忙自己觉得好笑，这同真理一点关系没有。就咱们两人说，理发匠与我，可谓鱼相忘于江湖。这时我真有一个伟大之〈之〉感，而再一看，一把剃刀已经把我脸上划得许多痕迹了，而理发店的收音机忽然开了，下等的音乐，干燥无味，我觉得这些人的精神是庄周说的涸鱼，相濡以沫而已。

街　　头

行到街头乃有汽车驰过，
乃有邮筒寂寞。
邮筒 PO
乃记不起汽车号码 x，
乃有阿拉伯数字寂寞，
汽车寂寞，
大街寂寞，
人类寂寞。

这首诗我记得是在护国寺街上吟成的。一辆汽车来了声势浩大，今〔令〕我站住，但它连忙过去了，站在我的对面不动的是邮筒，我觉得它于我很是亲切了，它身上的 PO 两个大字母仿佛是两只眼睛，在大街上望着我，令我很有一种寂寞，连忙我又觉得刚才在我面前驰过的汽车寂寞，因为我记不得它的号码了，以后我再遇见还是不认得它了。它到底是什么号码呢？于是我又替那几个阿拉伯数字寂寞。我记不得它是什么数了。白白地遇见我一遭了,是我,很是寂寞,乃吟成这首诗。

寄之琳

我说给江南诗人写一封信去,
乃窥见院子里一株树叶的疏影,
他们写了日午一封信。
我想写一首诗,
犹如日,犹如月,
犹如午阴,
犹如无边落木萧萧下,——
我的诗情没有两个叶子。

这一首诗的诗情我很喜欢,最后一句"我的诗情没有两个叶子",是因为我用了"无边落木萧萧下"这一句话怕人家说我的思想里有许多叶子的意思,其实天下事哪里有数目可数呢?我们看着一株树叶的疏影,不会说一个叶子两个叶子也。即是不会数一个影子两个影子。

阿赖耶识论

1942年冬至1945年秋作于湖北黄梅，共10章，1947年3月13日撰序于北平，均署名废名。现存手抄本2种，一存废名后人处，由俞平伯题签，上署“丁亥夏日　俞平伯题”；此本之序及正文第3章、第9章的一部分系废名手迹，其余部分由冯健男誊抄。一存北京大学图书馆，亦由俞平伯题签，上署“丁亥五月　槐居士平”；此本前31页系废名自抄，第32页起由废名在黄梅时的学生潘镇芳代抄。据家藏本排印。

序

民国三十一年冬我一家人住在黄梅五祖寺山麓一个农家的宿牛的屋子里，一日我开始写这部书。我今开始说这句话，是记起陶渊明的话："今我不述，后生何闻焉？"我的意思很想勉后生好学。此书脱稿则在三十四年秋。这三年中并非继续不断的写，整个的时间忙于课业，无余力著作，到三十四年乃得暇把它一气写成。写成之后，很是喜悦，这一件活泼泼的事算是好容易给我放在纸上了。世间无人比我担负了更艰难的工作，世间艰难的工作亦无人比我做得更善巧。我却不是有意为之，即是说我未曾追求，我是用功而得之于自然。在自然而然之中，我深知中肯之不易了。

学问之道本是"先难而后获"，即是说工夫难，结论是简单的。只看世人都不能简单，便可知工夫是如何其难了。我这话同学数学的人讲大概容易被接受，因为他会数学便知道数学不是难，是简单。因为简单，答案只有一个。世间不会有两个答案的真理。阿赖耶识便是简单，便是真理的答案。我开始想讲它的时候，便无须乎多参考书。恰好乡间住着亦无多书可参考，乐得我无牵无挂，安心著书。不但此也，我还想我著的书只要有常识思想健全的人都可以看，不须专门学者。关于西洋哲学方面，那时我手下有一学生给我的两本古旧的严译《天演论》，我于其中取得译者讲笛卡尔（原译作特嘉尔）的话作为西洋哲学的代表而批评之。我觉得我可以举一以概其余，必能得其要害。何以呢？西洋哲学家对于死生是不成问题的，他们无论唯心与唯物都是无鬼论，这便是说他们不知不觉的是唯“形”，只承认有五官世界了，形而上的话只是理论，不是实在了。故西洋的唯心论正是唯物论。若唯心，则应问死后，问生前，问死后的实在，问生前的实在。所以据实说，宗教与哲学并不是学问的方法不同，学问的方法都是经验都是理智，不过哲学是经验有所限，因之理智有所蔽而已。西洋哲学家能拒绝我这话吗？故我举出笛卡尔来说说便可以的。我因为能简，故能驭天下之繁了。

去年来北平后，买得郑昕教授著的《康德学述》一读，令我欢喜得很，我一面感谢郑先生使我能知道康德，一面我笑我自己真个是“秀才不出门能知天下事”了。我喜爱康德，只是不免有古人吾不见之感，不能相与订正学问。这点心情我对于程朱亦然。在中国有程朱一派，在西洋有康德一派，虽然方法不同，他们是如何的好学，可惜他们终是凡夫，不能进一步理智与宗教合而为一了。照我的意义，哲学进一步便是宗教，宗教是理智的至极。康德认论理是先验的，即是说论理不待经验而有，这同我说理智是本有的，论理是理智的作用的话，不尽同，却是相通的，我的话可以包括他。这一点最使我满意，我没有学过论理学，我本着生活的经验，再加之普通中学的数学习惯，乃悟得理智是怎么一回事，为我的一大发现，而与西方专家的话不相悖。我想求证于西方哲学者只此。此外则我本着佛法，可以订正康德的学说。我已说过，哲学是经验有所限，因之理智有所蔽，康德亦正如此。

郑先生说，康德是“先验的唯心论，经验的实在论”，即是说由理智来规定经验，而经验正是理智施用的范围，离开这个范围是假知识。康德的意思假知识就好比是我们做的梦一样，不可靠的。佛却是告诉我们人生如梦，也便是知识如梦。梦也正是经验，正如记忆是经验，说它是假知识，是不懂“实在”的性质而说的话。康德所谓实在，岂不是以眼见为实在吗？耳闻为实在吗？科学的实验为实在吗？换一句话说便是相信耳目相信五官。其实五官并不是绝对的实在，正是要用理智去规定的。那么梦为什么不是实在呢？梦应如记忆一样是实在，都是可以用理智去规定的。梦与记忆在佛书上是第六识即意识作用，第六识是心的一件，犹如花或叶是树的一件。你有梦我也有梦，你有记忆我也有记忆，是可经验的。康德以为有可经验的对象才是知识，梦与记忆都是有可经验的对象，不是“虚空”。不过这个可经验的对象不在外，因之好像无可规定了。说至此，我们更应该用理智去规定。所谓内外之分，是世俗的惯习，是不合理的。见必要色，闻必要声，是一件事的两端，色与声无所谓外，不是绝对的“对象”。西洋哲学家说是对象，佛书上说是心的“相分”。凡属心，都有其“见分”与“相分”。梦与记忆是意识作用，而意识自有其相分，就法则说，意识的相分本不如五官识的相分为世俗所说的那个外在的对象罢了。不应问外在的对象，只应问你的意识同我的意识是不是受同一规则的规定，如果你的意识同我的意识是受同一规则的规定，那便是经验的实在了。阿赖耶识更好像是没有对象，不可经验，其实我们整个的心就是阿赖耶识，我们谁都有心的经验，为什么没有对象呢？整个的世界整个世界的法则正是这个对象了。不以这个为对象，正因为你是执着物罢了。我想打一个比方来说明什么是康德认为经验的实在，什么是他认为不可经验的，他认为经验的实在好比眼面前立着的一株树，分明有一株树的根茎枝叶花果，人人得而经验之，若已给风吹离开了这株树而是这株树的种子则不在他的意中，他没有考虑到这件事了，他所认为不可经验的正相当于这颗离开原树的种子，其实是经验的实在了。《华严经》说，“识是种子，后身是芽，”这个识，是阿赖耶识，是实在的。懂得这种子阿赖耶识，正因为懂得吾人的世界是阿赖耶识，正如一株树与一颗种子是一个东西，都应该是经验。大家以眼面前的一株树为经验，却从不以离开树而尚未发芽再长成树而是树的种子放在意中，即不以“识是种子”的识为经验，有之则斥之为迷信，因为吾人不可得而见闻之也。独不思，梦吾人不可得而见闻之，而吾人有梦之经验。觉而后知其为梦也。我这话，无人能拒绝的。说至此，更有一重大问题，或者不如说更有一有趣问题，因为问题便是问题，无所谓重大不重大，而这个问题确是很有趣了，即我所发现的理智问题。郑先生说，康德认“纯我”或“心”是分辨了别的主体，“在一切判断中它是主体，没有它即没有判断。它是每个可能的判断的主体，而不能是任何判断中的对象。它是不具任何经验的或心理学的内容的。”这话颇可以拿来形容理智，理智简直是《易・系辞》所谓神无方而易无体的“神”，因为“它不能是任何判断中的对象，它是不具任何经验的或心理学的内容的”，它无在而无不在，我们一切合理的话都是理智在那里替我们作主而说的，小学生算算术是理智作用，哲学家如康德亦不过是理智作用，你的话说得对一定是合乎理，你的话说得不对一定可以指出你的不合理的地方，而理智本身无话可说，是言语道断，一言语便不免具有“经验的或心理学的内容”了。若康德所谓纯我或心而为判断的主体者，倒不是判断的主体，而是判断的对象，即是说它具有经验的或心理学的内容。这个纯我或心佛书上叫做末那识。末那识以“恒审思量”为性相。我们的感觉应没有相同的，然而我们可以有同一的知识，正因为我们有一个同一的“我”。同一的知识同同一的“我”正是一个东西，是恒审思量的末那识，是结缚。因为是结缚，所以同一，正如一切东西关在箱子里而同一了。东西不同，所有权是同一的。然而东西剥掉了没有另外的所有权。故说纯我或心正是“经验的或心理学的内容”。佛说“诸法无自性，一切无能知”，我们的心是一合相，没有一个独立的实在，如世间不能单独的有一枚活的叶子，不能单独的有一朵活的花，无所谓“我”，无所谓“主体”，总之是“经验的或心理学的内容”。离开“经验的或心理学的内容”则是解脱，而解脱亦是可经验的。解脱是工夫，解脱乃无所得了。学问的意义在此。无所得才真是理智的实在，你可以随俗说话，你的话将总说得不错。而世间哲学家的话正是结缚的言语。笛卡尔说“我思故我在”，正可以代表西洋哲学家的结缚的言语，独不思他是认“思”为“我”，离开经验没有思，离开思没有我，说“思”也好，说“我”也好，都是“经验的或心理学的内容”。我感得一大可惊异事，何以西洋哲学家都不能“无我”？他们的理智作用为什么不能擒贼先擒王呢？因而陷于一个大大的理障。他们的工夫都是很好的，我们应该向他们介绍佛法，然后他们真是如释重负了。我说离开经验没有思，离开“思”没有“我”，正是佛说的“一切法无我”，“一切无能知”，西洋哲学里头完全没有这个空气。所谓“经验”，所谓“思”，所谓“我”，是没有起点的，佛书上谓之“无始”。若以

“生”为起点，自然以“死”为终点了，这便叫做“戏论”，也正是俗情，是可悲悯的，是经不起理智的一击的。所以说唯心，答案便是阿赖耶识。它是缚解的话。这里才见理智是神。我深愿中国研究西洋哲学者将它介绍于西洋哲学界。这是觉世之道。

我在本书里说心是一合相，认有宗菩萨说八识正是说心的一合相，是我左右逢原的话，一合相三个字我却是见之于《金刚经》，除了空空一个名词之外《金刚经》上没有任何解释，我毅然决然照了我的解释。去年来北平后买得《摄大乘论》世亲释一读，见其释心“由种种法薰习种子所积集故”有云：“所积集故者，是极积聚一合相义。”足证余言不谬。

在黄梅关于宋儒只有一部《宋元学案》，来北平后买得二程张朱诸子书读，甚是喜悦。他们都能“无我”，他们能“无我”故能认得天理。所谓“天理”，不是一个理想，是实实在在之物，因为天地万物是实实在在的。天地万物不是你我，正是天理，是天理的显现。我在一篇文章里打了一个比方，天地万物好比是几何学的许多图形，天理好比是几何这个学问，几何这个学问是实在的，它不是空虚无物，而任何图形都是几何这个学问的全部表现。所以天理是体，天地万物是用，即用见体。宋儒见体，然而他们不能说是知道用。必须懂得理智是神才是知道用。他们以生为受，以死为归，即是受之于天归之于天。这样理智无所用其神了。这样于理智不可通。这样不是即用见体，而是体与用为因果。这便叫做神秘，因为无因果道理之可言。事实是，死生自为因果，所谓“种生芽法”，——这正是理智。因果是结缚，结缚才成其为因果，——这正是理智。结缚则本来无一物，本来无一物故正是理智。于是理智是用，即用见体了。儒佛之争，由来久矣，实在他们是最好的朋友，由儒家的天理去读佛书，则佛书处处有着落，其为佛是大乘。因为天理便是性善，而佛书都是说业空，业空正是性善了。若佛书宗教的话头多，是因其范围大些，即是用之全体。

朋友们对于拙著"论妄想"一章所发表的意见最令我失望，即吾乡熊翁亦以我为诡辨似的，说我不应破进化论。是诚不知吾之用心，亦且不知工夫之难矣。佛教是讲轮回的，我们且不谈，即如孔子亦岂不斥近代生物观念为邪说的？"天生蒸〔烝〕民，有物有则，民之秉彝，好是懿德。"这岂是近代生物观念？进化论是近代生物观念的代表，是妄想，是俗情，我破之而不费篇幅，却是最见我自己平日克己的工夫。我半生用功，读提婆《百论》一句话给了我好大的觉悟，他说，"若谓从母血分生以为物生物者，是亦不然。何以故？离血分等母不可得故。"是的，离血分等母不可得，于是我切切实实知道世人之可悲都是离分别有有分，再回头来读提婆的书，菩萨所以谆谆诲人者都是破这个妄想了。"头足分等和合现是身，汝言非身，离是已别有有分为身。轮轴等和合现为车，汝言离是已别有车。是故汝为妄语人。"我读科学家讲木生子的话，知道科学家亦正是凡夫，是菩萨所说的妄语人，大家确有离种子别有木的执着，种子好比是幼体，木好比是母体，木是能生，子是所生。我这样攻击科学家，正是我自己知道痛处。我的攻击也最得要领，正是我应该说的话，我知道范围。我的朋友们尚无有能知道我这部书的一贯处，尚无有能知道我的选择。我从没有范围的如虚空法界选择一个最好的范围了。我破进化论正是讲阿赖耶识正是讲轮回。我最得佛教空宗有宗的要领。我的书没有一句宗教的口气,然而理智到颠扑不破时是宗教。三十六年三月十三日废名序于北平

第一章　述作论之故

我在二十四年作了一篇小文章，题目是“志学”，写的是我当时真实的感情。因为那时我懂得孔子“四十而不惑”这一句话，也便是“朝闻道夕死可矣”的喜悦，同时又是一个很大的恐惧，原来我们当初算不得学，在人生旅途当中横冲直撞，结果当头一棒令自己睁开眼睛一看，呀，背道而驰竟也走到了原处！本不知道有这么个处去，到了这个处去乃喜于自己没有失掉，其惭愧之情可知矣，其恐惧之情可知矣，不知道自己尚有补过之方否，于是我有志于学。所以我的志学乃在不惑之后。到现在这已是七年前的事了。在这几年之中，遭遇国难，个人与家庭流徙于穷村荒山之间，其困苦之状又何足述。只是我确是做了一个“真理”的隐士，一年有一年的长进，我知道我将在达尔文进化论之后有一番话要向世人说，叫世人迷途知返，真理终将如太阳有拨云雾而现于青天之日，进化论乃蔽真理之云雾也。今天我决定写此《阿赖耶识论》，我愿我的工作进行顺利。

开首就以摧毁进化论为目标，因为他是一个无根的妄想而做了近代社会一切道德的标准，殊堪浩叹。往下我的说话却不必与他有交锋之点，只要话说明白了，进化论不攻自破，世人知其为妄想可也。大凡妄想都是无根的，那里还有攻击的余地呢？

所以我诚不免有孟夫子“我亦欲正人心息邪说”的意思，然而我说话的方法完全是论辨的，我的态度也完全是为学问而学问的态度。有话说不清楚不说可也，世道人心不能替你做口实。万一给我说清楚了，正在我而负在你，你便应该信服我，对于世道人心你也应该负责任。总之我攻击的目标是近代思想，我所拥护的是古代圣人，耶苏孔子苏格拉底都是我的友军，我所宗仰的从我的题目便可以看得出是佛教。

于是说到我的题目。我选择阿赖耶识做题目，却是从我的友军儒家挑拨起来的。我欢喜赞叹于大乘佛教成立阿赖耶识的教义，觉得印度圣贤求真理的习惯与欧西学人一般是向外物出发，中国儒家则是向内，前者的方法是论理，后者的方法等于“诗言志”。究其极儒佛应是一致，所谓殊途而同归，欧西哲学无论唯心与唯物却始终是门外汉未能见真。儒家辟佛是很可笑的，他自己是差之毫厘，乃笑人谬以千里。“惟于理有未穷，故其知有不尽”，朱夫子的话可以转赠给孟子以下宋明诸儒。世之自外其友者，未有过于儒者之于佛也。欧西学人因为与天竺菩萨求真习惯相同故，菩萨之言说，都是学者之论理，那么科学家何以动斥彼为“宗教”，一若宗教便是感情，便是迷信，便是一个野蛮的东西，此科学家之最应该反省者也。时至今日印度学问之真面目真应该揭开，只要指出来了，好学深思之士岂有不承认之理。而中土读书人则因笼统于认识事理，急迫于眼前生活，未必乐于谈学问，未必不笑我们迂阔。试看汗牛充栋一堆物事，除了和尚们翻译的经论而外，还剩下有几部书够得上著作？宋明儒者深造自得是我所很尊重的，他们对于真理于我有很大的启发，在我懂得他们的时候不知手之舞之足之蹈之，然而他们辟佛，在这一点他们仍是三家村学究。他们每每令我想起印度菩萨，印度菩萨也每每令我想起这些儒者，我觉得我应该为儒者讲阿赖耶识，然后他们未圆满的地方可以圆满，然后他们对于真理的贡献甚大，而我只是野人献曝而已。那么我的《阿赖耶识论》乃所以教儒者以穷理，而穷理应是近代学问的能事，欧西学人有不赞同我者乎？我以阿赖耶识做题目的原故是如此。此外还有一个近因，黄冈熊十力先生著有《新唯识论》，远迢迢的寄一份我，我将它看完之后，大吃一惊，熊先生何以著此无用之书？我看了《新唯识论》诚不能不讲阿赖耶识。熊先生不懂阿赖耶识而著《新唯识论》，故我要讲阿赖耶识。所以我的论题又微有讥讽于《新唯识论》之不伦不类。熊先生著作已流传人间，是大错已成，我们之间已经是有公而无私。

我的材料将一本诸常识，我的论理则首先已声明了是印度菩萨与欧西学者所公用的。我不引经据典，我只是即物穷理。我这句话说得有点小气，但这一句小气的话是我有心说来压倒中国一切读书人的。方我在这个穷乡陋室之中着手著书的时候，大哥问于我曰，你能不要参考书？他的意思是，你手下几部书而已，说话不怕错么？其实大哥是惑于中国一向以读书为穷理之传统。哥伦布发现西半球不是读书来的。达尔文研究生物也不是捧着书本子。吾友古槐居士曾经说过，何必读书然后为学这句话是不错的，孔子责子路不是说他这句话不对，是说子路不该以这句话为理由，故说他是佞。我亦以为如此。我常赞叹印度菩萨的著论，他们那里目中有一部经典在？他们才真是“博学于文，约之以礼”。真理是活的，又真是“瞻之在前，忽焉在后”，从那里下手就权且从那里下手。中国只有程朱诸子有此力量,此外则不知学问为何事。我今欲为中国读书人一雪此耻。我谈佛教而不借助佛书,我只有取于常识。然而我的道理都是从佛书上来的。我因为懂得道理,说话不能不印证于佛书,佛书上没有的我便不敢说,我也便没有佛书上没有讲到的话。我从前读英国诗人莎士比亚的剧本,如读莎士比亚个人的传记。我后来读印度佛教大乘小乘空宗有宗的经论,犹如我个人对于真理前前后后一旦豁然贯通之。请诸君相信我的话都不违背佛教。不违背佛教便是不违背真理。不违背真理便是认识自己。

第二章　论妄想

当初哥伯尼说地是动的，哥伦布说他从西边可以走到印度去，一般人都说这是妄想。后来事实证明又不是妄想。其实即使未经证明，我们也不能说地动地圆是妄想，因为他们的推论是合理的，他们的合理乃是根据于事实。再经事实证明，乃是合理的价值罢了，并不是事实的价值。事实是无所谓价值的，你说天圆而地方于事实之价值无损。有一回我同一个初中学生讲牛顿与苹果的故事，他听到我述说牛顿的思想，苹果何以不向上“落”而向下落？何以不左倾右斜？他很以为异。他的神情是说牛顿是妄想。我解释道：“你不要奇怪，天下没有向上落的东西么？风筝不是向上落么？风筝不左倾右斜么？”于是他笑了，他的智力足以明白向上飞也是一种“落”。他乃承认牛顿的思想是合理的。我家有一个小孩子，在他四岁的时候，冬天里望着天下雪，问我道：“爸爸，雪是什么时候上去的？”家里的人都笑他，仿佛笑小孩子爱妄想。我不以为他是妄想，我只是暗地里好笑，何以小孩子也属于经验派？（读者诸君，是他呱呱堕地以后四年之内的经验么？）他应该有他的童话，下雪应是一个童话世界，而他却是合理的推理。科学家会告诉他雪是天晴的时候上去的，叫做水蒸气。因为小孩子的推论是合理的，所以科学家的事实替他回答了。有时“妄想”即事实。鱼是怎么游的？鸟是怎么飞的？那么合乎鱼游鸟飞的法则，我们圆颅方趾之伦也应该飞，也应该游，于是我们水行的器具有了，叫做船；空行的器具有了，叫做飞机。常情之所谓妄想，科学家每证明是事实。

然而我今天的主意是说科学家偏妄想！我在此曾有学生拿着严译《天演论》要我讲授，我翻开书面，“光绪辛丑仲春富文书局石印”，乃旧雨重逢，我小时在乡间读的《天演论》，正是这样两册书，以后“物竞天择”“生存竞争”的思想也都是从那时来的。于是我捧着这两册书，我不为学生讲，我自己翻阅着，满纸荒唐言，真不啻读一部旧小说，令我叹息又叹息。在上卷第三篇译者按语云：

学问格致之事，最患者人习于耳目之肤见，而常忘事理之真实。今如物竞之烈，士非抱深思独见之明，则不能窥其万一者也。英国计学家马尔达有言，万类生生，各用几何级数，使灭亡之数，不远过于所存，则瞬息之间，地球乃无隙地。人类孳乳较迟，然使衣食裁足，则二十五年其数自倍，不及千年一男女所生当遍大陆也。生子最稀莫逾于象，往者达尔文尝计其数矣，法以牝牡一双，三十岁而生子，至九十而止，中间经数，各生六子，寿各百年，如是以往，至七百四十许年，当得见象一千九百万也。又赫胥黎云，大地出水之陆，约为方迷卢者五十一兆，今设其寒温相若，肥确又相若，而草木所资之地浆日热炭养亚摩尼亚莫不相同，如是而设有一树，及年长成，年出五十子，此为植物出子甚少之数，但群子随风而飏，枚枚得活，各占地皮一方英尺，亦为不疏，如是计之，得九年之后，遍地皆此种树，而尚不足五百三十一万三千二百六十六垓方英尺。此非臆造之言，有名数可稽，综如上式者也。夫草木之蕃滋，以数计之如此，而地上各种植物，以实事考之又如彼，则此之所谓五十子者至多不过百一二存而已。且其独存众亡之故，虽有圣者莫能知也，然必有其所以然之理，此达氏所谓物竞者也。竞而独存，其故虽不可知，然可微拟而论之也。设当群子同入一区之时，其中有一焉，其抽乙独早，虽半日数时之顷，已足以尽收膏液，令余子不复长成。而此抽乙独早之故，或辞枝较先，或苞膜较薄，皆足致然。设以膜薄而早抽，则他日其子又有膜薄者，因以竞胜。如此则历久之余，此膜薄者传为种矣。此达氏之所谓天择者也。…………

	每年实得木数
第一年以 1 枚木出 50 子＝	50
第二年以 50 枚木出 50^2 子＝	2500
第三年以 50^2 枚木出 50^3 子＝	125000
第四年以 50^3 枚木出 50^4 子＝	6250000
第五年以 50^4 枚木出 50^5 子＝	312500000
第六年以 50^5 枚木出 50^6 子＝	15625000000
第七年以 50^6 枚木出 50^7 子＝	781250000000
第八年以 50^7 枚木出 50^8 子＝	39062500000000
第九年以 50^8 枚木出 50^9 子＝	1953225000000000

而

英之一方迷卢＝	27878400 英方尺
故 51000000 方迷卢＝	1421798400000000
相减得不足地面＝	531326600000000

我告诉诸君，这些话都是妄言，首先世间无此事实，不能作假设，上面的算式，正如小学生课本上的算术题目，是教师捏造出来的，第一年以一枚木出 50 子，第九年以 50^8 木出 50^9 子！又正是佛书上所说的兔角，夫兔角者，在文法上与“羊角”“牛角”同成为名词，无奈我们平常说话不能以此开口，也就没有人以此开口，因为世间无此事也。我说达尔文赫胥黎的事实等于“兔角”，并没有对不起他们的意思，他们实在是对不起科学。科学总应该根据事实，哲学家则本是妄想。那么科学家的事实我是承认的，我所明以告世人者，世上的科学家都是哲学家，于是他们的事实是妄想。“一枚木年出五十子”，菩萨说这句话不能成立，首先“木”字不能成立，因为离开“子”没有“木”故。我们说“某甲有钱”是可以的，但说“某甲有脚”则不可。说“某甲有脚”，等于说“某甲有某甲的脚”。把脚除开，把手除开，把肢体器官除开，什么是某甲呢？说“木出子”，犹之乎说“某甲有某甲的脚”。真的，一般科学的哲学家应该没有发言权，他们说话只能说是没有文法的错误，他们尚不能说是懂得论理，因为他们不懂得事实故。我们眼见由种子而芽而根茎枝叶花果，除却种子芽根茎枝叶花果别无什么东西叫做“木”。说“一枚木年出五十子”，仿佛一方面有木，一方面有子，是妄想，不是事实。由妄想堆积而成的算

式，是妄想而已。世间植物，布种发芽以至根茎枝叶花果，都是事实，我们一一得而研究之，但研究不出“生存竞争”的事实来。如说此存而彼亡，非生存竞争焉有此结果，须知存亡是植物的事实，彼此是人生的意见。如刚才所说，我们眼见有由种子而芽而根茎枝叶花果这样的东西，另外没有一个东西叫做“木”，没有一个东西叫做“木”能生出子来，于是而有能生之“木”与所生之“子”，于是而此所生与彼所生争生存。人生有“业”，故意见亦造作事实，于是生存竞争是人生之事实。

第三章　有是事说是事

我尝默契于印度菩萨说话的原故，即是有是事故说是事。换一句话便是，没有的事不说，此其一；说此事不乱说，此其二。比如火，是有的，我们便说他。要说他怎样说呢？说火烧房子么？那便是乱说，乱说的话便不一致，你说火烧房子，我说火作光明。菩萨说火，说火相暖。这个规矩，应该就是科学家的规矩，我再说一遍，没有的事不说，说此事不乱说。然而科学家都是哲学家，是唯物论者，于是科学家的事有范围。世间本来没有范围，要说范围，范围如虚空，掘地得穴虚空不因而加增，堆石为山虚空不因而不足，故有范围结果便不守范围，没有范围乃随处是范围。科学家择“知之为知之，不知为不知”作科学的谦德，佛则说是无不知。是的，无不知是宗教，亦必无不知而后乃为知。无不知故没有范围，没有范围故选择，选择乃为知也。若有范围，安得而言知？安得而守范围？科学家能够制造话匣子，但说话的原故呢？照相机能够照相，但我们看东西的原故呢？我从前读英国汤姆生一篇谈虫声的文章，甚觉有趣，作者说世上的声音最初是无生物的声音，如山崩海啸，那真是一个很有趣味的世界，世上喧哗得很，但也寂静得很，谁在那里听这个声音呢？那么声音这两个字的意义又如何而成立呢？我当时并不是认真起这些疑问，只喜欢汤姆生的文章美丽。现在我记得这件事，感于科学家不足以言知，不足以言知道“声音”。其原故因为有范围。科学家以为声音就是话匣子的声音，研究声音便是研究声浪，他忘记了有耳在那里听，于是科学家的耳等于电话机上的听话机。于是天下的事情只有听话机的范围。所以科学家的“不知”亦是知，他知道话匣子不知道照相机，是不知也，然而他的照相机的范围即是话匣子的范围，故他仍是知。倘若你告诉他天下的事情不是这个范围，没有范围，那么科学家的话都越了范围，因为他是以不知为知也。总之科学家是有的事不说，因之说的事不免于乱说。菩萨是有是事故说是事。

我们就风的现象来说。菩萨说风，说风相是动。比如一棵树本来是立着不动的，忽然枝叶摇动起来了，是因为风的原故。动是风的性质犹如暖是火的性质。人非水火不生活，其实生活也是不离开风的，我们谁能不呼吸呢？我家小孩子在庭前种瓜果，也知道选择“过风”的地方。可见风是事实。科学家对于这个事实怎么说呢？科学家对于这个事实没有说。科学家只说空气，——空气是不动的，犹之乎水流而水相不是动，菩萨说水相湿。是的，科学家不认识动的现象，所以科学家不认识动物。我说科学家不认识动物，并不含有讥讽的意思，照科学家的范围是不许有动物的。科学家的动物不同火车行路飞机航空是一样的物事么？其实动物的定义很简单，动物是能动的。动物何以能动呢？大凡动，是风的性质，我们看见物动，知道起了风。现在看见有动物，不待外风而自动，必是此物自己起了风也。因为动必是风的原故，犹如暖必是火的原故，此是物理。自动是自己起风，此是心理。菩萨说心发起风。必有物，此是耳目所共见闻的;必有心,此是科学家所不承认的。岂但不承认而已,而且不许别人说,你说有心,算你不识时务。科学有心理学一科,这个心理学即是那个物理学,其所说的现象虽是心的现象,发生这个现象的东西则是物也,神灭论者说是犹如刀之与快。什么叫做刀?我们能替刀下一个界说么?刀是人生的业,不应有物曰刀,犹如我们眼见林中有树,不见有物名曰椅子曰桌子,桌子椅子是人生的业。什么叫做快?说刀已是无此物,说快又岂是此物之相?科学家在谈物理的时候,何至如此无物无相但有言说,但说心与物的关系,其乱说类此。其原故因为不知有心。科学家不知有心而不说,说亦不说心这个东西而说心的现象,于是有心的现象而没有心这个东西,于是心这个东西即是物这个东西,所以科学家是唯物的哲学家。在另一方面,世有唯心的哲学家,须知唯心的哲学家亦是唯物,因为他们眼见物而已,他们离开物没有东西,他们以物的现象为心这个东西,于是他们不曾说物这个东西,他们亦不曾说心这个东西。心有心这个东西,这是我首先要请大家认识的。菩萨是将心这个东西与物这个东西等而说之,所谓色法与心法。有一个东西的现象必有一个东西之体,如有动之现象斯有风之体,何独于心之现象而不认识心之体呢?科学家不认识心这个东西,正同不学科学的人呼吸空气而不认识空气一样。科学家将伤心与涕泪混为一事,伤心人有其事,涕泪人见其形,一心一物,此固毫不成问题者,而问题正在这里。我必诉之于科学家之理智请认识此问题。

我重复的说,有一个东西的现象必有一个东西之体,比如物理学研究光,研究声音,研究磁电,声光磁电各有其现象斯各有其体。心的现象,亦世间现象之一种也,如哀,如怨,如希望,如恐怖，如羞耻，如贪，如痴，如怒，如推理，如记忆，如忍耐，如发愤，如闻一知十，举一隅不以三隅反，科学家的心理学总析之为知与情与意。说这些心的现象待感官与外境而生起，是的，但生起的是这些心的现象，不是心这个东西，犹之乎我们打电话，电话通了，即是现象发生了，要待许多条件许多配合，然而即使电话未通，即使电话机器尚未发明，电之为物仍在，不能因为没有通电话的现象而失却电这个东西。所以心的现象未发生，心这个东西仍是有的，——这句话这么说诸君不以为可笑么？这么说不同主人不在家你说你的主人没有了一样的不合事实么？一方面我们承认物，一方面我们也要承认心。照相机的范围是物的范围，我们的眼睛诚然同其范围。听话机的范围是物的范围，我们的耳朵诚然同其范围。鱼游的条件舟行的条件同之，鸟飞的条件飞机的条件同之。你懂得自然法则，你还制造物品出来证明自然法则，真个是有物有则。于心亦然。乐则笑，哀则泣，羞则脸红，怒则气盛，贪食垂涎，忧思不寐。心不在焉，视而不见，听而不闻，食而不知其味。庄周曰，可行已信，而不见其形。世人特以不见其形而遂不知有心这个东西耳。有之则指着我们体内的心脏。科学家的部位不同，指着脑。我们有脑，犹如有耳目，然而脑与耳目不是心，是感官。心借感官，犹如借外物。外物不是心，犹如感官不是心。因为是心不是物，所以“不见其形”。如说不见其形所以没有，有何以必是形？你昨夜做的梦呢？你今天的记忆呢？如说那是因为有生理在，即是有物在，所以有此心理作用，（科学家动辄曰生理作用心理作用，其可笑一如说刀与快的关系，无物无相但有言说，乱其平日说物的规矩，经我指出，应该反省。）那么在你记忆一个东西记不清楚的时候，是因为你的生理有缺欠么？如果不是因为生理有缺欠而有记忆不清楚之事，则记忆这个现象不能说是生理作用。如曰是因为生理有缺欠而有记忆不清楚之事，则在你记一个字记不清楚的时候何以翻开字典便记清楚了？可见你记忆不清楚不是生理有缺欠，乃是心的现象（因为记忆是心的现象）必是心借感官（如眼睛）与外物（如字典）而生起的。而感官与外物不即是心。心有心这个东西，犹如有眼睛，有字典，各有其自体。这个东西最直接的证明应莫过于良心，不借感官，无待烦言，人人有的，人人自证，而今世之哲学家却坚决的否认之，遂令我不好开口，一若此事应无庸议者。此天下之最可惊骇者也。此事姑且留到最后再说，那时也容易说得清楚。

我姑总说一句，世人都是唯物的，无论哲学家，无论科学家，无论老百姓（老百姓程度尚浅）都不知道心有心这个东西，但我们必须认识心有心这个东西，然后凡人是这个东西，作佛也是这个东西，活在有这个东西，躯壳没有了这个东西也不是没有，因为他本是不见其形何得谓之“没有”？然后你能懂得佛教，然后只有佛是唯心。这时你懂得佛是不妄语，有是事故说是事。

第四章　向世人说唯心

心有心这个东西，是事实，如果讲道理，道理是无有不承认事实的。无奈世人“执着”，就是惑。自哲学家以至于老百姓，皆惑也。佛说轮回的原因是“无始乐着戏论”，我窃叹其确切不可移易，思一言以有助于世人，而佛已昭示给世人了，世人不理会！乐着戏论，尤莫过于学人之惑，他们耳目聪明，诸事以为求决于理智，而根本不讲理，根本是执着，犹如人之见物而不自见其目也。与学人之惑相对，有老百姓的迷信，破除迷信，那不是我的意中之事。中国人的迷信其实很浅，智愚贤不肖的思想都是经验派，一方面不相信上帝，一方面也不相信神我，只是相信五官，在这一点确是科学之友，因此之故我今破执着的方向甚简单，我破执着即是破常识，唯一是对经验派说话。

我说有心，因为是心不是物，所以不见其形。如说不见其形所以没有，有何以必是形？讲道理这几句话已极尽道理之能事，毫无疑义。然而汝不知反省，对于我的话深恶而痛绝之。何以故？汝总是执着有一个东西故也，这个东西应该是可以执之于掌握中者也。我说活在有心这个东西，躯壳没有了心这个东西也不是没有。这句话，常情尚可容纳，不致于厌恶，但问我道：“不是没有当然是有，有，我何以不晓得呢？”此问殊堪同情，我思首先答复一番。你说“不晓得”么？我且问你，睡觉的时候，“我”晓得么？在耳目不及的范围，“我”晓得么？你能知道百里以外的事情么？平常所说的“我晓得”，并不是有一个“我”，超乎诸事之外，然后诸事“我”晓得；乃是诸事配合起来而说一句笼统的话“我晓得”。比如今天下雨，我晓得今天下雨。我晓得今天下雨，是由于有眼看着雨，或有耳听着雨声，诸事一齐作用，才生出今天下雨的意识，诸事之中缺少一件就无所谓“我晓得今天下雨”了。雨淅沥淅沥的响着，聋者便不晓得。所以把雨点或雨声，眼或耳诸事除开没有一个另外的东西叫做“我”。“听雨明明是我的耳朵听，不是聋子的耳朵听，为什么不说是我呢?”那么聋子有“我”么？照常情，当然不能说聋子没有“我”，然而聋子“不晓得”。可见我们不能以“我不晓得”来否认“有”。佛说“一切无能知”，我们可以承认一切事情，而不能承认“我”，而一切事情不能独立成知。所以说“不晓得”，本是不晓得。倘若晓得的话，便应无条件，能知百里以外，能知千载以后，岂不荒诞乎？“有”而“不晓得”，不足怪也，法则本是如此；晓得才是怪。我们平常乃说“晓得”，于是妄以“晓得”为我，于是又说“我晓得”。于是无我而执着有我，无知而说知，虚度此生。佛说我们是“乐着戏论”。我们要相信聋者可以成佛，盲者可以成佛，正如我们五官完全的人可以成佛。我们要相信我们的耳朵我们的眼睛都不是“我的”，可以割掉，正如我们的牙发落在地上可以弃之而不顾。我们要相信佛书上所说的忍辱的故事是真的，正如耶苏基督背十字架是真的。

诸君，你说你的眼睛是你的是可以的，无奈你因此迷失道理，故我劝你不如割去眼睛。你或者因此可以得救。在痛定思痛之后，请你再来想一想，你或者可以相信我不是空口说白话和你谈玄。你爱惜你的身子，并不是因为懂得道理而爱惜你的身子，乃是爱惜身子因而丧失自己，而这个自己是真的——便是佛！你所爱惜的，你说是“我”，却是假的，是你的妄想。什么叫做我的眼睛呢？我在论妄想那一章里曾说达尔文赫胥黎口中的“木出子”是妄想，因为把根茎枝叶花果种子这些东西除开，没有一个能生叫做“木”。我们可以图示之：

种子——芽——根——茎——枝叶——花——果

这几件东西，种子，芽，根，茎，枝叶，花，果，都是有的，我们可以指出它的实体来。但离子则“一枚木”这个东西不可得，你指不出这个东西给人家看，你要指木给人家看，你还是要绘出一个图形来，这个图形仍不外这几件东西，种子，芽，根，茎，枝叶，花，果。所以你心目中的“一枚木”是你的妄想。说“我的眼睛”亦然。我们可以绘一个图形，有耳目口鼻手足等器官肢体，正如植物种子芽根茎枝叶花果诸件，但绘不出“我”来。说“我的眼睛”正如说“木出子”，离开种子“木”不可得，离开眼睛“我”不可得。又如我们说“一座房子”，房子是砖瓦门窗梁柱等等聚合起来的假名，若指着砖说房子的砖，指着瓦说房子的瓦，此时的房子应无有此物，（因为说砖则不应有房子，必待砖聚合而有房子！）何得以此物来表明砖瓦说是房子的砖瓦乎？指着你的眼睛说是“我的”，无异于指着砖瓦说是“房子”的，“我”与“房子”是你执着的一个东西。你以为有这个东西！故我相信有人要将你的眼睛剜掉，而你相信真理，你必然无怨无怖，等候真理指示。真理这时指示你，你的眼睛本无“我”，你不因为剜掉眼睛而丧失自己，你依然故我也。眼睛如是“我的”，那么也不过如你的眼镜是你的一样，你何至于如此无知，执着身外之物你的眼镜说是“我的”呢？然而世人谁又不是如此无知如此执着呢？所以说你认贼作子，你确是认贼作子。你将说，“我的痛苦是我受，我有过失我承当，君能替我作恕辞乎？我何劳君作宽解乎？”是的，是的，这里我应告诉你无作无受。有痛苦然而无我，有过失然而无我，理由仍如前破“我的眼睛”。我们的感情可以析为诸种，如喜，怒，哀，乐，我们可以指示之：

喜——怒——哀——乐

这几件事，喜，怒，哀，乐，都是有的，但另外没有一件事叫做“我”。说我喜我乐，岂非以喜乐为我，犹如以砖瓦为房子？“是我喜乐不是你喜乐，我喜乐与你喜乐有异，何得不说是我喜乐呢？”无我何得有“你”呢？说“你”乃是汝之我见未除也。“然则我们大家都是谁呢？”都是佛。都是真理。你信不及吗？不能明白吗？我甚为汝惜。我们感受痛苦，我们有所造作，我们眼见色耳闻声，作此想作彼想，佛书上别为色受想行识五蕴，色受想行识可以承认有其事，不可以色受想行识而执着有我。以受为“我”受，作为“我”作，见为“我”见，晓得为“我”晓得，那是惯习使然，犹如我们站在溪上，看见水里的影子，以为有一个人影，不知这个影子的认识是惯习使然，惯习的势力甚大，故虽智者亦难免有此静影之见，然而汝非下愚不难知道流水里无此立着的人影也。我们平常是以感受痛苦为“我”，以晓得为“我”，并不是有

"我"来感受,有"我"来晓得,名理实是如此。而愚痴实是如此,——我们谁不说是"我感受""我晓得"呢?举世一切恶事都从此愚痴来,——谁不是因为"我"的原故而不肯让人呢?举世一切名理亦都从此愚痴来,——谁的名理是建筑在"无我"之上方便作说呢?举世学人当然都是讲名理的,他不知佛所讲的亦是名理,惟学人的名理是从"无明"来,即是惑,故不能信佛,故不能懂得佛的名理。若说名理,佛与学人原无二。我今说无我的话,世人应无能非我者。其实无我即无色受想行识,因为色受想行识而执着有我,因为执着有我而转于色受想行识,到得以我见为愚痴,犹如悟得绳子无有绳子,(我们谁不是看见有一条绳子呢?谁能见绳子犹如见麻而不执着麻相呢?)则结缚已解,汝是明觉。那么我们承认色受想行识有其事,是就世间名理说话,就世间名理说话我见是愚痴。"然则世界到底是什么一回事呢?谁要我们受苦呢?谁令我们愚痴呢?所谓天地不仁以万物为刍狗者不信然耶?"汝作此想,正是汝的我见,汝何愚痴之甚。结缚解便是明觉,明觉何有愚痴?以世间现象作比,光明之下黑暗何在?众生(实无有众生!)是愚痴,佛是明觉。换言之,愚痴是众生,明觉是佛。众生与佛不异,愚痴与明觉不是两个范围。我们以图示之:

光之下无有暗,光却不是异于暗的范围,或超于暗,或大于暗。而暗即是光,因为由暗可以达到光。所以光与暗是一个东

西。故众生是佛，佛是众生。愚痴正是佛要我们认识他。认识他便是认识我们自己。君再不可以痴人说梦话。

无我便能信佛，实不应多说话。然而往下我要谈唯心的问题。谈唯心所以破法执。从用功的过程说，破我执尚易，破法执为难。好比你能够知道说“我的”眼睛非是，而“眼睛”这个东西仍在，将如何发付呢？世间学人本其耳目聪明，其执着有一个东西较不读书人为甚，故必须破法执。我破法执即是破唯物，故谈唯心。色受想行识五蕴，色法是物，受想行识是心法，色法与心法本是等而说之，然而那是就因果法则说话。无我即无色受想行识，色法已连带破了，然而物之惯习根深蒂固，我们还应大声疾呼向世人说唯心。达尔文赫胥黎说木出子，我说他们心目中的“木”是执着的一个东西，非世间果有此物，犹如我们执着有一条绳子，而世间本没有一条绳子，我们眼见的是麻。即此已足以说明唯心，非唯物。你能说“一枚木”不是你的意识作用吗？“一条绳子”不是你的意识作用吗？好学深思之士从此受了一打击，我们平常颠斤簸两乃是为了镜花水月之故！于是你将有根茎枝叶花果种子而另外无“一枚木”，犹如有麻而无绳。须知万法唯心。绳子固然是心的执着，麻亦是心的执着。木是心的执着，根茎枝叶花果种子亦是心的执着。除却眼之于色，耳之于声，鼻之于香，舌之于味，身之于触，再加上一个意识，什么叫做“物”？眼是心的门，在眼的心佛书上叫做眼识；耳是心的门，在耳的心叫做耳识；鼻识，舌识，身识仿此。因为色声香味触，我们认有外物，实在是物在内而不在外，色声香味触是眼识耳识鼻识舌识身识的作用。物即是心。根茎枝叶花果种子之异于你意识中的“一枚木”者，只是多了色声香味触识（即眼识耳识鼻识舌识身识)的作用,“一枚木”则完全是意识作用而已。色声香味触的识同意识都是一种东西,这种东西叫做心。你认根茎枝叶花果种子是外物时,又已离开了色声香味触识的作用而完全是意识作用。故根茎枝叶花果种子亦是心的执着。你能说梦是假的,影响是假的,即是说身外没有这个东西。梦是纯意识作用;影响尚有待于见闻,因为这个东西还有声有色。由此事实,可见只有香味触三事惯习太深,牢不可破,其中以触为尤甚,世间的东西明明碰在我们的头上落在我们的手中何得而说是假的呢?英国有一位小说家,他的著作都是厌世的彩色,在他一部小说里叙述一人黑夜行路,举头为一树枝所碍,此人叹言道:“甚矣人生在世是一件事实!”此以触觉为有物之明证。汝何不思,影子是假的,则眼见可信为假;回响是假的,则耳闻可信为假;何独于身触而不信为是假的呢?你有时不信眼耳,你说眼耳所见闻的是假的,菩萨则叫你鼻舌身意等等都莫信以为真,故《金刚经》说:“一切有为法,如梦幻泡影,如露亦如电,应作如是观。”又说:“若以色见我,以音声求我,是人行邪道,不得见如来。”先须破除我见,再须空此法执,这两层执着都是惯习使然。要除这两层执着,最好是执着有心。我说执着有心,犹如你执着有物。心是一个东西。这个东西发生许多作用。你说世间有“我”,世间离子有“一枚木”,是你的心之作用,便是你的意识作用。你说世间有根茎枝叶花果种子,是你的心之作用,是你的眼耳鼻舌身识同意识一起作用。我说无我,我说世间离子没有“木”这个东西,你可以承认,因为你相信物,相信五官,“我”与“木”这个东西不是五官所能接触的,其为妄想,即是意识作用,自然容易明白。(若就执着有心说,则我见与物执亦可承认,本都是心的作用。)我说无根茎枝叶花果种子，你将瞠目不知所对，从理智上你现在大约可以承认，无如物之惯习太深何，世界本是有的，而你因惯习之故以为有物则有，不知有心亦是有。你看见的花果是你的心，你看见的山河大地是你的心。当你看见一个东西的时候，你的眼中有一个影像，俗谓之瞳人，你能说这个影像是物吗？你能说物不是这个影像吗？到底物是在内还是在外呢？如说在外，则你眼里的影像是在外吗？在什么之外呢？所以物不如同影像一样说是在内。你这时最好是莫存心用手去摸那个东西，把惯习渐渐离开，自然接近事实。说物在外不如说物在内为合理。何况你看见一个东西听见一个声音并不是有眼睛耳朵就行，还要待眼识作用耳识作用，如你夜晚在睡中时眼耳识不生作用虽有雷声电光而你一无所知。物果非心乎？心能藏物，犹如镜能藏像；心有眼识耳识鼻识舌识身识意识等等，犹如树有根茎枝叶花果等等；根茎枝叶花果各有其作用各有其自体，而又能藏在一颗种子里头，种子又毕竟是种子的自体，能藏不碍所藏。总而言之是心。物不是离心独在，物是与心合而为一，说心就应有物，犹如说镜子就应有像，我们则因惯习之故将物与心隔开以为是外面的东西。须知隔者无非距离而已，天下之物果因距离而非一事乎？一棵树的种子落在地下长成另一棵树，此两棵树非一事乎？在植物学上雌雄异株的树木与其说是两棵树不如说是一棵树。无线电两处机关是一个机关。照相机与所照之人物是一个东西。我们以眼观物必须有适当的距离，迫在眉睫物在前而不见，是距离者乃法则之当然，不可以此有物我之隔也。（菩萨说心与物是一，而身亦是物；俗则以身为我，身外之物为物。）所以物与心是一体，有心无所谓物。汝所谓物者，是汝心的范围而已。能够悟到物是心，心是一个东西，如你说物是一个东西，则你容易信佛，信佛说的是实话。凡人的世界是这个心的执着，成佛是执着心断。心断亦是有，不是断了便成虚空。凡夫心断便是佛心，犹如你平常损人利己的心断便是公心。不是有一个佛心又有一个凡夫心，凡夫心是结缚，结缚是无所谓有的，缚解何所有？有的是佛。凡夫是佛的显现，是佛叫你认识他。认识他便是认识自己，便是大家都是佛。

古今学人因为执着物的原故，虽是唯心的哲学家亦是眼见物说话，他说这个物不是物是心，他忘却他是眼见物。其与唯物的哲学家不同者，唯物的哲学家信任眼睛，唯心的哲学家则不信任眼睛。不信任眼睛他却戴上了眼镜，心的眼镜，因为他是观物说话。如此说物是心，等于说眼见的物是心。这个心在佛书上叫做意识所缘的“法”。（意识所缘叫做法，犹如眼识所缘叫做色，耳识所缘叫做声。）唯心的哲学家之所谓心是意识所缘的法，唯物的哲学家之所谓物亦何曾不是意识所缘的法，两者是答案不同，一答曰心，一答曰物，两者的答案却同是意识答的，两者都是有内心外物之分。我最当提醒者，唯心的哲学家信任意识而不知意识应是一个东西！意识不是一个东西则汝唯心的哲学家之所谓心究是什么呢？唯物的哲学家倒说物是一个东西！唯心而不认心是一个东西，学理的意义全无。必也心是一个东西而说唯心，（佛书上叫做唯识）然后善恶问题，死生问题都迎刃而解。因为从此没有死生，没有善恶，都是真理。死生是执着“形”而来的。心则无所谓死生了。汝辈哲学家之所谓时间问题空间问题都成戏论。这些都是由物的观念来的。至善是有的，诸恶是缚，缚则无所谓有，汝立地成佛。

熊十力先生的《新唯识论》也因为不知心有心这个东西遂而乱添出许多话来说。熊先生仍是眼见物说话。他当然不是以物为物,他说物是大用的显现,然而他看见物了,他看见大用显现的物了。必待物而见大用的显现!熊先生不但误会了佛家唯识的精义,亦且不懂得孔子的中道。孔子不答问死,是不谈这个问题,不是不许有这个问题。孔子又说“敬鬼神”。大哉孔子。若照熊先生的理论,死生鬼神都不许成问题,因为他虽不以物为物,而他的世界观是五官世界了。这个世界观便是唯物,不是中道。我说我们最好是执着有心,犹如执着有物,(便是有这个东西的意思)佛家的唯识正是此意。从此是可以超凡入圣的。从此没有话说不清楚的。

第五章　“致知在格物”

上章写完了，在大哥处见其案上有《宋元学案》，乃取伊川学案而阅之。说到书籍上面，我思补述几句。我于二十六年回故乡，觉得自己能信佛便好，无须读书。稍后思读《百论》，因为在北平时读龙树二论，未读提婆《百论》，现在欲看提婆是怎样说话。然而在乡间，在流离转徙的乡间，从何而得这样本不常见的书呢？稍后又悟得种子义，思取佛教有宗书而阅之。这又从何处觅得呢？此时信佛而更思读书，叹息无书可读而已。稍后在一友人处得见县图书馆书目，并悉这些书都保存在山中一个人家里，书目中有《百论》，有《瑜伽论》，有《成唯识论》，于是只有《摄论》思读而无有。我这时的喜悦，不足为外人言。这事令我信佛。我曾写信给友人说，“世间对于任何人都不缺少什么”，也便是耶苏说的只要求便得着。我从图书馆尚取得《华严经》读之，《涅槃经》则无有。此二经在二十六年以前读过，我信佛，信有三世，乃在二十六年秋读《涅槃》“佛法非有如虚空，非无如兔角”而大悟，于是抛开书本而不读，旋即奔回故乡，从此在故乡避难。离北平时将《涅槃经》留给沈启无君，劝其一读，我在图书馆取《华严》，乃思《涅槃》也。孰知今日重读《华严》，乃是六经注我我注六经，仿佛这是我最后读的一本书了，我已能一以贯之，可为世人讲佛法矣。故我提起《宋元学案》时，亟述此一段故事，表明这无非是佛为我作善知识。这一部《宋元学案》也是县图书馆藏的，经大哥借来。我对于伊川甚为尊重，孔子以后，孟子与伊川是两位大贤。我何曾读过伊川的书，何曾研究过他，只是这几年在乡间住着，翻阅四书五经而有所认识。有一部《易经大全》之书，难中在一间破楼上拾起来的，我在这上面读了许多伊川的话，觉得他是真能懂得格物致知的。程朱重格物，阳明重致知，而阳明确是不及程朱的，而世人固不甚懂得格物与致知。程朱不信佛，乃是"惟于理有未穷，故其知有不尽"。我尝自思量，"致知在格物"，这一句话应尽学佛之能事。倒转来说也是的，"物格然后知至"。这是如何一件大事，总思与世人说个清楚也。我取伊川学案而阅之，是对于大贤表示敬意，未必是想从上面得什么道理。孰知他讲格物致知，道人之所不能道，于我又很有启发。他说，"致知在格物，非由外铄我也，我固有之也，因物而迁迷而不悟，则天理灭矣，故圣人欲格之"。那么格物就是要能够没有外物之见。必须能没有外物了，乃是知至。此事怎令人不喜悦，正是孔子所谓有朋自远方来，不问古人今人，中国外国也。所以我常想，要同儒者讲佛是很容易的，只要请他格物，物格然后知至。在另一方面，要同西人讲佛，是很简单的，也只要请他格物，因为致知在格物。总而言之是熊十力先生在他的著作里特别提出来的，《中庸》里面的一句话，"合内外之道"。中国儒者合内外之道，孟子便已明白说了，"万物皆备于我"，只是中国学问是默而识之，不能将世界说得清清楚楚，虽然世界在其语默之中。欧西学问重在明辨，应该将世界说得清清楚楚，却是外物而内心，其结果乃至于俗不可医，因为明辨而妄语也。往下我要说明儒者何以是“惟于理有未穷，故其知有不尽”，以及西方学者外物内心之失。

我先说外物内心之失。严译《天演论》下卷第九篇译者按语述赫胥黎讲特嘉尔之义曰：

> 世间两物，曰我非我。非我名物，我者此心。心物之接由官觉相，而所觉相是意非物。意物之际，常隔一尘，物因意果，不得迳同。故此一生，纯为意境。特氏此语，既非奇创，亦非艰深，人倘凝思，随在自见。设有圆赤石子一枚于此，持示众人，皆云见其赤色，与其圆形，其质甚坚，其数只一，赤圆坚一合成此物，备具四德不可暂离。假如今云，此四德者，在汝意中，初不关物，众当大怪，以为妄言。虽然，试思此赤色者从何而觉，乃由太阳于最清气名伊脱者照成光浪，速率不同射及石子，余浪皆入，独一浪者不入反射而入眼中，如水晶盂，摄取射浪，导向眼帘，眼帘之中脑络所会，受此激荡，如电报机引达入脑，脑中感变而知赤色。假使于今石子不变，而是诸缘如光浪速率目晶眼帘有一异者，斯人所见不成为赤，将见他色。每有一物当前，一人谓红，一人谓碧，红碧二色不能同时而出一物，以是而知色从觉变，谓属物者无有是处。所谓圆形亦不属物，乃人所见名为如是。何以知之？假使人眼外晶变其珠形而为圆柱，则诸圆物，皆当变形。至于坚脆之差，乃由筋力，假使人身筋力增一百倍，今所谓坚将皆成脆，而此石子无异馒首。可知坚性，亦在所觉。赤圆与坚是

三德者皆由我起，所谓一数似当属物，乃细审之则亦由觉。何以言之？是名一者，起于二事，一由目见，一由触知，见触会同，定其为一。今手石子努力作对眼观之，则在触为一，在见成二。又以常法观之，而将中指交于食指，置石交指之间，则又在见为独，在触成双。今若以官接物，见触同重前后互殊，孰为当信？可知此名一者，纯意所为，于物无与。即至物质，能隔阂者，久推属物，非凭人意，然隔阂之知亦由见触，既由见触亦本人心。由是总之则石子本体必不可知，吾所知者不逾意识断断然矣。惟意可知，故惟意非幻。此特嘉尔积意成我之说所由生也。非不知必有外因始生内果，然因同果否必不可知，所见之物即与本物相似可也，抑因果互异，犹鼓声之与击鼓人亦无不可。是以人之知识止于意验相符，如是所为已足生事，更骛高远，真无当也。

我每逢读了这些话，总是叹息，要在言语道断之后才能说话，说话才于人有益，否则开口便错，过而不自知也。他们根本的原因就是我所说的执着，执着外面有一个东西。无论这个东西为方为圆，为红为碧，为坚为脆，总而言之是“物”，而这个物不是方便是圆，不是红便是碧，不是坚便是脆，决不是方圆红碧坚脆以外的东西，所以他们不信世间有一个东西叫做“鬼”，说鬼神是迷信，那么这个物他们明明的肯定了，为什么说“必不可知”呢？而他们说“必不可知”，所知者“是意非物”，那么这个意是什么东西呢？这个意总不应该说是官能！为什么丢了所知的东西而不说呢？这个意总不应该以眼见，不应该由触知，因为以眼见由触知便是物。他们口中说意，而心里不知道意应是一个东西，徒曰“世间两物，曰我非我，非我名物，我者此心”。换一句话便是，一个在内，一个在外；我在内，物在外。岂知在外的是汝的心，而汝说是物，犹如逐影像是物，——影像果有此物么？在内的是汝的物，而汝说是心，因为汝认心犹如认影像，——影像果无此物么？汝的物理学不能研究此物的法则么？汝不知心应是一个东西，犹如影像是一个东西，它有物有则。物不可执着，犹如影像不可执着，执着它它没有，是妄想。那么什么叫做内外呢？合内外便是心了。不应曰“是意非物”，因为曰非物正是执着物，犹如我们看见鹿曰非马，非马正是汝从厩里可以牵得出一匹马来也。从执着的心说出来的话是无有不错的，原故便是心中执着有一个东西，而这个东西没有这个东西，即是你从理智上否认它，而“无明”已经承认它了。犹如你在路上遇见一个陌生人，你说你不认得他，然而你已认有这个人了。赫胥黎将“物质”之隔阂都泯除了，“既由见触亦本人心”，是其理智不错，接着又说“石子本体必不可知”，虽不可知，然而它不是坚的便是脆的，这块石头要粉碎了才没有！到得粉碎了，汝便说是“虚空”。汝的虚空观念仍是物，是此物现在无有也。汝看见一块石头是汝的感识（色声香味触识叫做感识）同意识一起作用，即是汝心的作用；汝说物，说虚空，是汝的意识单独作用，亦是汝心的作用。故说“惟意非幻”，我在这里是许可的，但要知道意是一个东西。这个东西不是官能，官能正是汝所执着的物之类也。从此便有许多大问题在。世间的死生问题，都是执着“形”来的，执着形便是执着物，有形曰生，形灭曰死。而汝不知道有心，不知道心有心这个东西。如果知道心有心这个东西，则人死了，即是形没有了，应问，心这个东西呢？人生，形有了，也应问，心这个东西呢？这个东西何所来何所去呢？说来说去正是形的事，不应用来说心，心应无所谓来去，因为它不是形呀，它没有来去的工具呀，你们叫做手足呀，——此不近于世俗所谓“神”的观念吗？那么神的观念不很合论理吗？独汝科学家哲学家开口便错！汝应执着有心，犹如执着有物，然后可以说因果法则，然后才是致知在格物，然后宗教才合论理，合乎论理才是事实。说到事实，是无有不合论理的。

欲辨石子的赤圆坚一，“此四德者，在汝意中，初不关物”，特嘉尔，赫胥黎，无论是谁，西方学者都不足以语此。因为他们是“无明”说话，便是执着。我最要告诉他们的，是他们不守平日说物理的规矩。说物理要有是事说是事，不能随便作假设，假设乃是根据事实，好比大气压力是事实，以地面水银柱高七六糎的压力为一气压，则高山上空气稀薄，水银柱应下降，于是拿到高山上去水银柱果然下降。此是科学家的规矩，假设正是事实。今说“假使人眼外晶变其珠形而为圆柱，则诸圆物皆当变形”，此真是妄语，这样说话谈什么学问，所以我说他们俗不可医，西方学者应惭愧无地矣。印度菩萨告诉他们曰，眼实不能见圆，眼乃能见色。你且拿一圆物去叫襁褓中的小孩子看，你说，“有眼可看者便看！”然而这个小孩子不能看见圆，犹如不识字的人见墨痕而不认得字。“在见为独，在触成双”，你何能见“独”呢？又何以叫做“双”呢？你且叫襁褓中的小孩子去见，叫他去触，因为他有见有触。至于说明赤色之故，则是物理学，止于意验相符，可谓能守范围，在人生经验上有其事实，然而这些事实正是法则，并不是执着有物。执着有物便不是法则了。汝愈知法则，愈见真实，愈见幻空，因为幻空才是真实，大家都不能逃此法则。否则真实是幻矣，如汝说鬼怪是幻。汝以为科学发达才见真实，其实在未有科学以前，固丝毫无损于知道真实，因为知道真实是幻，即是说真实是法则。第一义在于明觉，汝本明觉说话，决不说眼见赤色，要说眼能见色。说赤色者，是别于非赤色，是汝的意识。说一说圆说坚都是汝的意识。（汝曰“纯意所为，于物无与”，本应不错，不过汝的“物”字，是叠床架屋，实无此一物。）电影无异于幻灯，电影不是动的，虽然我们看见它动，可见俗谓见动，眼实不能见动。然而我们平常说水流，说我们看见水流！水之流果异于影之动乎？那么眼见的界说应是什么呢？故应说眼能见色。“每有一物当前，一人谓红，一人谓碧，红碧二色不能同时而出一物，以是而知色从觉变，谓属物者无有是处。”这是没有界说而说的乱话。此所谓觉，我且下一个界说，是眼识同随着眼识而起的意识；红或碧是境；另外再加上眼睛即感官。在这里，一人谓红，其识与感官与境三事俱有，成见之法则；一人谓碧，其识与感官与境三事俱有，亦成见之法则，无所谓“同时而出一物”，本来无此一物也。根据化学的实验，酸性物将蓝色石蕊质变成红，碱性物将红色石蕊质变成蓝，此时觉不变，感官不变，变在境，——不是变在物。所以我们应该说三样东西，即识与感官与境。感官与境在佛书上叫做色法，即俗所谓物；识是心法。物不应如汝执着的那个物，而心则应执着为一个东西。执着有物时，已是心的现象，不过成这个心的现象要有物之实，即是境，虚空之中你不能看见一个东西。此物之实不同彼物之实，所以我们看见红或看见蓝，我们不能以耳见以眼听，世界有色世界也有声音，不是乱的。色法有色法之实，心法又有心法之实，俗说五官不能并用，其实是五识各有其实。又如瘖瘊之心（你能说瘖瘊时没有心吗？心停了或断了吗？）不能作见闻之事。菩萨说种种因果决定差别无杂乱性，故世界不一。因为是因果法则，故世界不异。不一不异故实，实即有也，有即幻也，幻者没有汝所执着的那个物也，说到物时正是心也。识是了别境的，境非外在的东西也。境是心犹如一幅彩画是心的事不是颜料的事。若汝所执着的物，不是幻的意义，是怪的意义，因为没有决定性，它可以是一，它可以是异，世界将不成其为世界矣，科学家可以随便作假设矣。"非不知必有外因，始生内果"，欧西学者说因果，无论如何说不出因果的道理来，（本非事实，何能有道理？）假设有内而无外呢？假设有外而不为因呢？则内果何从而生？我这样假设是可以的，因为曰内曰外本无决定性，我们可以内有眼而外不见物，犹如有镜子而终年不生影像。像本不是镜内之果，物亦本不为镜外之因，外物与此一面镜子是不相干的。按汝之意，耳是内声是外，必有外因始生内果，则色因生见果，因必有果故，而吾人见不必以眼。声因生听果，因必有果故，而吾人听不必以耳。见必以眼，听必以耳，是眼耳自有因果，非内外为因果。"合内外之道也，故时措之宜也"，中国人的默识较西方明辨切近事实多矣。提婆语人曰，"汝谓乳中有酪酥等，童女已妊诸子，食中已有粪"。世人闻此言，岂能忍受，人何以荒谬至此？不知学者因果之说正是"食中已有粪"。何以故？汝说食为因粪为果故。犹如说形为因影为果。不知食是食粪是粪，非因果也。若因果则食中已有粪。

西方学问的价值在科学，科学如能守科学的范围，即是"人之知识止于意验相符”,则不至于妄语。不过这是不可能的,严格的说起来,“人之知识”正是业,业如何而知止呢?于是中国的学问尚矣。中国的学问“在止于至善”。然而惟孔子是真能“默而识之”,是真能“知之为知之,不知为不知”,于是惟孔子真是知止矣。孔子以下,大体不差,独不能如孔子之默耳。孔子之默,乃见孔子之知。孔子曰,“未知生,焉知死?”“未能事人,焉能事鬼?”,又曰“敬鬼神而远之”。我们不能说孔子知道死生鬼神,那样说便是不知道孔子,因为孔子本是不知为不知,但孔子知有鬼神,知有死,知有生。知有鬼神生死,便是唯心。唯心而不知有鬼神生死,那便是西方的唯心哲学,便是熊十力先生的谈“用”,便是五官世界观,便是唯物,因为未能将物“格”之。中国儒者如程朱是知有鬼神生死的,因为他们是能格物的。知有鬼神生死,为什么辟佛呢?佛所说的不过是范围大些,而且说其因果法则罢了。故我尝说,程朱之辟佛,正见其格物之未能究竟。在《论语》季路问鬼神章,朱注引程子言曰,“昼夜者死生之道也,知生之道则知死之道,尽事人之道则尽事鬼之道,死生人鬼一而二二而一者也”。子不语怪力乱神章朱注曰,“怪异勇力悖乱之事,非理之正,固圣人所不语,鬼神造化之迹,虽非不正,然非穷理之至有未易明者,故亦不轻以语人也”。程朱这些话,都见其格物的心得,其态度是“知”,不是孔子的“不知”。因为是知,我们乃见其知有未尽。于是我一言以尽之曰,儒者未能唯心而唯理。其未能唯心之故,是格物未能究竟。佛则是唯心,即唯识。儒者从孟子便曰求放心,“人有鸡犬放则知求之,有放心而不知求!”是明明指出心来了,心是一个实实在在的东西了,为什么说儒者未能唯心呢?是的,儒者所求的放心是理义之心,儒者的价值便在指明这个心,这个心要留到后说。首先要将境与心对说的心说清楚,即是将境即是心的心说清楚。儒者能合内外之道,他不是从唯心来的,他简直是丢开见闻心识而不理会,他是直接承认天理。天理不是与见闻心识对待的,本来可以直接承认。见闻心识是因果法则,无事于见闻心识,故不能认识因果法则。孔子则以"天命"一词包括一切。朱子注天命曰,"天命即天道之流行而赋于物者,乃事物所以当然之故也"。《中庸》注有云,"天下之物皆实理之所为"。这些话都切切实实,直接了当,令我赞叹不已。其所谓实理,不是指理智说,是指天理。儒者固无事于理智,理智者因果法则也。无事于理智,其实应曰"不知",故孔子曰不知。大哉孔子。程朱则曰一理万殊,不有因果法则,何以万殊?换一句话说,何以有世界?我们凡夫都是耳目见闻,孔子虽欲无言,人情诚不免天问!嗟呼,谁知理智,必也理智才是万殊,必也理智才是一理。予欲向重理智之西方学者说明原故矣,由理智自然说得唯心,于是世界不只是五官世界,固无所谓内外也。曰合内外,终有物之见也,如鱼不外水而饮水。《孟子》形色天性章朱注引杨氏之言曰,"天生烝民,有物有则,物者形色也,……"是儒者无意间露出来的话,注定了物是形色。以形色为物,故儒者未能唯心。死生大事都要从唯心说得清楚。儒曰死生一理,其实死生是一物,即是心。生是因果法则,死亦是的。芸芸众类为万殊,死亦万殊,世界是轮回。到这时儒者自然能将伦理范围扩大,愿度众生,闻佛之言说真是一则以喜一则以惧。故儒者之辟佛乃其知有不尽耳。

第六章　说理智

现在我且谈理智。

我前说合乎论理才是事实，又说事实是无有不合论理的，欲表明这个意思，莫如举数学为例。我平常喜欢同中学生谈几何，几何所说的不是一个实物，它只是论理，即是完全是理智的表现，然而几何的定理都是事实。当我们开始学它的时候，它告诉我们以点、线、面，我们觉得可以承认，另外它告诉我们公理公法，我们都觉得可以承认，这个承认便是理智的作用，凡具有理智者是无有不承认的。理智并不是一件难事，乃是简单，智愚共有的。我们之有理智，正如我们之有世界。由简单而演进到复杂，其实还是简单，因为还是理智。在我们承认简单的点线面公理公法的时候，我们不晓得会发生许许多多复杂的定理，然而许许多多复杂的定理从点线面公理公法便已决定。从简单到复杂是不相冲突的，其不相冲突，并不是因为理智在那里安排布置，理智只是简单不晓得安排布置。例如起初我们在直线形里头知道三角形三内角之和等于二直角，后来学圆，画一个三角形的外接圆，由圆心角与圆周角的关系也是三角形三内角之和等于二直角。始终只是理智，理智不包含事实而符合事实。事实并不是有许许多多，事实只是事实，由你去表现它。事实怎么会冲突呢？冲突还能成为事实吗？事实不会冲突，正如理智不会冲突。世界是有的，所以事实是有的，我们有言语，我们有论理，无非是事实的表现，事实岂有不合乎论理者哉？合乎论理又岂有不合乎事实者哉？而世间论理之合乎事实者，大约只有不含事实之数学，因其不含事实，故能表现理智。

从上面一段话，我的意思明明是说，世间的论理包含世间的事实，根本上不是理智作用，故世间的论理不合乎事实。世间的事实是妄想。

论理有两个乎？曰否，论理没有两个，正如文法没有两个。我们说“我看见牛角”，这句话是合乎文法的；说“我看见兔角”，亦合文法。然而前一句话我们那样说，后句我们则不说，因为不合事实。我们可以这样判断，“人皆有死，汝是人，汝亦有死”。这是合乎论理的。我们也可以这样判断，“动物皆是伏地而行，人是动物进化来的，故人最初亦是伏地而行。”这也是合乎论理的，一般人便这样说，这样相信。须知这个判断不合事实。我们换一个说法，伏地而行便是不能“仰天而视”，人是能仰天而视的，所以他是人类，不是动物。这话不能表现着事实吗？若大家首先相信“人是动物进化来的”这一个前提，则这个前提里面已包含着事实，固无须乎判断。故世间的论理根本上失却了论理的意义，论理者乃无所容心于其间，其性质如虚空，它只有容纳，无有违碍，故能表现事实。有论理之故，便是有事实之故。其事简单，即是理智作用，人人可以承认的。到了你拉着它替你说话时，是你自己相信的事情要人相信，是妄想，非事实也。你要它替你说话，你只认识它的躯壳，你不认识它的道德，这时的理智便是世人的理智。它的道德是容纳，若有违碍，是你自己违碍。

这样说来，说论理有两个也可以的，一个论理是论理的精神，一个是论理的形式，世间的论理便是论理的形式。我还是借文法的事情来说明这个意思。在一本初中教科书名叫《文化英文读本》上面有一个练习，系汉译英，汉文是这样一句，“一个人看见一只鸟登在树上”，学生翻了英文给我看，几个名词前面都加了无定指件字，因为中文原句是“一个人”，“一只鸟”，都照样翻了；“登在树上”原句虽没有写着“一棵”字样，他们以为照英文规矩名词前面要加指件字，所以他们的译文也是在“一棵树”上了。我看了这句英文，殊觉可笑，虽然这句英文没有文法的错误。我问学生道：“一个人看见一只鸟登在一棵树上”表现的是什么事实呢？换一句话，这句话告诉你一个什么意思呢？你必瞠目不知所对，因为这句话本没有意义，本没有表现着事实，徒有文法的形式而已。如果你写一个故事，说，“昔时一人看见一鸟登在一棵树上，思援弓缴而射之”，那么“一个人看见一只鸟登在一棵树上”才有意义。编英文读本的人，只记着文法的规则，不考虑到意义，结果乃不知所云。因此我告诉学生，文法的精神是表现事实，如果只懂得文法的规则，不懂得事实，徒有文法的形式而已。论理亦然，“凡甲是丙，今乙是甲，故乙是丙”，此固为形式，即使把甲乙丙三个代字嵌了名词进去，把世间的日月星辰动植物都号召进去，亦不能断其不徒为形式。有人向你这样论断，“凡神仙不死，吕洞宾是神仙，故吕洞宾没有死”，你理会这个论断吗？你一定说这个人不懂得论理，徒有论理的形式。因为这里包含了你所不相信的事实，“凡神仙不死”，“吕洞宾是神仙”。

我于提婆《百论》而认识论理的精神。提婆叹惜世间学人不懂得事实，叹惜学人的事实都不合事实，虽然学人以语言文字表现其事实，求合乎文法，求合乎论理。提婆语之曰，“头足分等和合现是身，汝言非身，离是已别有有分为身。复次，轮轴等和合现为车，汝言离是已别有车。”这就是说离开众树还有一个树林，离开眼睛离开耳朵等还有一个你所爱惜的身子。世间到处是这样的言语，到处是这样的感情，因此到处是这样的事实。如我前所说，达尔文物竞天择的学说是根据这样的事实推断出来的，因为他离开种子别有植物，正如离开麻别有绳子。其他如说人的手是从兽的前腿变来的，换一句话说由动物进化为人，都是离“分”别有“有分”，于是分身一变！所以天下的动物都应是孙悟空的分身变化，比说同出一源，这个是那个的种属要圆满得多。这里还有什么因果法则呢？这便叫做怪异。照学者们的事实实应如此怪异，然而学者们的说话都合乎论理。这个论理是论理的形式，其所表现者不是事实，而是——佛书上叫做“相，名，妄想”。车是相是名是妄想。身是相是名是妄想。推而至于动物是相是名是妄想，人是相是名是妄想，无须乎要等到说人是动物进化来的乃是妄想。学者们每每说老百姓的话是迷信是妄想，因为老百姓的话不能合乎论理，不求证于事实。岂知不能“无相”便不合乎论理，不能“无相”又何须求证于事实？何以故？已别有车故。既已有车，何须乎要事实去证明它？又何须乎要论理去说明它？如说有怪便有怪，只要你相信，无须说明。老百姓与学者不同之点，确乎在于一则求证事实求合论理，一则只是相信。而学者不知事实是“无相”，“无相”乃合乎论理，论理正所以表现“无相”之事实，否则汝所谓事实仍是汝相信它是事实，汝徒有论理的躯壳耳。事实是“无相”，故事实非汝所执着的车子；事实是实有，故事实有论理的表现。人人有论理，正如人人有言语,菩萨的言语菩萨的论理与世人同,不过世人说话是要人相信,菩萨说话是说世人的话说错了,即是世人的事实不是事实。菩萨固不另外拿事实来要人相信。菩萨的话只是合乎论理,合乎论理故是事实。世人有论理,是世人能信菩萨的话;世人执着名相,是世人不懂得论理的精神。菩萨乃以汝之论理破汝名相,即是破汝事实,因为世间事实是名相,非事实。我们于此乃认识论理的精神。

我前引提婆乳中有酪酥食中已有粪的话指世人不知因果,也就是不知"无相"。世间有乳酪酥之事实,但没有汝执着的乳酪酥之物,犹之乎流水中没有一个静影,然而没有静影并不是没有事实,事实是无相。我重复的说,论理所以表现此"无相"之事实也。换一句话便是凡事都要于理说得通。在汝几何学上讲的,世间没有这个实物,而在理智上是一个事实。汝之理智与菩萨是一般的,菩萨之言说,正是诉之于汝之理智。汝惟陷于名相之中,故汝之理智乃不足以认识真理即事实。岂惟不认识真理,反而障蔽真理,菩萨说汝乐着戏论。汝一旦觉悟了,便知道事实是无相,然而事实是有,是论理。这时汝之理智固不增不减,便是虚空,无障碍故;便是世界,实有故。

最后我引提婆破灯喻的话作本章的结束。世人说灯能照暗,提婆说灯本无暗,照什么?试思之,灯下那里有暗,犹如日光下那里有黑夜?然而世人都相信灯能照暗的事实,正是执着名相之故,一方面执着一个暗,一方面执着一个明,于是名相与名相加起来,曰灯能照暗,实在是明无暗何谓照。所谓"本来无一物"也。《华严经》则曰:"譬如清净日,不与昏夜俱,而说日夜相,诸佛亦如是。"

第七章　破生的观念

世界是有不是“生”。世间生的观念不合乎事实，故亦于理说不通。而世人相信不疑，以为睁眼看见事实。

我前就“木生子”的话已指明其不合理，即不合事实。“木”非能生，“子”非所生，离开子没有木，“木”是妄想，因而木生子是妄想。这话是多么明白呢？道理是多么简单呢？吾不知世人因我的话而有所觉悟否？世间尽说母生子，犹如木生子。菩萨说母实不生子，子先有从母出。子从母出，犹如芽从土出。世人对于这个话则决不肯信，因为世人不懂得“有”字，以为有形则是有，故生而后有也，故世界是生也。总而言之，照世人的意思是物生物。母生子，母是一物，子是一物，由甲物生出乙物来，同时有甲又有乙，世间母子并有，不是颠扑不破的事实吗？须知，汝在未听我的说话以前，亦正以为一棵树生出果实来同时有甲又有乙，有一棵树，又有一棵树上落下来的果实！我告诉你离开果实，离开花叶，离开植物的各样器官一棵树不可得，所以汝心目中的“一棵树”不成立。汝心目中的“母”亦然，菩萨说离血分等母不可得，照汝之意亦应是血生子，非母生子也。故说物生物，由甲物生出乙物来，同时有甲又有乙，正是一般的“我所”之心，即执着。我曾同一友人谈植物是种子续生，非甲植物生乙植物，友破我的话举种柳插枝为例，他说从一棵树上折下一根枝条来，这根枝条又长成一棵新的树，这棵新的树非原树所生吗？不是同时有甲又有乙吗？我说离开枝条树不可得，你以为这根枝条是那棵树的枝条，岂知“那棵树的枝条”是妄念的根本。

再说，物生物的观念堕无穷过，堕不定过。此二问题是理智上必有之问，不能以不可知了之，以为此事应该是存而不论。世间没有不可知的事实，理智又岂是“不可知”。怎么说无穷过呢？汝说物生物，由甲物生出乙物来，则甲物又是怎么来的呢？追问下去，能非戏谈。所以乡下人说笑话便有，鸡蛋是怎么来的？鸡生的。鸡是怎么来的？蛋孵的。还是先有蛋还是先有鸡呢？于是一哄而散，说了一个大笑话。物生物，甲物生乙物，便要问甲物是怎么来的。虽有言说而等于一句白话。是无穷过。怎么堕不定过呢？甲物生乙物，然而，就世间的观念，从甲物不能决定有乙物。龙树说，泥水和合而生瓶，但从泥与水不能决定有瓶生。即是说泥水与瓶没有关系。天下可以有泥水，而天下可以没有瓶，怎么说泥水生瓶呢？就我们所学的化学为例，轻气养气化合而生水，但从轻气养气不能决定有水生。我们看见世上有轻气养气，我们看见世上有水，如是而已，怎么叫做“生”呢？生者必有因果的关系，如种必生芽。所以照世人的“生”，世界便不成世界，因为不定。世界是生而后有，(须知这句话是多么不通！既肯定世界，则世界已有，生何用?)而生不定，是世人之生根本上是一个偶然，还谈什么道理。你再同他谈，他说你同他谈玄。于是他说他重事实，不讲理论。他不知道事实是无有不合乎理论的，理论是无有不简单的，无所谓玄。他之所谓事实是妄想。《易·系辞》曰，“易简而天下之理得矣”，诚哉是言，无如世人不思何。孟子曰,“思则得之,不思则不得也”。又曰,“物交物,则引之而已矣”。世人是逐于外物,遂而不思。世界是有,固无所谓生,生者有之法则耳,非生而后有也。一棵树的道理就是一个世界的道理,一棵树上讲得通的一个世界也讲得通。一棵树是有,而这个有不是另外有一个有名叫种子生出来的。种子就是树。种生芽是有之法则。说到这里我附说一事,世界是有,故“无始”,我们不能说种子为始,而以树终之。总之是无始,本来是无始。《俱舍论》曰,“故知有轮,旋环无始。若执有始,始应无因”。那么有因故无始。所以佛书上无始一词,乃是智者无不知的说话,非如俗情不知道起头的时候故说无始也。俗情以为凡事有始,凡物有始,都是从生的妄念来的。熊十力先生在其著作里释无始为泰初,未免不识佛义,由自己的意思加解释。

下面我更本着菩萨的两番说话指出“生”是戏论。

《百论》破外云,“汝若有生,为瓶初瓶时有耶?为泥团后非瓶时有耶?若瓶初瓶时有瓶生者是事不然。何以故?瓶已有故。是初中后共相因待,若无中后则无初,若有瓶初必有中后,是故瓶已先有生复何用?若泥团后非瓶时瓶生者是亦不然。何以故?未有故。若瓶无初中后是则无瓶,若无瓶云何有瓶生?”这里且不谈因果,就说生的话,要问是什么时候生出来的。这个东西已有,不能说生,因为已经有了。这个东西未有不能说生,因为本没有这个东西,怎么说这个东西生呢?不同你现在手下没有钱,有人向你索欠,你说明天有钱。而同你问鸡是什么时候生的,鸡未生你不能指着蛋说鸡生,犹如没有主词根本不能成立一句话;鸡已生你不能指着这个鸡说鸡生,因为它已生。我再说明白些,一个婴孩已有了,不能说儿生。婴孩未有,又何能说儿生？只有两个场合，有与未有，那么怎么能成生呢？世人还是大惑不解，他说是慢慢地生出来的，由一枚鸡蛋慢慢地孵出鸡来。他不思索初中后共相因待的话。《百论》外曰，"初中后次第生故无咎。泥团次第生瓶底腹咽口等，初中后次第生，非泥团次有成瓶，是故非泥团时有瓶生，亦非瓶时有瓶生，亦非无瓶生。"这正代表了一般人的意见。初中后非次第生，次第生者，有初而无中，由初生中，有中而无后，由中生后，换一句话便是，初不知中，中不知后。如儿在母胎初时不知为男不知为女。而实不然。若有初便已有中后，如说鸡蛋快要孵成鸡了，始有鸡之形而鸡已全，而非他物，所以有鸡之始必不有牛之后，有雌之始必不有雄之后。若次第生，则初为鸡，中后何以不为别的怪物呢？故说一个东西是慢慢地生出来的，则中间应不晓得叫做什么东西，于理不合。只有有与未有，有则不须生，未有云何生。而世间说生，不是有而说生，便是未有说生。前者如说一个婴孩生了，后者如说轻气养气生水。

又《百论》外曰，"应有生，因坏故。若果不生因不应坏，今见瓶因坏故应有生。"这就是说，甲为因乙为果，有乙之果生，故甲之因失。如有瓶果，斯失泥因。若无瓶果生，则泥因不失。这也正是一般的意见。甲物生出乙物来，甲物虽没有了，而有乙物以代之矣。内破之曰，"因坏故生亦灭。若果生者，是果为因坏时有耶？为坏后有耶？若因坏时有者，与坏不异故生亦灭。若坏后有者，因已坏故无因，无因故果不应生。"以乙代甲，甲非坏而何？甲坏何以能生乙？如此裁判，毫无疑义。何以有此不合理的案件呢？是世人生的观念也。我提醒科学家一件事，一般的意思是因坏而生果，提婆的意思汝因无所谓坏，汝果无所谓生，我于此诚不能不赞叹夫合理者必合事实！试就我们所学的化学说，轻养化合而生水，而水仍是轻养，可以分解还原，何曾是因坏故应有生乎？故世界是无生，而是有。

第八章　种子义

《新唯识论》批评空宗有宗讲因缘的话，见得熊先生于佛教无心得，熊先生依然是中国智者，异乎印度菩萨与欧西学者的求真，故不能面对真实，也就是不懂得佛教的空宗与有宗。熊先生说，空宗谈因缘，尚无后来有宗所谓种子义，但从宽泛的说法，一切事物都是依众缘而起的，都不是独立的实在的东西；有宗则将因缘义改造，以种子为因缘，于是铸成大错，陷于臆想妄构，未可与空宗并论。我于此不能不想到孟子说的"君子深造之以道，欲其自得之也，自得之则居之安，居之安则资之深，资之深则取之左右逢其原。"熊先生是能自得者，然而他曾经从师学佛，学唯识，关于唯识的话熊先生都是学来的，与熊先生自己无关。熊先生由唯识一变而反唯识，因为正对之是得其糟粕，所以反对之仍是糟粕，反不如我这不学的人懂得他的精神。我读书向来没有从书上学得什么，我读书乃所谓"就有道而正焉"。当我自己悟得种子义的时候，我欢喜赞叹，于是我由空宗而懂得有宗，由有宗而更懂得空宗矣。且让我将我不学人对于此事的经过略述之。

熊先生最初在北京大学讲唯识，屡劝我学佛，其时我则攻西洋文学，能在莎士比亚斯万提司的创造里发现我自己，自以为不可一世，学什么佛呢？稍后熊先生毁其唯识讲义稿，欲撰新唯识，我观他的神情终日若有所思，一日同游北海，问之曰，“为什么反唯识呢？他的错处在那里呢？”熊先生曰，“他讲什么种子。”当下我听得了“种子”这个名词，毫无意见，因为同他完全是一个陌生的，又无心思去理会他，有什么意见呢？我向熊先生发问，本是随口问出了一句话。民国十九年以后，我能读佛书，龙树《中论》于此时读之，较《智度论》读之为先，读《智度论》时则已读《涅槃经》，已真能信有佛矣。读《中论》最不能忘的是其泥中无瓶的话，觉得世间因果之说很无道理，说因就应有果，何世间的因与果没有必然性呢？那么因果二字只是普通的关系二字，便是熊先生所谓宽泛的说法。《中论》的许多言语，其余的话我懂得他说得圆，有时也能打动我的心，而最不能忘令我深思的是破因果。世间“生”的观念于此已发生动摇，不过尚隐而未发。二十六年读《涅槃》而信有佛，信有三世，是“生”之说已完全动摇矣，然而无暇去考虑，只是信佛，信有三世。以后且不读书。在故乡避难时，习于农事，每年见农人播种，见农人收获，即是说见植物的下种发芽开花结实，周而复始，一日在田间而悟得种子义，大喜，思有以说明“生”矣，即是种子续生。种必有芽，非如泥不有瓶也。这时我乃忆起熊先生曾经说过种子，他反对种子，那么唯识乃说种子乎？种子究应如何说法乎？我思读有宗的书。我以前只喜龙树，有宗菩萨的书未尝寓目也。我固已知熊先生一定是错了，因为我在许多经验之后，知道古圣贤的话都没有错的，“新”则每每是错。觅得《瑜伽师地论》读，同时读提婆《百论》，空宗有宗乃双管齐下，乃一以贯之。我读书合于陶渊明好读书不求甚解，我敢来讲阿赖耶识，只读了一部《瑜伽论》之后，而《瑜伽论》又未曾细读。《成唯识论》虽也取在案前，只供翻阅，并不怎样借助于他。因为我确实已懂得阿赖耶识了，天下道理本来是自己的，是简单的，百姓日用而不知，知之又有什么难呢？我固知道熊先生不懂得阿赖耶识，中国大贤如程朱陆王都不懂得阿赖耶识，（只有伊川是最能及之）因为求真习惯不同，而我不能不讲阿赖耶识矣，我想请大家共信真理，殊途同归。此事真是一件大事。等我的《阿赖耶识论》写完，我倒想不远千里到那里去从师学佛。

还是回到空宗有宗说因果。空宗菩萨之为空宗菩萨在其说因果，有宗菩萨之为有宗菩萨亦在其说因果。在论两说以前，我不妨引伊川学案里面的两则话，于这两则话证明我一向认伊川是能格物的没有认错，于这两则话有宗的因缘之说应该容易为中国儒者接受矣。伊川曰，“冲穆无眹，万像森然已具，未应不是先，已应不是后，如百尺之木，自根本自枝叶皆是一贯，不可道上面一段是无形无兆，却待人旋安排引出来，教入涂辙。既是涂辙，只是一个涂辙。”又曰，“有一物而可以相离者，如形无影不害其成形，水无波不害其为水。有两物而必相湏〔须〕者，如心无目则不能视，目无心则不能见。”伊川的意思等于说，形与影不能为因果，水与波不能为因果，因为有形可以无影，止水不必生波，若因果则两不应相离。其根本枝叶之喻则是说，植物的根茎枝叶花果是一贯的，应不分先后，由根本必有枝叶。那么这两则话确能见到因果的意义不是普通所谓关系的意义了，很令我欢喜。有宗说因缘，要“亲办自果”，亲办自果者，不如形之于影，水之于波，此中因果不定，要如植物的种子，有种子之因即已决定有其果。这个意思是最要紧的，我由空宗因果不定的启示，到“亲办自果”而圆满，往下的话不过左右逢原耳。《成唯识论》说种子义有六种，其中两种是我想提出的，即其第二义“果俱有”，与其第六义“引自果”。果俱有者，不是就种子的狭义说，是就种子的广义说。种子的狭义，如植物以一颗种子为因，要到后来开花结果了，果中藏着种子，于是前以种子为因，后以种子为果。种子的广义，如植物是随时为种随时为果，在我们栽植的时候，有分根，有插枝，则根与枝都是种，即根与枝都决定有其必生之果。如是根可以谓之果，因为由种子来的；根亦可谓之种子，根亦能生故。枝可以谓之果，由种子来的；枝亦可谓之种子，枝亦能生故。这样叫做果俱有，“依生现果立种子名，不依引生自类名种，故但应说与果俱有。”《瑜伽论》云，“种子(云)何？非析诸行别有实物名为种子，亦非余处。然即诸行如是种性，如是等生，如是安布名为种子，亦名为果。当知此中果与种子不相杂乱。何以故？若望过去诸行即此名果，若望未来诸行即此名种子。如是若时望彼名为种子，非于尔时即名为果。若时望彼名果，非于尔时即名种子。是故当知种子与果不相杂乱。譬如谷麦等物，所有芽茎叶等种子，于彼物中磨捣分析求异种子了不可得，亦非余处。然诸大种如是种性，如是等生，如是安布，即谷麦等物能为彼缘，令彼得生，说名种子。”这段话很有趣，“谷麦等物，所有芽茎叶等种子，于彼物中磨捣分析，求异种子，了不可得，亦非余处”，是种子非如俗人认为是一棵植物的种子，而是“芽茎叶等种子”了。植物学家拿一颗种子简直可以分析得出来，一颗种子并不是囫囵吞枣，他里面是有芽茎叶等种子，另外还同婴孩要吃乳一样自己带了养料。这样便联到“引自果”义。《成唯识论》释引自果云，“谓于别别色心等果，各自引生，方成种子。此遮外道执唯一因生一切果，或遮余部执色心等互为因缘。”植物的芽茎叶都是芽茎叶种子长出来的，不是一个性质的种子长出各样东西如芽与茎与叶来，也不是由一枚叫做种子的东西而芽而茎而叶互为因缘生长出来。芽要芽种，茎要茎种，叶要叶种，自种生自果，不是一般种生诸多果。用我们现在的新名词是“分工合作”，可将“果俱有”与“引自果”两条包括起来。有都是同时有，而又互相引生，并不是如提婆所说“从谷子芽等相续故不断，谷子等因坏故不常”。因无所谓坏。这里或者是我一得之愚贡献给菩萨。这是说笑话，我只注重“亲办自果”四个字，其余的话都是枝叶。然而说这一番枝叶话我却有一个大原故，便是事实是论理。我在上章之末证明非因坏而有生的话举轻养化合生水而水仍是轻养可以分解还原为例，现在就种子义说，因果同时，植物不是种灭芽生而是种芽俱有。因坏而果生，于理不合。若合乎理，必合乎事实。植物种子里面有植物的芽茎叶，正如水里面仍是轻养。菩萨的论理要宗、因、喻三项，这个“喻”甚属重要，因为论理是要说明事实，事实因性质不同，范围所限，有时不能举证，必可得喻。我今说种子义，以植物种子为喻，自知深合菩萨意，而熊十力先生在其著作里说菩萨不该拿世俗稻麦上的事情应用到玄学上来，殊非格物君子之言。《华严经》曰，“令一切世人得无生心，不坏因缘。”又曰，“了诸法空，悉无自性，超出诸相，入无相际，而亦不违种生芽法。”无生无相，是空宗菩萨教给我的。因缘即种生芽法，应是我自己悟得而有宗菩萨为我作证的。那么空宗确是教了我一个空字，有宗确是教了我一个有字。空宗是就世间的事实破世间的事实之不合理，其立言甚难，故其立言甚巧，他的论理真如一个虚空，实物冲突让实物自己去冲突，在诸般冲突之后而信有虚空，不冲突故。世界是有，空宗岂有不知，故提婆说"是因缘生法世间信受。"独是提婆所谓因缘生法未必如有宗所说因缘之具体而有定义，故必待有宗起而说之。此事亦殊有趣。提婆斥世人的事实是"乳中有酪酥等，童女已妊诸子，食中已有粪"，其实照因果之说应是如此，"乳中有酪酥等，童女已妊诸子，食中已有粪。"何以故？因必有果故。用有宗的话便是亲办自果，便是果俱有，引自果。故植物种子有芽茎叶等，说种子已有一株植物。那么空宗已是有宗之理论，而有宗则补出空宗之事实。其无相无生则一。

第九章　阿赖耶识

现在让我将我以前的话作一个总结。世人执着有物，不知有心，说物世人心目中有一个东西，说心则空空洞洞的，就身心说则心是官能的作用，如刀之与快。这是不合事实的，故我首说有心，心是一个东西，犹如物是一个东西，各有各的因果法则。由认识心有心这个东西之后，然后说唯心，即是中国儒者所谓合内外之道，不是物在外心在内，心物是一体，应没有“距离”，没有内外之分，这样物就是心，世界是心不是物。主要的意思便是一句，世界是心不是物。因为这是事实，故你可以用论理去表现它，由你左说右说它无有不合理的。世人执着有物，因为不合事实，故于理说不通，而世人固承认理智，菩萨故以理智同世人说话，叫世人认识事实。世人执着有物，于是而有“相”有“生”，世间的理智也正从有相有生起，独不思有相有生则不应理。菩萨说无相无生，说因缘。在唯心之后，无相无生是不成问题的，因为汝之相是物之相，汝之生是物之生，汝已将物之结缚解开了，汝无物为相，无物为生。要紧的是唯心，如不能得此密意，只说一切事物都是依众缘而起的，都不是独立的实在的东西，那么唯物论者又何尝不是说事物间的关系，又何尝承认世间有一个独立的实在的东西？唯因他不能唯心之故，他的意识间总有一个物，由有一个物再来说物与物的关系罢了。智者如熊十力先生依然是眼见物说话，不过熊先生观物如看活动电影罢了。认识心何其是一件难事！中国儒者合内外之道，究其实是他的伦理观念如此，是他的物我无间的怀抱，他不是唯心而合内外，他还不能将物“格”之。将物格之便是唯心，便是合内外了。汝能唯心，再来说“相”说“生”，是可以的，而且应该说，故佛说因缘。这样便说到阿赖耶识。

阿赖耶识就是心。不用心这个字而用中国人所不惯的阿赖耶识，便是唯心之后要来说“相”，要来说“生”，要能够“合内外”。在说阿赖耶识以前，我不妨又引用伊川的话，伊川学案里面有一则曰，“天地之间，有者只是有，譬之人之知识闻见，经历数十年，一日念之，了然胸中，这个道理在那里放着来?”伊川的意思是说有心，道理是在心上放着。他慨乎其言之，是他目中无物而体认得心，不如世人“物交物则引之而已矣。”虚空则不生，如土里没有种子不能长出芽来，未曾发生的事情脑中无所谓记忆，因为本是虚空无有。若夫“知识闻见，经历数十年，一日念之，了然胸中”，数十年之中虽然忘记了它，并不是没有它，它如一颗种子潜藏在那里，发生时便发生了。所以伊川曰，“天地之间，有者只是有。”接着他问，“这个道理在那里放着来?”他确实有惊异之情，他知道有心，而不知道这个东西的相，不知道这个东西是如种子一样的生起，他仿佛这个东西不可思议。故我常想，同儒者讲阿赖耶识确是很要紧的。儒者的格物再进一步是要到这个地位的。这里并不是不可思议，是可以分辨得清清楚楚的。伊川所说经历数十年的知识闻见，是意识的作用，意识是心的一种，是一个实实在在的东西，它以了别法为相，犹如眼识了别色，耳识了别声等等。色与声等世人以为有这个东西，因为色“有见有对”，声“无见有对”。法虽无见无对，而法不是虚空，它也是一个东西，故经历数十年而念之了然了。若虚空则无所谓念之。法好比是影像，影像要待现境生，法亦然，那便是我们平常见物而识物，闻声而辨声之故，不过既见既闻之后，意识有忆念过去的作用，不如影像离现境而无物了。这个过去曾所受境的藏所是什么呢？这个藏所便叫做阿赖耶识。故阿赖耶识亦名藏识。对藏识说，意识以及眼耳鼻舌身五识则叫做转识。藏识与转识各各的作用不同，中国人则笼统的叫做心。是必有意识的，如我们第一次遇见一个陌生人，我们不认识他，见了然后认识他，到得第二回再见，虽然与第一次同是以眼见，而所见不同，这回是见了一个认识的人，这便不是眼见，是意识来认识了。若论眼见，则第一次与第二次无异，故区别决不在眼见上面。又如我们记一个字记不清楚，但确有一个字，即是有一个东西，与未曾识这个字的时候不同，到得旁人将这个字写出来看，一看便认识了，看时是眼见，一看便认识是眼见之外再由意识去认识，记不清楚的时候是单独的意识作用了。普通见物闻声等等都是于眼识耳识等等各有作用外，同时有意识作用，若单独的意识作用如记忆则意识有不明了性。而意识是实有的。说见说闻并不是如一般人的意思以眼睛去见，以耳朵去听，而是眼识依眼了别色，耳识依耳了别声，眼识便是在眼的心，耳识是在耳的心。鼻识于香，舌识于味，身识于触类推。盲与聋不能见不能听，是他眼耳的缺陷，不是他眼之心即眼识耳之心即耳识的缺陷，其眼识与耳识同我们眼耳健全人一样，同我们在熟睡的时候眼不见耳不闻一样。眼识耳识鼻识舌识身识意识都如水流之波，而阿赖耶识如水流。

波有时不兴，而水则无时不流，故我们可以不见物不闻声不追念过去如熟寐无梦的时候，而我们的心则无时不在，明朝早起依旧听啼鸟看落花了，好比水里又兴波作浪了。无时不在的心是阿赖耶识。它能藏诸转识，它虽能藏诸转识而它不能做它们的事情，如箱子不能做衣物的事情。谁能否认有意识呢？你认识一个字决不单是以眼见，你不以眼见你脑中还是有一个字。这是意识作用，即是心的作用，不能如俗说是官能作用。此刻以前你不记得那个字，此刻忽然记得了，是意识有时有不明了性，若论官能，你此刻的官能同此刻以前的官能原是一样的。你不记得那个字，打开字典忽然记得了，是意识待现境而明了；把字典拿开而意识所了别的法仍在，同种子一般，以后总藏在你的心里了。必有眼耳鼻舌身五识，否则在熟睡时，汝眼耳鼻舌身无恙，何以与色声香味触不发生关系呢？转识有时起作用，有时不起作用；起作用可以同时并起，如同时看一个东西的颜色听一个东西的声音；不起作用而其作用仍在，故知识闻见经历数十年一日念之了然胸中。各别作用不相混同，是人人可以证明的。不相混同各自藏在阿赖耶识里头。如果没有藏识的话，诸转识何以能不起作用呢？即是转识不起作用时候的心呢？（再说，死时的心呢？）因为汝已能唯心。如果没有藏识的话，诸转识何以忽起作用，同时作用，各自作用，而不互相冲突呢？此时不起作用，其曾经作用安置何处呢？如说作用谢灭，你何以有记忆呢？何以见猎心喜呢？故必有转识，必有藏识。转识与藏识各有其自体，各有其作用，换一句话说是不相混同各别的东西。总共又是一个东西，即我们的心。其各别不相混同，如一棵树的根茎枝叶花果种子。其总共为一个东西，如一颗种子长起来的树，又如一棵树所成熟的种子。种子长起来的树，树随时有种子性，现在树就是过去种子；树所成熟的种子，种子里面有一棵树的诸多器官各自种子，现在种子就是未来树。这便叫做“一合相”，有什么互相冲突的地方呢？不相冲突，各有自体，合乎理，故合乎事实。科学也正是如此。科学首重界说，即是首先认定那个东西，即各有自体。不相冲突，乃证明其各有自体。不过科学是唯物，观物而认其各有自体，是世间的理智。唯心而认心有自体，则其事甚难。熊十力先生论习气云，“习气者，本非法尔固具，唯是有生以后，种种造作之余势，无间染净，展转丛聚，成为一团势力，浮虚幻化，流转宛如，虽非实物，而诸势互相依住，恒不散失。”欧阳竟无先生的《瑜伽论序》里面也有同熊先生类似的话，“薰习义是种子义。与彼诸法俱生俱灭，而有能生因性，无间传来为后生因，是名薰习。虽无实物而有气分，气分者犹如云起。”这都是中国学者的口声，说的话笼统得很。其所谓“实物”应该就是实实在在的东西的意思，总不至于如世俗所说探囊取物之实物。依照唯识道理，心与心所（由心所生起的事情佛书上叫做心所，如中国所谓喜怒哀乐等都是。心比太阳，心所则是光，光是太阳所生起的事情。所谓习气，所谓薰习，都是心所生起的事情。）都是实实在在的东西，若无实则是虚空，有什么“气分”呢？有什么“势力”呢？所以我说唯心而认心有自体很难。印度菩萨与欧西学者求真要物有其实，不相冲突。事实是如此，理智亦是如此，如几何所讲的点线面虽不是实物，而非虚空，虚空则是“非法”，不会令人起解。若说“幻”的话，则幻义是对世俗说的，如说几何所讲的点线面不是实物是一个意思，因为世俗说点就有一个点儿，说线就有一条线，说面就联想到一张薄薄的面。学问上所说的幻正是法则，正是事实，岂对于一个什么实物而说幻哉？故唯心论者开口说什么实物，什么幻化，算是未能免俗。我说话总是极力避免显他人过，有时真是不得已。我的意思是要说明佛家“一合相”的意义，即是各有自体，不相冲突。熊十力先生在他的著作里一方面说一合相是不对的，一方面说有宗菩萨把心析为各个独立的东西也是不对的，他不知道有宗菩萨说的正是一合相。天下事情那里不是一合相呢？眼耳口鼻在一个首脑上，不是一合相吗？根茎枝叶花果种子同在树上，不是一合相吗？就拿一颗种子即未来树来看，不是一合相吗？要各有自体，不相冲突。我们的心，即藏识与转识，正是各有自体。藏识与转识，不相冲突，正是我们可以体认得着的心。世界是心，不是物。就我们见物一事说，要三项具备，即眼识与眼与色，而这三项是一事，诚如伊川所谓“有两物而必相须者，如心无目则不能见”，伊川将心与目合而为一，却还有外物在，仍不是合内外，事实是色与眼与识合而言之为在眼的心，不是离识别有存在的外物了。佛书上说见色的法则是“色于眼非合，非暗，非极细远，亦非有障”，非合即是要有适当的距离，迫在眉睫则视而不见。这些话我觉得很有趣，就说内外的话，是法则应有内外也。故心物一体。而心与物又有各自的体，即有其各自的因果，故起作用，否则是非法，是虚空。就转识与藏识说是一合相，就心与物说亦是一合相。就诸识说，藏识与转识各有自体；就一识说，心与物各有自体。换一句话说，心是诸多种心合起的，诸多种心是诸多种种子合起的，藏识有藏识种子，转识有转识种子，心与物又有心种子与物种子。说种子便是有自体，如树种子。说种子，便是一合相，如树种子如树。说种子便是亲办自果，如种生芽。说种子，便是无生，如一株树与一颗种子是一个东西，不是本无今有。这个道理是多么简单！这个事实是多么简单！道理是不生不灭！事实是有！再说，只能说有之相，不应问怎么有。汝正是问怎么有，于是汝答曰“生”，汝不知汝是妄想，非事实也。菩萨的话，只说谷麦，说谷麦种子，说的是这一个东西；世人的话则是说两个东西，即能生与所生。一株植物是诸多种子，诸多种子是一株植物，由种子长起一株植物，由一株植物又结成种子，若轮之旋环无始，佛教所说的轮回便是这个意思。阿赖耶识是诸多心诸多种子的藏所，犹如植物成熟的种子是植物一切种的藏所，种子的自种也藏在这里头，试看植物种子里头备有种子自己的营养，植物学家叫做子叶，岂非应有尽有。我们所说的“死”，是阿赖耶识离身；我们所说的“生”是阿赖耶识依托着，即所谓投胎。死不是断灭，生仍是本有。《华严经》曰，“识是种子，后身是芽。”这所谓识，是阿赖耶识。这便叫做“种生芽法”。阿赖耶识能执持身，死时它渐渐离身，故身上冷触渐起。若转识则无执持身的作用，观于人死时意识可仍照常，而肢体冷触渐起可知。《瑜伽论》上有这样的话可能说明执持的意思，“心心所任持不舍说明执受。当知此言遮依属根发毛爪等，及遮死后所有内身，彼非执受故。”这就是说我们身上的发毛指甲为心即阿赖耶识所不执持，同我们死后的身子为阿赖耶识所不执持一样。死后的身子，因为阿赖耶识不执持，故即成尸体，渐渐腐败了。凡我们身内的排泄物亦然，离开身子，即阿赖耶识不执持，便腐败了。若头发指甲等，因为本非执受，几几乎是身外的东西，故割它它不痛，死后它也就不若一块骨头容易败坏了。骨肉本是阿赖耶识所执持的，死则阿赖耶识不执持，故败坏了。阿赖耶识是什么一个东西，读者至此，或可明白乎？世界不止我们人类这个世界，佛说三界，欲界色界无色界，阿赖耶识藏有各界种子，故各界都可生。在各界中打转，叫做轮回。我们要认得人生如梦的真实，真实是因果法则。世界是因果法则，犹如梦是因果法则，非如俗所谓一真一假。你说话匣子不是真的声音，它为什么不是真的声音呢？物理学所讲的它的法则不是真的吗？它同你亲口说话不是一个法则吗？你为什么一则执着，一则能不执着呢？佛叫你"了声如响"。在你的梦里，色声香味触都是有的，而你说是假的，因为没有色声香味触的东西在外面存着，岂知这是因果法则有异，不是真实有异；是心有异，不是内外有异。梦时是汝的意识转，醒时是汝的意识同眼耳鼻舌身识一起转，外物的因缘本来在汝的藏识里头，只是其主识有时不转罢了。如婴孩便没有外在的世界。没有外在的世界，但不是没有外在世界的种子，发生时便发生了。各自的世界都是各自的一棵心之树。心诚如种子，它无论如何要发生的，所以汝见猎心喜。心的发生诚如种子的发生，只有这里才能见因果的道理的，所谓种生芽法。

菩萨说八识，我在上面因说话方便之故少说一识，即是将第七转识末那识省略了。末那识亦名意，此识不关外境，恒内执我，就是我们平常耳无闻目无见而有有我之心了。读者要知道八识的详细说法，请自去看佛书。或者将我的话懂得了，不再看书亦可以，重在大澈大悟，悟得合内外之道，悟得人生如梦，——这不是喻言，是同几何所讲的定理一样一点不差的。

第十章　真如

世界是心。心有眼耳鼻舌身识，故世界有色声香味触诸境。心有意识，故世界有一异，此物不是彼物。我们即不与此物彼物接触，即是耳无闻目无见鼻舌身意识都不起作用，总还有一个我在，即是不知不觉之间总有一个有我之心，这个心叫做末那识。这七个心，眼识，耳识，鼻识，舌识，身识，意识，以及末那识，谁能否认呢？是的，我们有这诸多心。有这诸多心，故有世界。

再问，我们有合理的思想没有呢？我们有合理的思想，我们处处求合理。那么照我以前所说的话，合理是“无我”。无我故末那识不是真实的。合理是唯心，意识所执着的此物彼物不是真实的，即是意识不是真实的。末那识不是真实的，即无我；意识不是真实的，即无相：无我无相故眼耳鼻舌身意空。空故种子灭，于是阿赖耶识断。阿赖耶识断，即种子心断，于是心不是生起的心，不在因果之中，便是“真如”。

那么唯识的精义至此不已明白乎？始终是心这个东西，世界是它，佛亦是它，一个可以我们的私心比之，一个可以我们的良心比之，我们平常总是私心用事，良心发现时则私心无有。而我们的良心即圣贤的良心，这里是没有智愚贤不肖的区别的，正是孟子所谓性善，（孟子说大人者不失其赤子之心则不然，赤子心是种子心萌而未发。)佛说平等平等。由私心到良心,有什么界限呢?只要私心灭,良心便发现了。那么种子心断便实证真如,有什么不可信呢?不可信岂不是不信任理智吗?理智是如此,故事实是如此。你以为世界很稀奇,真如也决不是虚空,只是我们不能拿世间言语去比拟,世间言语只说得真如实有而已。佛总是说他不诳语,也无非是要人相信。而世人不相信,不相信事实你说你不能作证,不相信理智——则是应该反省的!那么你为什么不能作证呢?

这样说来,事实好像是一件幻术,你说有,世界便在眼前,而且大家在这里受苦,耶苏为我们背十字架,苏格拉底我们要他服毒;你说幻,真个便一点实在的理由没有,反而有一个不相信的真实摆在当前,说时迟那时快,我们已是佛。众生受苦,而实无有众生。无有众生,而又自作自受,世界的差别,即是轮回,便是这样来的。这样来的,而又可以到那里去,即是佛。于是本无所从来,去亦无所至。这都不是诳语,明明白白简简单单理智是如此的。理智不是学得的,是本有的。若学得的理智则是从我执法执起,是相名妄想。离开相名妄想便是理智了。于是我总括一句,是的,世界是幻术,这个幻术是理智,一无所有而无所不有,便是“色即是空,空即是色,受想行识亦复如是。”我最赞叹佛经上这样的话:“譬工幻师,造种种幻!”呜呼!孰能知此意!由理智而能知此意。宗教是理智之至极,世人乃以相名妄想去批评他。基督教说上帝创世,孔子说天命,正是圣人的言语。而近代思想乃有生物学,乃有进化论,举世不知其妄语,不知其造业!

“譬工幻师,造种种幻”,那么世界是佛的神通变化了,用熊十力先生的话正是“真如显现为一切法”。我极力避免说熊先生不是，自己把正面的意思说出来便罢了。《华严经》云：

眼耳鼻舌身　心意诸情根　因此转众苦
而实无所转　法性无所转　示现故有转
于彼无示现　示现无所有

示现而无所示现，众生受苦而无有众生，度众生而实无有众生得灭度者，理智是如此，故事实是如此。佛教三藏十二部经都是同我们说一个理字，说一个理字于是事实是唯心即唯识。

在另一方面中国儒者说一个理字，《四书》朱注“天即理也”。又云“天下之物皆实理之所为”。这个理字的含义却不是理智的意思，是至善的意思。用熊十力先生的体用二字，中国儒者的理字是“体”，佛家所说的理字是“用”。儒者见体而不识用之全，因其未能格物。未能格物，故有时于理智说不通，故儒者还是凡夫。而世界本不是凡俗，换一句话说不是科学，是佛的神通变化。用孔子的话是“天命”。佛慈悲，孔子曰畏天命，孰谓世界不苦乎？性善二字，直到孟子道出，最能见得儒家的价值，把真理面目一语道尽无遗，然而儒家从此离宗教远矣。

熊十力先生再三说“生化”，赞“生生不已”，实在是熊先生不识幻义。幻字就是示现的意思。我且引孔子的话说明示现的意思。孔子曰，“天之将丧斯文也，后起者不得与于斯文也；天之未丧斯文也，匡人其于予何！”孔子又曰，“天生德于予。”若执着于生，则孔子这些话是无可奈何之辞，等于穷则呼天；若懂得示现，则孔子说的是真实。诗云，“天生烝民，有物有则，民之秉彝，好是懿德。”这所谓“生”，不是生化，是示现，因为“有物有则”非本无今有，即非生而后有。世人执着物，故有生耳。熊先生书，未免太有世间气，因为熊先生的生仍是世俗的生耳，非孔子“天生德于予”之生。科学重理智，何其生的观念亦是世俗的生，于理智不可通。

最后问一句话，孔子应该是宗教家不是宗教家呢？我毫不踌躇曰，“孔子是宗教家。”圣人都是真理现身说法，都是宗教家。宗教家都是以出世主义救世的，只有孔子是现世主义救世。凡属宗教从世俗的眼光看都是近乎迷信的，故孔子亦有“凤鸟不至河不出图”的话。实在这是理智的至极，世界本是示现，不是生化。

说人欲与天理并说儒家道家治国之道[①]

世界到底是天理还是人欲？这是一个根本问题。中国儒家的精神在于说明天理，道家处处是警告人欲。印度佛教则是说明人欲，他的人欲的意义包含于他的“业”字。

我先说儒家。大程子曰：“吾学虽有所受，天理二字却是自家拈出来。”（见《上蔡语录》）天理二字本来是早有的，《乐记》便有“灭天理而穷人欲”的话，大程子却是真真懂得，故他特地提出来告诉我们是他自得。倘若有天理的话，天理当然是善的，岂有天理而叫人为恶？世间到处是恶事，还有什么天理？这话我想谁都想问的。大程子曰：“天下善恶皆天理。谓之恶者，本非恶，但或过或不及，便如此。”这话是真正不错。世间父母没有不爱其子的，这便是天理。中国的贪官污吏，在他家里每每正是爱儿子的父母，只是他不明道理，要替儿子发财，故他贪污了，做恶事了。所以恶正是过或不及，还是从善来的。问题便在于难得“中”，中必是善。说中，人家不容易懂得，仿佛无可捉摸，说善人人点头，虽然你是恶人你也懂得善的意义了。所以善是天理，恶者惑也，过不及也。善是真有的，它如光之不可磨灭。你说这里

① 载上海《哲学评论》双月刊1947年8月11日第10卷第6期，署名冯文炳。

黑暗吗？光并不与黑暗同存在，它并不是为暗掩藏，它总在那里，是你自己有障于它而有暗。然而你的暗是可以没有的，因为你的障可以没有。问题本不在于恶，恶是没有的。问题在于明善。人一明善，便马上懂得天理，喜怒哀乐都在这里，——世界岂是虚空？天理正是实理，喜怒哀乐都是实理，所以说"喜怒哀乐之未发谓之中"。到了发而皆中节，则世界是天理流行，所以谓之"和"。"致中和，天地位焉，万物育焉"，从逻辑说是一点也不错的，不过实际没有这样的世界，世界是善恶并存，虽是善恶并存，善有因而恶无根，善不可消灭，恶则人心确乎是想去除。天理是善，而恶则势也，故恶亦是天理。我从前写一小诗，题作"太阳"，颇可以拿来作个比喻：

太阳说，
"我把地上画了花。"
他画了一地影子。

仿佛有光明就必定有光明的影子，虽则就光明说它本来不包含影子。你能说太阳认得黑暗吗？再以健康作喻。世间当然只有健康的现象，健康者，中也。然而中则必有过或不及，故世间有疾病。疾病是因为健康而来的，但决不能说健康同疾病是相对的而并立的。善恶不能相对而并立亦然。只有善是实有的，绝对的。故世界是天理。换一句话说，性是善。我们的性的来源是天理。故《中庸》曰："天命之谓性。"我们能够知性，便能够知天，故孟子曰："知其性，则知天矣。"这个天，这个性，是实实在在之物，"其为物不贰"，不是空空洞洞的观念。要认识天或性的实在性，便是人生的意义。不过此事太难，因为我们生在世间，总不能离开外物的关系，倒是能离开天与性的关系，——不是离得开，如鱼不能离开水而有生命，但就鱼的构造说它仿佛与水没有关系。世人只有己身与外物的关系，没有天与性的关系亦然。此圣贤所以要觉世之故。圣贤觉世的功课便只是这一句："致知在格物。"我常想努力讲这一句话。这句话的含义，与科学的求知，恰是反对的方向，一是向内，一是向外。二程子曰："欲思格物，则固已近道矣。是何也？以收其心而不放也。"《大学》的格物，就是孟子的求放心，说格物好像意义不确定，其实是最切实，因为格物才是求放心。中国在满清末年，创办学堂，设新功课，有"格致"一科，是以"致知在格物"的理想应是趋向于自然科学的研究，中国之不知自己有学问，中国人之失却根据，非一日矣。须知格物是要你认识"天理"，不是要你认识"物理"。须是认识天理而后有物理之可言，否则你所讲的物理是佛教所说的业。二程子曰：

> 仁义理智，非由外铄我也，我固有之也。因物而迁，迷而不悟，则天理灭矣，故圣人欲格之。

我们生活之间都是外面有一个物，向外追求，耳逐声，目逐色，科学还要扩充耳的范围发明电话，扩充眼的范围用显微镜，我们说是进步，老子说是令人目盲令人耳聋令人心发狂。不要以为这话可笑，试看科学发达的今日谁还敢说"天理"二字？如果天理二字是真理的话，那么我们现代人不是心发狂吗？孟子曰："有放心而不知求，哀哉。"我今日真是感觉得可哀。逐物便是放心。求放心便是格物,你要能知道物不是外物,同己一样,都是天理。你要用心。这个心不是耳目见闻,耳目见闻谁都会用的,小孩子一生下地就慢慢地会用,科学家虽然更会用,但还是耳目见闻。所以小孩子知道有物,科学家也不过知道有物而已,他进一步告诉小孩子知道用仪器,五十步与百步之间只是如此。圣贤学问不是耳目见闻,是用心,是忠于己。你不能以忠于你的眼睛忠于你的显微镜为忠,那是一辈子也不知有己的,所以你总不能知止,你总是追求外物,你若忠于己,则你当知止,反省,这时你不是用耳目见闻,你是忠于己,知道己之可贵,更由己知道己以外人之可贵,于是你由忠而恕了。这个忠恕之道决不是耳目见闻所能行的,不是吗?不过在你懂得忠恕之道以后,则耳目见闻都是忠恕之道,因为耳目见闻正是世界,世界是忠恕之道。孟子曰:"形色天性也。惟圣人然后可以践形。"圣人的耳目见闻都是天理流行,真是美丽的世界,所谓逝者如斯不舍昼夜;我们则是私于耳目见闻,辜负了我们的身子,算不得"忠"了。宋儒在证明天理实有时,都不觉足之蹈之手之舞之,其切实处都从不私于耳目见闻起,即忠于己,因而认识"己"到底是怎么回事,张子曰:"己亦是一物。"二程子曰:"人能放这一个身,公共放在天地万物中一般看,则有甚妨碍?"又曰:"以物待物,不可以己待物。"朱子曰:"却将身只做物样看待。"这些话里面的"物"字不是西洋哲学上心物对待的那个物字,也不是孟子"物交物"的那个物字,是叫你莫执着有我,己同天地万物一般是天地万物,己便是世界,那么己便是天理了。世界是实实在在的,然而"无我"非天理而何?天理是实实在在的,因为己是实实在在的。我给你打一个比方。我们学数学学几何,几何这个学问有许多定理,我们看了许多定理之后，知道这个学问是实在的，你虽没有绘出一个几何图形来，这个学问的实在性一点没有损失，它不是虚空，然而你绘出一个图形来，则这个图形便是几何这个学问，这个图形之于几何不增不减。几何这个学问好比是天理，许多定理许多图形好比是天地万物，故天地万物是实在的，天理亦是实在的。“己”便是天地万物，便是天理的表现，便是天理，正如一个三角形便是几何的表现，便是几何。而世人的“我见”，则与学理完全无关，是惑，正如说“几何是欧几里德发明的”这句话一样，几何的道理与欧几里德这个名字有什么关系呢？又如说“这个三角板是我的，我不借给你！”这个感情与三角形又有什么关系呢？所以程子体会出“天理”的时候，实在是欢喜，——天理实有，还不欢喜吗？他是因为己，忠于己，而体会出天理。忠于己乃无我，无我故是天命。他曰：

除了身只是理，便说合天人。合天人已是为不知者引而说之。天人无间。

言体天地之化，已剩一体字，只此便是天地之化。不可对此个别有天地。

这便是说己不是与天对立的，己就是天，万物就是天。正如几何图形不是与几何对立的，几何图形就是几何。

我总结我上面的话的意思，世界只有善，无所谓恶，这个善，便是天理。天不但由天理表现得，天简直还是一个东西，这个东西便是天地万物。这便是真理。这个真理便是儒家所表示的。

真理表示出来，儒家还正是宗教，因为真理本来是宗教，是天命，形而下即是形而上。故孔子自称其下学而上达。不过这个宗教不是做教主，不是求永生，是做人。做人便是合乎天理。做人自然是修身齐家治国平天下。修身齐家治国平天下是一个道理，便是忠恕。《大学》所讲的平天下之道便是絜矩之道，便是己所不欲勿施于人。孔子所赞美的禹，正把这个道理表现之于事功，禹治水是以四海为壑。以四海为壑是对以邻国为壑说的，以邻国为壑便是不忠，因为有私心，没有将己扩充，扩充便是恕，即以四海为壑了。所以禹真应该是儒家的代表，是中国民族的代表，我且引孔子赞禹的话说明我的意思，孔子曰：

> 禹，吾无闲然矣。菲饮食而致孝乎鬼神，恶衣服而致美乎黻冕，卑宫室而尽力乎沟洫。禹，吾无闲然矣。

大禹圣人如此，中国乡村间一般模范的农人也是如此，他们平日不吃肉，但祭祀时要拿酒肉祭祖先；穿衣服不讲究，但家里有吉庆事或丧事，或过年拜客，要穿整整齐齐的新衣服；房子当然都是卑陋的，关于田地里的工作则治得很干净，大禹圣人不过是做一个代表而已。孔子的道理，不过替中国民族做一个说明而已。

凡是属民族精神，都不是那个民族里面的少数圣贤教训出来的，是民族自己如此的，少数圣贤好比是高山，其整个民族便是平地。高山倒是以平地为基础，不是高山产生平地。确切地说，圣贤是民族产生出来的。印度产生佛，希伯来产生耶稣，中国产生孔子，产生二帝三王，希腊则产生西洋文明罢。禹是中国民族的代表，中国民族决不会产生帝国主义的，不但圣人不以邻国为壑，一般老百姓也是最有人道精神的。当前年日本投降之时，我真是感得中国民族精神的伟大，纠正了我平常的一些偏见，因为我平常佩服中国的圣人而感觉中国大多数人是不行的，然而中国人，没有一个例外，在残暴敌人投降之后，都是同情敌俘的，那个敌意不知怎的一下子丢得无影无踪了，极悭吝的农人也给饭日本兵吃，日本兵像一个叫化子在乡下走路，夜了他可以有地方住宿，小孩子，老祖母，甚至不爱管闲事整日在田地里工作的爸爸也来照顾他一下，说一声可怜，简直不问这个被同情者曾经加了他们如何的恐怖与损害。我因此懂得中国的圣人只是中国民族的代表，中国民族的根本精神是德不是力，所以孔子说："骥不称其力，称其德也。"我们对于禹忘记了他的功劳，而佩服他的道德。可笑浅学者流，自己发狂，还要叫人相信，要无中生有找出证据来，要证明禹没有这个人，因为社会是进化的，何以古代便有那么理想〈之〉的政治呢？不是乌托邦吗？独不思，无论那个民族里，圣哲不都已出现过了吗？各个圣哲都是各个民族的代表，别的圣哲讲上帝，说轮回，（你们以为那是迷信，故不去怀疑他！）中国圣人只是中庸之道，中庸之道是以修身齐家治国平天下为事业的，故中国有二帝三王之治。中国二帝三王之治，正如佛的涅槃，耶稣的十字架。黑格尔说历史是哲学。其言确有道理，一个民族的历史正是表现一个民族的哲学，这个哲学不是唯物史观足以武断了之。孔子说他"述而不作，信而好古"。又曰："温故而知新，可以为师矣。"今之治历史者懂得"信而好古""温故知新"的道理吗？

不但做学问的人要懂得"信而好古"，我希望今之做社会运动者也要信而好古，历史真是一部"资治"之书。战时我在乡间住了十年，得了许多益处，现在我感得中国农民个个是大禹，中国不要官治，中国自然是家治，家长自治其家，大禹亦不过是“三过其门而不入”的大家长而已。中国二帝三王都不是“君”而是家长，在另一方面孔子亦不是政治家而是“师”，做父母的与做老师的还用得着要权力吗？只要道德，只要礼义，而结果自然有事功。孔子的政治主张便是“道之以德，齐之以礼，有耻且格”，同父亲教儿子一样。孟子的政治纲领也不过是：“五亩之宅，树之以桑，五十者可以衣帛矣。鸡豚狗彘之畜，无失其时，七十者可以食肉矣。百亩之田，勿夺其时，数口之家可以无饥矣。谨庠序之教，申之以孝悌之义，颁白者不负戴于道路矣。七十者衣帛食肉，黎民不饥不寒，然而不王者，未之有也。”

我抄了这节话，我非常喜悦，我相信中国政治马上有上轨道的可能，只要你莫替老百姓着急，替他们想出许多主张来。当然也不要剥削他们。何以呢？因为他们个个是大禹，即是说他们个个勤俭，他们都在那里养猪，都在那里种树，——你如果是好政府，能告诉他们一个好方法使得他们养猪而不遭瘟疫，那他们便感激不尽了。他们自己还年年花钱请塾师替他们教小孩子，只是不相信政府替他们办的学校，怕政府害他们，骗他们的小孩子，有时又善意地觉得政府是多事，“何必劳驾替我们办学校呢？”这都是我观察之所得。由此可以看出两点，一是他们能做自己的事，无须你迫他们尽他们自己的义务；二是他们不信政府，因为中国政府的措施一概不是与民有益而是私利于官的呀！如果掉过来，政府能够使得他们信，扶助他们，那么他们会做他们自己一切的事了。只注重在扶助他们，让他们有田种，告诉他们养猪的方法，另外再无须给他们以你自己的法宝，你给他们，他们会受宠若惊的呀！他们反而不自安的呀！中国历史上的政治只有黄老之术是有成功的，急性者则失败，秦始皇王安石都是。这不足以借鉴吗？黄老一派或者比儒家来得更有效亦未可知，因为他比儒家更是简单，任其自然。儒家想做父母，黄老则是做保姆。老子曰："治大国若烹小鲜。"《淮南子》解释老子的话解释得很有趣味："治大国若烹小鲜，为宽裕者曰，勿数挠！为刻削者曰，致其咸酸而已矣！"最好是不要搅它，要加也不过加点医〔酱〕油加点醋得了，你能另外加许多主义下去吗？老子最怕你生吞活剥，其结果将出乎你的意外的。他曰：

> 将欲取天下而为之，吾见其不得已。天下神器，不可为也。为者败之，执者失之。
>
> 以辅万物之自然而不敢为。
>
> 使我介然有知，行于大道，唯施是畏。

"施"也就是"为"。我读了这些话，真真是有些"畏"。天下是神器，你不能知道原因，你也不会推测结果的，你何必那样的"不得已"呢？你比"自然"还要大公无私吗？那么你为什么那样大胆呢？我敢说，现在世界的灾难，就在一个"为"字。西洋的"为"或者有他的历史；中国的民族精神则本是"无为"，"为"反而没有根据，为就是乱。

说到这里，你将问我："我无为而人家为，那将怎么办呢？人家不征服我吗？我用什么去抵抗呢？而且，且不论幸福问题，桃花源的百姓或者比现在原子能时代的百姓幸福得多亦未可知，但总不能说物质文明不是人类的进化，如之何而否认进化，拒绝进化呢？所以在现在而不把问题注重在科学上面，徒然讲东方哲学,一般人的心里总觉得是不中肯的。”我坚决地回答,正因为此,现在世界的问题不是科学问题而是哲学问题。你的话还是因为不懂得哲学。只有中国自己可以救中国。只有东方哲学可以救世界。我且请大家先答复这个问题:中国民族是不是会使得科学发达起来?据我想,中国民族是不会发达科学的,如果中国民族会发达科学,就不说古代也应该有科学,也一定同日本一样维新以后便发达起来的。提倡科学提倡了几十年而没有科学如故,这个事实不是唯物史观可以说明的。事实是,中国民族根本不会发达科学。我常想,一个民族会发达科学,正如蚕子吐丝蜘蛛缀网一样,不会叫别的昆虫学会的。所以中国留学生在外国回来提倡科学方法便是提倡国故,仿佛以为整理国故也可以自附于科学似的。科学应看他的习惯,即是对于自然界有一种探手的习惯,若说方法则不过归纳演绎而已,不是糊涂人无论做什么事都有方法的,问题在于做什么事,不在做什么事的方法。中国读书人说他拿科学方法整理国故,即足以证明中国不能产生科学。不能产生科学就不能立国于今之世界吗?我以为不然,立国之道是立国之道,如果不明立国之道,有科学亦不能立国,如德国与日本便是。现在世界的强国,德日是给科学烧死了,其他强国则正在拿着一颗炸弹不知道怎么好,想藏着将来拿去烧死人,又怕先把自己烧死了,这就是老子说的“天下神器不可为”。真的,同小孩子玩火一样,利害是不可测的。老子又曰:“以道莅天下,其鬼不神。”现在的科学就是其鬼“神”,而中国人正是羡慕这个洋鬼“神”得不得了,于是要全盘西化,哀哉。我记得我从前做学生时,读了吴稚晖先生的《机器促进大同说》,很是喜悦,觉得机器发达世界将真是大同了,大同世界并不是乌托邦了，孰知事实是机器发达世界先来了两次大战。外国的灾难都是从科学来的，因为科学是一个权力的伸张，并不真是理智的作用，（纯粹数学或如康德哲学倒可以叫做理智作用，倘若有一种方法单独可以称之为科学方法，这便是科学方法。）换一句话说，科学正是印度佛教所说的“业”。经济上的自由主义，资产发达，阶级斗争，明明显显的是业，是报应。中国则本没有这个业，不在这个报应之中。而中国在五四运动时提倡“赛恩斯”，后来又提倡共产主义，正是自己把自己拉到那个报应里去。其实中国的报应还是中国自己的报应，中国自己的报应是“自私自利”，是要个人有权，是要个人有利。换一句话，西人的权利观念是公的，或向“自然”求权，或向国家求权；中国人的权利说得干脆些是升官发财，或者压迫别人自己专制罢了。中国不产生科学，中国却并不惧怕为科学的洪流所淹没，因为科学的洪流正在那里淹没其自己，中国应是旁观者清，足以防御洪流，而且利导洪流的。我觉得孙中山先生就有这个眼光，有这个魄力，他真有民族的自信，他不是抄袭西人的。此事真是行之非艰，知之维艰。中国真有救世界的责任，因为中国的民族精神正是现代潮流的旁观者。如何而自己卷入潮流呢？在中国抵抗日本战争中，中国有一个“信”字，只有这一个“信”字可以抵抗强暴，现在也只有这一个“信”字是立国之道，因此我佩服孔子的话，去兵去食，而民不可以不信之，“自古皆有死，民无信不立！”中国现在并没有到死地，因为本无死地在外面放着，而中国人，尤其是知识阶级，对于民族之无自信，则真足以置中国于死地。中国不能产生科学，而科学本是业，不是立国之道，而中国人口口声声说科学救国，结果大家是白痴，做奴隶而已。中国人一旦自信了，只要“无为”

便可以救国，由救国而可以救世界。中国的圣贤，儒家孔孟，道家老子，他们向天下后世讲道，“道也者不可须臾离也，可离非道也”，道同空气一样，非常之切实的，而你以为玄。“道在迩而求诸远，事在易而求诸难”，人生何异是一场悲剧。若说进化，那确是不可否认，也不可拒绝，本是事实如何可拒绝可否认呢？我们现在走路难道不用现代交通工具而用古代交通工具吗？不过这里又正要有一个哲学的认识。科学是业，进化也正是业，并不是神圣不可侵犯的，并不是不可以让我们检讨的。业的意思就是造作，造作自然又有一种势用。好比我们坐的桌子椅子是人类的业，并不是天生有这个东西，这个东西是造作出来的。又如世间只有钢铁，并没有杀人的刀，刀便是业。我们陆行乘车，水行乘船，到现在空行还有飞机，我们说是进化，进化就是业力的追求。业力的追求是不知止境的。照佛教的意思人欲也是业，业力不知止，正如人欲不知止，科学的发明同人的贪财好色一样不会悬崖勒马的。说人欲是业并没有错，科学家不说人欲是本能，人同动物是一样的吗？什么叫做本能？猫吃老鼠是本能，狗抓地毯是本能，那么本能不是“天生的”，是“后起的”，因为猫本不一定要吃老鼠，变了家畜便吃老鼠；狗在今日生下地的时候不应抓地毯，科学家说是蛮性的遗留而抓地毯，不管怎样解释，总而言之是“后起的”。所以照佛教的意思人欲亦是“后起的”，即是“本能”不是本能，是业。在另一方面，照佛教的意思，鱼在水里游，鸟在天空飞，亦不是本能是业，正同人生水行有船空行有飞机一样。话说到此，则问题所涉太广，不是我今日这篇文章的意思，我只是告诉大家，业不知止，“进化”不是神圣不可侵犯，我们还有作中流砥柱挽狂澜于既倒的义务，即是警告“进化”。《老子》一书，充分表现这个意思，他总是“畏”，劝人知止，“天下神器，不可为也，为者败之，执者失之”。你说机器促进大同，而机器变了方向，用到世界大战的方向去了，即是“执者失之”。你说征服自然，是谓“代大匠斫”。“夫代大匠斫，希有不伤其手者矣。”庄子的书里有一段文章：

> 子贡南游于楚，反于晋，过汉阴，见一丈人方为圃畦，凿隧而入井，抱瓮而出灌，搰搰然用力甚多而见功寡。子贡曰，有械于此，一日浸百畦，用力甚寡而见功多，夫子不欲乎？为圃者仰而视之曰，奈何？曰，凿木为机，后重前轻，挈水若抽，数如泆汤，其名为槔。为圃者忿然作色而笑曰，吾闻之吾师，有机械者必有机事，有机事者必有机心，机心存于胸中则纯白不备，纯白不备则神生不定，神生不定者道之所不载也。吾非不知。羞而不为也。

我前说中国没有发达科学的可能，也不会产生机器，照庄子的神气他简直“羞而不为之”。我们何致于这样顽固，贵心知其意。

要知“征服自然”，自然如果真正给你征服了，你将有束手无策的时候，你的飞机将没有汽油！老子告诉你“治人事天莫若啬。夫惟啬，是谓早服。”你应该早早服从道理。老子说他有三宝，“俭”是其一。孔子亦曰“节用而爱人。”今之世界何其太相反了，即不知道“俭”，不知道“早服”。孟子曰，“以齐王犹反掌”，反掌本是易事，但最难，因谁都不知要照一向所做的反过来。语云“放下屠刀立地成佛”，谁拿了屠刀肯放下呢？

孟子的性善和程子的格物[①]

在人类历史上，先有圣人，后必有大贤。印度有佛之后，有空宗与有宗菩萨，将佛的意思说得具体明白。在中国亦然，孔子以后，有孟子与程子，孟子道性善，程子提出格物，由性善与格物二义，我们可以具体的讲孔子，否则孔子便如颜渊说的“仰之弥高，钻之弥坚，瞻之在前，忽焉在后”了，——你能说你把孔子说得明白么？然而你懂得性善与格物两个意思，则你能将孔子说得非常明白了。孟子佩服孔子，是孟子自己佩服的，没有人要他佩服孔子，因为他懂得性善而自然佩服孔子，而孔子没有说过性善的话。程子佩服孔孟，是程子自己佩服的，没有人要他佩服孔孟，因为他懂得“致知在格物”而自然佩服孔孟，而致知在格物这句话程子以前谁也没有注意，是程子自己懂得的。这都是真理的自然发现，说得神秘一点是应运而生。此外再要辨同异，定是非，便不免出于私心了，即是从学人的习气来的，不是豁然贯通，近于有意追求。我这话是指了王阳明说的。阳明说致知是致良知，意思便死煞，因其未能懂得格物，而格物本来要难懂些，讲致良知而不讲格物本来正是学问的一个阶段，于此而将“格物”存

---

① 载北平《世间解》月刊1947年7月15日第1期，署名废名。

疑可也。而阳明于此别程朱自立一派，缺乏“温故知新”的精神，真的，这样便亏了一点“可以为师”之德，而程朱则正是温故知新了。阳明是真有得于己的，只是他无得于“格物”了。阳明的话最容易提醒人，豪杰之士从他的话当下可以得到用功处，故从之者众。孰知因此阳明乃有愧于程朱，王学近于孟子则有之，王学却较程朱距孔子远矣，距二帝三王之儒远矣。儒不是那么简单。

儒是知天命的。天命不是空空洞洞的一个概念，天命是同世间的现象一样具体。中国从二帝三王以至于孔子，其实都是宗教家，因为儒本来是宗教，其中心事实便是“天”。孔子曰，“不怨天，不尤人，下学而上达。知我者，其天乎？”这里的“天”字都不是一个想像之辞。即孟子亦曰，“存其心，养其性，所以事天也。”不过孟子的“事天”还只是感到心性的切实，与后来阳明的良知是一脉相传，说得干脆些，孟子的“天”是孟子的人格，是孟子的怀抱，孟子并不能如孔子“上达”。若上达，则是有个“天”了。阳明则完全是人事，较孟子的“事天”尚隔一步。孟子不是宗教家，是政治家哲学家。阳明更不是宗教家，是政治家哲学家。我可以同诸君打一个赌，我久没有看阳明的书，只是从前做学生时看过他的书，诸君去翻阳明的书，看他的言语里头有“鬼神”字样否？一定是没有的。孟子的书里头我想也是没有的。若孔子则以“敬鬼神而远之”为知。孔子知有鬼神也，孔子知有天也。圣贤的话语都是言之有物，不如后人只是想像之辞，我们要切实反省。《大学》的致知格物便是下学上达的工夫。不过孔子的话总是令人从之末由，难得具体的解释，“致知在格物”便具体了，你一解错了便不行。朱子训格物为穷理，朱子的格物穷理不是今日科学的格物穷理，他的穷理是伦理学，不是物理学。因为是格物，故根本上是唯理论，不是唯物论。非唯物，故有鬼神。朱子注《论语》“子不语怪力乱神”章云：“怪异勇力悖乱之事，非理之正，固圣人所不语；鬼神造化之迹，虽非不正，然非穷理之至有未易明者，故亦不轻以语人也。”可见什么是朱子的穷理了。这是一个大关键，是古代学问与近代学问之所以不同，也应是哲学与科学不同。总之，《大学》的格物，其极端义便是唯心，并且到了宗教，非如世俗向外面追求物之理了。所以程子从儒家的经典里抽出《大学》来，从《大学》里提出格物二字来，朱子又能继之，最见学问的真实，由此我们确是知道儒家是宗教。至于孟子的性善，又最能见儒家这个宗教的价值，孟子以后，无论程朱，无论阳明，便是后来的颜元，都是同有此理的，难为孟子首先一语道破了。

佛教有宗说因果[①]

佛教空宗破假法，有宗说因果。

佛教说因果就是说生死。世人对于任何事情要求讲道理，惟独对于生死之事不讲道理，亦即是世人不明因果。

《华严经》曰，“了诸法空，悉无自性，超出诸相，入无相际，而亦不违种生芽法。”“种生芽法”，便是佛教的因果义。因果者，要如“种生芽”，有种子之因，决定要生芽之果。此所谓种子，便是普通说的植物的种子，是“种子”的狭义。严格说起来，一颗种子并不是一颗囫囵东西，而是“一合相”，是诸多种子积聚一起，《瑜伽论》说谷麦等物“所有芽茎叶等种子”，那么芽有芽种，茎有茎种，叶有叶种，推而言之根有根种，花有花种，种子亦有种子的种。这是种子的广义。有宗菩萨所说的种子，是指着这个广义的种子说。这个说法，据一位学农科的朋友告诉我，是科学上的事实。植物的生长，并不是由一般性的种子生出芽来，于是而根茎枝叶花果，乃是芽要芽种，茎要茎种，叶要叶种，推而言之根要根种，花要花种，种子亦要种子的种。《华严经》“种生芽法”，只是确定因果这一件事实如种生芽，并不详及种子义。到了有宗

① 载北平《世间解》月刊 1947 年 10 月 15 日第 4 期，署名废名。

菩萨乃将因果的意义详细规定，即种子六义。

种子六义只有两义难懂，其余四义是容易得人承认的。这难懂的两义是“果俱有”义与“引自果”义。熊十力先生便因为误解了“果俱有”义而著《新唯识论》，因此佛教失了一个信徒，这真是最大的损失。我今来说“果俱有”与“引自果”，这两义讲清楚了，因果道理便明白了。道理本来就是事实，事实有什么难懂呢？并不是难懂，乃是你不信。你如果信，你自然求懂了。且让我绘如下的图：

（一）甲乙丙丁戊己庚辛——（二）**辛**庚己戊丁丙乙甲——（三）甲乙丙丁戊己庚辛

这里还是就植物作比喻。图一好比是一株树，甲乙丙丁戊己庚辛代表一株树的芽茎叶花果等种子，这芽茎叶花果等种子都是有实体的，一株树即尚未开花，尚未结果，果里面的种子尚未成熟，而其花其果其种子都各有种子藏在里面，不是虚空无物。我们把辛代表狭义的种子，便是常情所说的一株树的种子，种子成熟了，则它要离开这株树，于是而为图二，我们以大写的辛代表之，即是说它是一株树上落下来的种子，它里面是有各种种子的。它自己的种子也在里面。由这颗种子发生为另一株树，于是第一阶段由图二生出图三的甲，即《华严经》说的“种生芽”。图二生出图三甲，接着图三甲生乙，乙生丙，丙生丁，…………即是由发芽而慢慢地又长成一株树了。

这三个图表明的事实很明白。而果俱有与引自果义在于其中。果俱有者，因与果同时俱有，即甲必生乙，而甲不因乙生了而消灭，甲乙是同时俱有；乙必生丙，乙不因丙生了而消灭，乙丙是同时俱有。丙丁戊己庚辛类推。故植物种必生芽，而且种芽俱有，种的种子后来又自生种。《瑜伽》说“无常法与他性为因，亦与后念自性为因，是因缘义”，便是这个意思。果俱有是“与他性为因”，引自果是“与后念自性为因”。《成唯识论》释“果俱有”有云：“虽因与果有俱不俱，而现在时可有因力。”便是说，甲为因，乙为果，是因与果俱，而丙丁戊己庚辛则不俱，丙丁戊己庚辛虽不俱而丙丁戊己庚辛都在里面，现在时可有因力。试看我们栽植物，不一定是要种发芽，分根与插枝都可以生长，是“现在时可有因力”了。由我上面绘的图，“虽因与果有俱不俱，而现在时可有因力”，是很显然的，甲乙丙丁戊己庚辛本来都在里头，只是有隐有现罢了。隐便是因，现便是果。故《华严经》曰，“识是种子，后身是芽。”而死亦是因果。死者是识离身，如种子离开树，而又要落地发芽了。说到这里当然要懂得唯识道理，即是要懂得心，懂得心是一个东西，心如一株树，如一株树的种子。惟此事很要用功，读者诚有志于此，他日再谈。我今天的意思只是略说因果，我们眼见的植物之生长是因果道理。

上面的因果义，最要紧的是有实体。有实体才成其为因果，否则便是迷信。世人的因果之说是迷信。世人不是说树生子，便是说花结子。我们来考核这两个观念。“树生子”，须知树是假法，假法者有其名无其实之谓也，如我们说“树林”，——“树林”有这个东西吗？我们没有“树林”的实体。故“树林”不能生。同样“树”不能生。只有根茎枝叶花果种子的实体，没有“树”的实体。要生是根茎枝叶花果种子生，不是“树”生。《成唯识论》说“假法如无，非因缘故。”意思是说，假法同“没有”一样，不能为因果。“树”不能生，如“兔角”不能生。“树”是假法，“兔角”是无。熊十力先生释“果俱有”谓为如母子同时并有，熊先生如何陷于世人之惑，“母”“子”都是假法，非因果也。说“母生子”，正如说“树生子”。再来考核“花结子”。由“果俱有”来说花结子是可以的，那同“种生芽”是一样。但世人花结子的观念不如此。说到此，我们要将“一合相”的意义解释一下。一合相是积聚义，(见世亲《摄论》释)诸多种子积聚一起，诸多种子各有实体，却不是常情所认为的诸多实物。好比我们有耳目口鼻，但没有单独存在的耳目口鼻这样东西，你不能拿我们的一只耳朵一只眼睛给人家看，虽然我们的耳目口鼻都是事实。同样我们不能有单独存在的一枚叶子一朵花，而我们说“花结子”，仿佛有一个单独存在的花，把花当作一个绝对的东西，由这个东西结出子来，故世人以花结子与女生子为喻，那么世人的花正是假法了。所以世人的“花结子”亦不能成立。实体与实物的意思，是理智上最大的问题，我们可以拿几何学上的点线面来作比喻，几何上的点线面是实体，并不是实物，世间拿不出点线面这三件实物给我们看，而我们却可以由点线面的定理替世间实物作说明。世俗的点线面是实物，点是一个点儿，线是一根线，而如一张桌子的面，而这个实物是假的，从它上面说不出一句道理来，要说它，仍然是从几何的点线面上去说了，所以实物只是“实体”之用。换一句话说，世界是理。

世界是理，最要紧的是懂得因果道理。这时你知道佛教不是迷信。世人是迷信。

“佛教有宗说因果”书后[①]

前期本刊拙作《佛教有宗说因果》一文排印有脱落的地方，即六叶十七行“隐便是因，现便是果。”下脱掉这样一句半：“这样才见因果的道理。生正是因果，生者，如种生芽，”特此订正。

我今天的意思本来只想写上面一句订正的话。旋想，既然动笔，不如写一篇小文，题为前期拙作书后。这或者是我的寂寞，自己替自己的文章作书后。其实不然，我那里会寂寞。读者不知道我的《说因果》的文章重要，有心再来提醒一下，倒确是我的本意。

佛教的因果道理佛数〔教〕徒也都不懂，儒家也都不懂。科学家也不懂得因果。在这三种人中，即佛教徒，儒家，科学家，应以科学家为最能懂得，因为求真的习惯相同，用俗话说便是“科学方法”相同。科学不是真理，但科学方法是真理的用具，如数学，没有人认为不是对的，便因为数学是科学方法的具体表现。拙作《说因果》一小文，虽然只有那么一点篇幅，是将整个佛教空有二宗的精义摆在纸上，不仅是“科学方法”，而是理智的本身。因为科学方法也无非是理智本身的表现而已。佛教便是理智本身

① 载北平《世间解》月刊 1947 年 11 月 15 日第 5 期，署名废名。

的代表，向世人说明因果，说明生死，说明轮回。科学方法不容许虚妄，但生物学“生”的观念同世俗“生”的观念一样是虚妄，即是以“假法”为因果，以“无”为因果。世间那里有这样荒谬的道理？荒谬的事实？事实是不会荒谬的，只是你们妄想中的事实——当然是荒谬的。你们如有反省，拙作《说因果》特地供你们参考。你们如说我是玄学，那么你们的数学亦是玄学。你们如说数学可以应用，可以应用到别的科学上面，可以应用便是可以实证，故不是玄学，那么佛教因果亦是实证，因为世间有生死的事实，生死事实便是因果道理的应用。

我上一段话，完全是尊重科学方法，故尔有意同科学家挑衅似的。拙作《说因果》一文则并没有指科学家的名字说话，倒是提起熊十力先生的名字，而熊先生我并不想同他再说话，因为我同他说的话太多了，他简直有点说话不负责任。

拙著《阿赖耶识论》亦注重在向现代科学家说话，因为科学家必了解“科学方法”的精神，科学方法是不容许有两个答案的，故科学上的事实只有一个答案。如有两个答案，必有一个错了，或者两个都错了。而不错的答案则只有一个。我要向科学求一个生死的答案，即因果的定义，因果的事实。《阿赖耶识论》稿上半年中国哲学会拿去了，并且给了我稿费，我本意是不要钱的，受稿费是表示一种契约的意思，希望把拙论早日印出来，同今世的科学家哲学家见面。而迫使我作论仍是熊十力先生。

最后我向僧人一盲“佛教漫谭”四里面的话表示一点儿抗议，即我将《阿赖耶识论》手抄本请他看，只是让他先睹为快，并没有想他另有意见向我提出的意思。这并不是我不谦虚，乃是我本不应该客气的。我曾向他戏言，我的话如果说错了，可以让你们割掉舌头。其实这也并不是我的戏言，只是说得太认真了，中国人便觉得你可笑。

体与用[①]

熊十力先生屡次说着这一句话:“佛氏是一个大诡辨家。”熊先生说话的感情是可以了解的,但熊先生“诡辨”两个字有很大的罪过。我今问这一句话:倘若事实真个是识投胎,不是母生子,那么我们是不是还说佛氏是一个大诡辨家呢?说他是诡辨家,无非是不知他所以“辨”之故。事实是识投胎,不是母生子,这与常识该是相差多远!要说明这个事实,乃有辨。我个人从这个“辨”格外懂得佛教,而且格外懂得孔子,因为都是中道。孔子是“瞻之在前,忽焉在后”。佛氏是“辨”。《论语》上面的话没有一句同佛教冲突的。孔子曰,未知生焉知死,未能事人焉能事鬼,这是孔子的宗教,即是救现世的宗教,佛教则是知生知死,救众生出轮回。

我也因为是中国人,说话喜欢切近生活的话,不喜欢诡辨,但我深知佛氏不是诡辨。我得要领地将菩萨的话集中为两句:“空宗菩萨破假法,有宗菩萨说因果。”“母”是假法,“树”是假法,“母”不能生正如“树”不能生,离开种子根茎枝叶花果别无什么“树”,生是“种生芽”。“树”是假法,正如“树林”是假法。“树”不

① 载北平《世间解》月刊 1947 年 12 月 15 日第 6 期,署名废名。

能生，正如“树林”不能生。“树”无因果之可言，正如“树林”无因果之可言。要“种”与“芽”才是因果。

有许多人不明白，以为世间明明有“树”，有“树林”，更切近的说我们明明有我们的“身子”，为什么佛书上都破之呢？佛书上破身子正如破树破树林，说离开身体各部分无“身”，身是假名。我今告诉大家，佛氏不是破得好玩的，他是说明因果，即是说明生死，假法不能生，必要有体法才能生，树是假法，种与芽是有体法，是种生芽，不是树生子。是识投胎，不是母生子。故《华严经》曰“识是种子，后身是芽。”

破假法，只是说假法不能为因果，并不是说假法没有这个东西。《成唯识论》说“定有法略有三种”，其第二种为“现受用法，如瓶衣等。”这便是说假法是有的。只是这个东西无因果道理之可言。好比“树”，这个东西是有的，我们可以站在它下面乘荫，我们还可以把它拿来作器具如桌子椅子等，但实际上树同桌子椅子一样，这些东西都无“体相”，即是没有定义，——你能替桌子椅子下一个定义吗？只是在吾人的生活上有受用而已。同样我们制造出来的车子飞机等等都是假法，我们可以把这些东西拿来有用处，但这些东西都无体相，——你能说飞机是一个什么“物”呢？飞机就是钢铁，并不是于钢铁之外还有什么“飞机”。而飞机确有飞机的用处，不是一块钢铁的用处。就因果道理说，你如说钢铁是因飞机是果，那便错了，因为飞机就是钢铁，非因果。同样你说缕为因布为果，泥为因瓶为果，都错了。这些都无因果道理之可言，因为布就是缕，瓶就是泥。你将瓶子打破了，布撕碎了，不还是泥还是缕吗？“瓶子”，“布”，都是假法，都无体相，在因果道理之下是不能说话的，而确有其用处，布之用非缕之用，瓶之用非泥之用。那么要紧的便是一句话：要有体法才是因果，假法则是用而已。树可以乘荫，一个树林的用处不等于一棵树的用处，树与树林都与因果无关，即是树不能生，树林不能生，生是种生芽。种与芽便是有体法。那么佛氏的“诡辨”不都是破假法说因果吗？破假法说因果不正是说生死吗？他同孔子未知生焉知死的话都是宗教的感情，吾辈凡夫只有用功，不能轻置可否的。

从我上面的话可以看出来，佛教的因果是说体的，世人的因果则是说用的。这也是最得要领的一句话。冬天来了，我们说，“你为什么不冷呢？”“因为穿了衣服。”或者说，“这个地方的雨量为什么大呢？”“因为树林多。”这些话都是可以说的，世人平常正是这样说因果，换一句话说世人的因果是就“假法”言其“用”。若问，“这颗种子是怎么来的？”答曰，“树生的。”此则是世人之大惑不解，佛便是来觉世的。科学最懂得“定义”的意义，我代表佛教要求今世科学家给我一个因果的定义。

一个中国人民读了
新民主主义论后欢喜的话

手稿，署名废名。共9章，扉页题“献给中国共产党”，文末署“三十八年四月一日”。

一　自述开卷有得

我读完了毛主席《新民主主义论》之后，情不自禁，同时也义不容辞，要来贡献出我的刍荛之见。

我读了《新民主主义论》，识见上得了好大的进益，心情上得了好大的欢欣。原来十几年来，我对于北京大学所发动的五四运动，国民党所主持的抗日战争，很抱着怀疑态度。这两件事，五四运动，抗日战争，简直动了我的亡国之痛。五四运动，是北洋军阀时代青年学生反抗卖国的外交的，是中国抗日的开始。殆至抗日战争最后胜利属于我，这个属于我的胜利是假的，因为中国政府不已经屈服于美国了吗？别的我不知道，只看美国驻华兵强奸沈崇案件，中国法庭不能处理，在美国法庭里中国被污辱的女子只许旁听，因为条约如此！这不是奴隶屈服于强暴的条约吗？我当时知有这个条约，知道卖国者做了许多无耻的勾当，我们不知道罢了。那么什么叫做胜利呢？胜利了日本，奴隶于美国罢了。国家经了八年的长期战争，民死了，财尽了，死了人徒徒换得历史上未曾遭遇过的极度穷苦。另外还培植了官僚资本，社会上助长了贪污的劣根性，多数的中国人都养成了发财的变态心理，连读书人都是商贩，真是鸡鸣而起孳孳为利。最滑稽的现在大家都知道美国在扶植日本！那么中国抗日难道成了一种报应吗？所以我每逢在北京大学内看着北大同学庆祝五四运动，我就很难过，五四运动是抗日，抗日就应该有抗日的效果，不应该发生九一八以后的事情！发生了九一八，再来长期抗战，而且与美国为盟友，那么日本投降了，不应该有丧权辱国的条约，另外还嚷什么美国扶植日本！我认为五四运动没有意义，就因为中国抗日没有意义，换一句话说中国给国民党亡了！我觉得我的话不是愤激之谈。再看五四运动当时的健将，罗家伦，傅斯年，以及其他人等，不都是以一副谄媚国民党的面孔在中国社会上出现吗？北大同学还纪念什么五四！抗战期间我在农村间与一般农人相处有十年之久，深深知道中国的抗敌工作都是大多数的农民做的，当兵的是农民，纳粮的是农民。同时我知道救中国的还只有中国的圣人，便是五四运动所喊打倒的偶像，便是二帝三王，他们是中国农民的代表。中国是有希望的，因为中国的农民有最大的力量，他们向来是做民族复兴的工作的。历史上中国屡次亡于夷狄，而中国民族没有亡，便因为中国农民的力量。中国农民自始至终在那里自己做主人，神圣地尽他们做人的义务，即是求生存，那怕过的是牛马的生活。他们知道国是暴君亡了，暴君是他们生活的敌人，所以夷狄来了，也不过是敌人而已，他们仍然自己做自己的主人，即是求生存，即是耕田，即是民族复兴的工作，等到有民族英雄起来，他们就高兴极了，我记得辛亥武昌起义我还是小孩子亲自看见许多乡下人都是眉飞色舞的，因此我一个小孩子也是眉飞色舞的。在辛亥革命以前，历史上革命的英雄们，自己最初也是农民！后来却做起皇帝来了。后来皇帝的子孙们坏了，又是暴君，又要改朝换帝了，而农民自始至终是“不要官府的百姓”。我说他们是“不要官府的百姓”，并不是消极的意义，是积极的意义，是说他们自己做主人，不需要政府，他们做主人正如他们做家长，政府乃等于不肖子弟在那里做官做皇帝而已。政府是他们的消耗者，政府是他们的剥削者，他们供给政府，正如他们供给子弟上学。不过他们的意识上也不以为政府是错的，仿佛命运是如此，正如送小孩子上学，“一边黄金屋，一边陷人坑”，他们知道，陷人坑的成分占百分之九十九了。政府替他们惹出灾难来了，国家有外患了，正如小孩子在外面闯下了滔天大祸，他们还是自认晦气要埋头耕田负担一切的，所以国民党所主持的抗日战争之中，只有农民出兵出粮做了名副其实的抗日工作。我以多年的接触与观察，深深地懂得中国的圣人为什么都主张“无为”政治，原来中国的农民都在那里自己治，只要政府不乱便好了。因此我对于中国的前途仿佛有一种信心。中国说治，马上便治，孟子所谓“以齐王犹反手”，即是叫政府反过来，做人民的政府，不要做不肖的子弟，国事如家事，政府帮助主人即农民好了。政府是少数，农民是多数，为什么多数求治，而少数造乱呢？所以中国的圣人总是教训“士”，你们好好的做农民的代表好了。无论如何，中国要治真是容易的，不比西方的国家，便是科学发达的国家，便是物质文明的国家，便是资本主义的国家，便是帝国主义的国家，他们想治而无法治，所谓治丝而棼了。在我懂得了这个无为而治的原故的时候，非常之喜悦，同时也非常之爱中国的农民，爱中国的圣人，而痛恶读书人，因为他们不做农民的代表，而做官。另外我还有一个绝大的喜悦，便是在日本投降的时候，我看着中国的农民，无论男女老少，个个可怜日本人，日本兵到家里来讨饭吃，他们给饭日本兵吃给得非常之快，眼前的乞丐对于他们曾经是奸掳烧杀的强盗，他们一点也不记得了，不是不记得，是不计较！我佩服中国民族精神的伟大，我懂得二帝三王为什么叫做“王道”了，我懂得孔子为什么讲一个“恕”字，《大学》平天下之道就是“絜矩”之道了。中华民族是决不会走到帝国主义的路上去的，禹治水以四海为壑，（帝国主义便是以邻国为壑！）是中华民族的代表，确乎是代表，因为代表大多数的农民，到了四千年后的今日，中国的农民还是同情日本投降的兵了。这是表面上的德行吗？不是的，是民族道德，根柢很深的。这个道德的民族并不是没有力量，大禹又正是代表，禹治水的事业难道不是事实吗？因此我最不高兴顾颉刚之流在那里做什么古史辨，说大禹没有这个人！我认为他们是发狂。孔子说得好，“骥不称其力，称其德也。”这话可以赠给禹。禹确是有力的，不过我们不觉得他的力罢了，因为他的德大。我知道中华民族的伟大，是一则以喜。同时又不奈中国的政府何，不奈中国的读书人何，是一则以惧。抗日战争最后胜利是假的，我有杞天之虑。然而对于日本这个强敌，我们到底应该怎么样呢？这个我却始终是一点儿疑惑，我没有法子解决。我也不暇去想它。我只知道中国要给国民党亡了。这都是我的老实话。我现在虽然有学问，但我说着以上的话，很有一个小学生的喜悦，便是我已经读了《新民主主义论》，我一向的一点儿疑惑一天都解决了。真的，都解决了。说是一点儿疑惑，确是大大的喜悦，因为我现在没有疑惑了。我现在知道五四运动有意义！抗日战争有意义！便是民族复兴的意义！都是中国共产党给的！中国从五四运动以后产生了共产党，共产党打倒帝国主义，日本帝国主义便是这样打倒的。更说明白些，共产党是联俄。有些人害怕共产党就害怕这一点，因为他联俄。仿佛这一点便是洪水猛兽似的。其实这是不科学的思想。共产党联俄正是他相信科学思想的结果，是实事求是。中国五四、抗日运动要由共产党才有意义，日本帝国主义是因为共产党联俄而打倒了，中国打倒了日本帝国主义，同时也快要把美帝国主义赶出中国了，同时依靠美帝国主义而祸国殃民的国民党奴隶政权也快打倒了，真是一块石头打死了好几个鸟，令我不得不佩服共产党战略的巧妙，谁知正是他相信科学的切实。大家不要害怕，我今问大家，国民党不是中国有史以来最残忍最卑鄙祸国殃民的执政者吗？是的。美国不是帮助国民党吗？是的。美国认中国为盟友抵抗日本，是为中国吗？如果为中国，为什么有雅尔达协定呢？是的，美国不是为中国。再问，国民党是谁打倒的呢？是共产党打倒的。共产党怎么打倒国民党呢？据我的直觉是因为有雅尔达协定中苏条约才那么容易打倒的。雅尔达协定，中苏条约，是谁订的呢？是美帝国主义，是国民党政府订的。那么话都说明白了，帝国主义者本来是有许多矛盾，共产党本来是简单明白的，便是阶级争斗。有什么疑义呢？你笑他不择手段，他说他是坐在科学实验室里刻苦学习。你如果还是害怕，说明白些，你如果又怕俄国，共产党便笑你是小资产阶级。我用孔子的话笑你是"下愚不移"。朱子注下愚不移为"自暴自弃"。这都是切实的话。我告诉你，世界是真理，"君子喻于义，小人喻于利"，只有小人才是害怕的，也便是阶级意识。我还告诉你，中国国民党如果一心一德贯彻孙中山先生联俄联共农工三大政策，中国不会有九一八的。所以九一八以后一切的责任都要从国民党清党剿共算起的。这一点也是我读了《新民主主义论》后替我解释了一向的疑惑。我常想，天下事难道是命运注定的吗？中国如果真正有心求自由平等，难道没有方法吗？天地间那有这样的天理？然而眼看着日本强敌从明治维新以来就打算侵略中国，中国力量赶不上他，仿佛真是要弱肉强食的。孰知孙中山伟大，他知道现在世界是帝国主义，帝国主义正是强，是强盗的强，而是容易打倒的。而孙中山之伟大是得了中国共产党的启发的。我于民国十一年进北大，当时与一些共产党人接触，本也知道打倒帝国主义的逻辑的，但不能感得亲切，马上便不去理会了。孰知现在读了毛主席的《新民主主义论》我忽然成了一个小学生，有人替我解决难题了，这时一看，国民党打倒了，我们真是解放了，敢于说话了，怎能不喜悦。而同时一想，抗日战争的意义完全明白了，我怎能不喜悦。人生在世没有比做事做一件有意义的事还要高兴的事情，何况事有关于国家的兴亡。

上面的话，本来是明白的，逻辑上是一点也不错的，一点主观的假设也没有。昨天我同一位朋友谈起，我觉得他有点害怕，他赶快离开我走了，于是又很令我寂寞。我想他害怕的原因，是因为我说，重要的话，具体的话，便是联俄。其实孙中山本是这样主张的。大家现在总不怕孙中山了，为什么怕毛泽东呢？从前大家最初害怕梁启超的文章，后来梁启超的文章不怕了，怕胡适之陈独秀，于是说道："革命革到梁启超的样子已经好了，为什么要革到胡适之陈独秀这个样子呢？"然而文学革命成功了。凡属诚实的工作，是必然成功的。不诚无物，国民党是最好的例子了。毛泽东就是孙中山，新民主主义就是孙中山的三民主义，我们相信他好了。国民党只该愧死。孙中山在九泉之下看了共产党成功而稍为转忧为笑。我给大家一个证明，毛泽东就是孙中山，你不信这个证明就在《新民主主义论》第十五叶上面：

> 顺乎天理，应乎人情，适乎世界之潮流，合乎人群之需要，而为先知先觉者所决志行之，则断无不成。

这是孙中山的话，给毛泽东不知不觉地引来了，令我真喜欢。原来孙中山的这几句话对于我的印象甚深，我常赞美他，我知道这是中国先知先觉说的话，所以中国共产党的领袖也不知不觉地引来了。“适乎世界之潮流，合乎人群之需要”，是科学的，毛主席躬行实践，知道得很亲切，是不用说得的。而中华民族的根本精神，便是“顺乎天理，应乎人情”，共产党是中国的共产党，我劝大家信赖他。

《新民主主义论》，小小一册书，青年学生们都在看，我的一个女孩儿，高中学生，也在看，我告诉她道：“你看不懂的，不用看得，你相信爸爸的话，毛主席继承孙中山先生做中国的革命领袖，他能解放中国，你相信他就够了。”是的，这样小小一册书，有什么难懂的地方？但我知道小孩子是看不懂的，不是看不懂他的意思，是看不懂他的经验。孟子曰“我知言”，实在知言最难，要像我这样的唯心论者才能欢喜《新民主主义论》了。《新民主主义论》里头常提到“科学的”态度，字里行间真嗅得出著者“科学的”态度，是实践的，是负责的。中国人在自然科学里没有科学态度，因为不是实践的，是知识的。在社会科学里头，像共产党的革命，可谓一部实践的社会科学书了。学问不是知识可以得来的。孔子曰，“十室之邑，必有忠信如丘者焉，不如丘之好学也。”把忠信与好学连在一起，真是有意义，要忠信才是好学了。我看共产党人们常常提到“学习”两个字，令我很喜欢，我由他们的领袖知道他们是真真知道"学习"的意义了。王阳明提倡"知行合一",是中国学问人真有所得。孙中山亦曰,"知难行易",其实孙中山的知便是知行合一,否则知有什么难呢?"知之真切笃实处即是行,行之明觉精察处即是知",我以阳明的这两句话赞美毛主席的科学的态度,即是实践的态度。

世界本来就是真理,我前面引孔子的话"君子喻于义"便是这个意思,先知先觉都是从生活里头得到道理的。生活又莫过于国家民族的命运,人类的命运。小人因为"喻于利",所以不知有真理,不相信世间有先知先觉了。世间何处不是真理呢?只是给你障碍了罢了。世间为什么没有先知先觉呢?古今中外有一个先知先觉就是有先知先觉了,正如有一个人不是瞎子则人便是有目者了。先知先觉是不会只有一个人的,所以孔子说"德不孤,必有邻。"孔子又曰,"后生可畏,焉知来者之不如今也?"我真爱孔子的伟大。"后生可畏"便等于"畏天命""畏大人"的畏,因为世界是真理,真理必然有人实践出来,非同儿戏也,非偶然也。孟子亦曰,"仁也者,人也,合而言之道也。"孟子的话便可以作孔子"天命"的解释。孟子的"人"字非常有趣。下愚不移则不懂得"上知"了。我还要引孔子的话,"文王既没,文不在兹乎?"所以真理是不会丧的。中国是最伟大的民族。孔子是中华民族之师。人类前途有无限希望的,中国人要负这个责任了。有些傲慢的学人,自己不完全地懂得真理,于是好为人师,如熊十力先生曾经贴了一幅对联,上联是"道之将废也",下联是"文不在兹乎",仿佛夫子自道,我看了很好笑,"道"为什么将"废"呢?道废你为什么懂得道呢?他很不懂得孔子的精神。我说了这些话,是我觉得中国前途有无限的希望,我们大家要相信中国共产党，把各人所知道的都贡献出来。诚如毛主席说的，真理只有一个，而究竟谁是真理，不依靠主观的夸张，而依靠客观的实践。

二　民族精神，科学方法

学问是知行合一的。换一句话说，求知识不能算学问。因为世界本来是真理，学问便是要与真理合而为一，耳目见闻只是真理的表面罢了，在大半的场合下反而是真理的障碍。要与真理合而为一，离开“勇敢”行吗？一个勇字简直可以包括古今中外一切的学问，知行合一则是一个哲学的说法罢了。

各个民族都是表现真理的。据我想，中华民族是不会发达科学的。我这话好像近乎推论，其实是事实，中国如果不是海洋交通了同西洋文化发生关系，到现在一定还是没有科学的。过去那么几千年没有的东西，能说百年十年之间忽然就有了吗？我更说一句好像可笑的话，中国如果不同印度佛教发生关系，一定到现在还没有人做和尚的。本来没有科学，看见人家有科学，于是大嚷其科学，大嚷其科学方法，结果学科学的人如翁文灏之流都做官，胡适之之流以清代一般奴隶们做的学问为科学方法，他们那里知道真的科学同哲学同宗教一样都是知行合一的，换一句话，是与全人类的生活有关的，是勇敢者的行为。哥伯尼是科学家，科仑布是科学家，达尔文，斯宾塞，都是科学家，而西洋的科学从希腊便有的。科学的精神是勇敢，科学家便是战士，而这些战士们一鼓作气，勇往直前，结果替人类造出祸事来了。我常想，现在的资本主义，帝国主义，正是科学造出来的，经济上的自由主义与生物学的生存竞争是一个东西，科学的分类正是工厂制造的分工了。这在佛书上叫做“报应”，科学家们是不知道的。好了，人类是实践真理的，于是我们有了马克思，有了列宁，这是一定要有的，是必然要有的，他们二位是人类的救星，帝国主义对于人类的灾难将无止境，非他们二位不能打倒，因为科学非非科学所能打倒的，非以子之矛攻子之盾是不能成功的。这里便见学问的意义，从事学问者必然是勇敢，智慧是勇敢者才有的。我很喜欢毛主席常常提到“革命的文化”一词，实在真的文化没有不是革命的了，否则便是胡适之口中的文化，便是中国的八股。中国如果不同西洋接触，资本主义一定也不知道，马列思想也不会有，因为中国文化本不会发达科学的。中国文化所表现的真理是治国平天下的宗教。凡属圣人，都是民族的代表，而且圣人都已经出现了，西洋的圣人——我们就综合地说是希腊文化罢，印度圣人是释迦牟尼，中国圣人是尧舜禹汤，三方面的圣人代表三方面的民族，代表三方面的学问，学问便是知行合一，便是真理，便是中国的一个“仁”字，也便是我前面所说的一个“勇”字。我这里又添一个“仁”字者，因为仁者人也，古训又说“二人为仁”，学问的内容必定就是人群的生活的。我且引孔子赞美禹的话：

> 子曰：“禹，吾无间然矣。菲饮食而致孝乎鬼神，恶衣服而致美乎黻冕，卑宫室而尽力乎沟洫。禹，吾无间然矣。”

孔子这样赞禹，而我们一想，这所赞美的正是中国的农人，中国的农人都是如此。他们平日不吃肉，但拿酒肉来做祭祀；穿衣服最不讲究，但家里有吉庆事或丧事，或过年拜客，要穿得整整齐齐的；房子当然都是卑陋的，关于田里的沟则治得很干净，大禹圣人不过做代表而已。另外我们又知道禹手足胼胝，又知道他八年于外三过其门而不入，这真是中国共产党的好同志了。孟子又说“禹思天下有溺者，犹己溺之也。”孟子又说禹治水以四海为壑。这便是农人当中的圣人，后代的农人因为生活太苦，被政府剥削得太利害，表面上好像自私自利，精神上仍是大禹一流的，所以在日本投降时中国乡下人都可怜日本人。这是中华民族的伟大。各民族的圣人都是各民族的代表，是民族精神产生圣人，并不是圣人产生民族精神的。圣人好比是高山，整个民族便是平地，高山是以平地为基础，不是高山产生平地。中国历史差不多都是外国侵略的历史，但外国到中国来也只是改朝换帝而已，并不能征服中国民族，结果都被中国民族打倒了，便是为中国农民即禹稷精神所打倒。他们是勤俭的，他们是团结的，他们的团结是因为“人伦”，说具体些便是“孝弟”，并不是什么“忠君”。忠君死节是“三纲五常”，是后来读书人的把戏，是亡国的。而农民始终是做民族复兴的工作，他们希望真命天子出现，其实是希望他们的代表出现了。秦汉以后的中国，因为“忠君”的原故，因为“做官”的原故，民族已没有力量，不能抵抗侵略，只靠农民埋头做亡国后复兴的神圣大业。同西洋交通以后，这一回的夷狄可非同小可了，不是义和团的符咒可以赶得走的了，而且科学上的事实将真个实现《封神榜》上的神话了，在最初时胡林翼见了西洋汽船便晕倒了。孙中山革命革出一个民国来，人民确是一点也不稀奇的,乡下人的"祖宗"上面都已将"天地君亲师位"很自然地改为天地"国"亲师位了,我们可以心知其意。只是他们听说"取消不平等条约","打倒帝国主义",很有些害怕,因为经过义和团之后,大家知道利害,怕中国人又来说神话念符咒了。我们的民族精神上真是受了一个致命的打击,即是没有自信。何况五四运动又已经打倒了孔子,中国人从此真是"皮毛",没有精神,没有气力。一般留美学生都是先驱在那里做洋奴了。我到今天才恍然大悟,中华民族复兴了,正是农民复兴,正是民族精神复兴,原来中国共产党在那里做民族复兴的工作了。他们从江西走到北方去抗日,不像禹疏九河的辛苦么?这个精神本来是有根的,他们另外又学得一套科学方法!这真是使我佩服得五体投地的。所谓科学方法者,便是阶级争斗。中国人认为是一个口号,一个口号就是一道符咒,"打倒帝国主义",仿佛是义和团喊的,其实是科学方法发出来的命令。在自然科学里,有谁能反抗科学的命令即自然律呢?在社会科学里也不能反抗科学的命令的。科学方法是学习得来的。我因为自己有学而时习之之乐,故而懂得人家的学习了。是的,民族精神,科学方法,是我想拿来赞美共产党的。说到这里便很有趣,我先说中国不会发达科学的,那是说自然科学,中国文化所表现的真理是治国平天下之道,现在中国共产党不也是一个很好的证明吗?照中国共产党的作风,不正像禹稷一般的政治家,即是农民的素朴而能把帝国主义打倒吗?因为是打倒帝国主义,故学习科学方法一套太极拳了,这件事真是令人浮一大白的。我想箪食壶浆以迎王师,即中国共产党,你们决不要说什么迎头赶上科学,只要民族自信,科学并不要赶上,只求及格,即是学一学科学生产,这是必然能胜任愉快的。其余便都是咱们中国自己的事情，世界必然从中国得救的，那时中国共产党，中国共产党的领袖毛主席便是世界的大禹了。我说这话，是很想安慰中国共产党，安慰中国共产党的领袖。《新民主主义论》有云，“这枝生力军虽然还没有来得及在自然科学领域占领阵地与进行斗争”，我以为不必有竞争之心的。我更引一件历史上的事情证明我的意思，宋儒对于孔孟有极大的发挥，而他们是得了佛教的一个很好的方法，佛教是反人伦的，宋儒得了佛教的巧妙而回到人伦里面去了，中国的精神本来是“在亲民”的。中国的革命志士必然有得于马列，自然科学是可以居于次要的。中国文化是最能吸收外文化之长的。

我因为中国共产党而想起《论语》里面的一章书：

> 子贡问政。子曰：“足食，足兵，民信之矣。”子贡曰：“必不得已而去，于斯三者何先？”曰：“去兵。”子贡曰：“必不得已而去，于斯二者何先？”曰：“去食。自古皆有死，民无信不立。”

抗战时我懂得这章书。三十五年来北平后更懂得。现在看见共产党，真懂得了，不觉足之蹈之手之舞之。三十五年来北平时感得中国“无信”，无信的意思有两层，一是大家都同做梦一样，糊里糊涂的，这样的人民是站不起来的；一是不忠信，如社会上的报纸，都是撒谎的，政府对人民说的话都是撒谎，而且大家以撒谎为当然，我从反面而懂得孔子的话，“民无信不立！”中国乃一无信的国家也。难怪孔子说不得已而去兵去食，决不可以无信，那时我总是感得伤心。现在我真感得喜悦，我接触了毛主席的信，接触了中国共产党的信。所以国民党是一定要倒的。当初共产党同国民党比较起来，共产党不等于徒手，不等于乞丐吗？谈不上“兵”，说不上“食”，然而他们有“信”！所以他们成功。真理是永远不错的。现在“民信之矣”的意义更不同，要使得人民同人民政府同共产党没有隔离，使得人民心安，知道一切的事是自己的事，是共幸福的。这个便要根基深厚，不要以为一切都是从外国学来的。这件事本来是踏破铁鞋无觅处，得来全不费工夫，即中华民族精神，可以民信之矣。

另外我还想起《论语》一章。说至此我要先说一件事。在我从前做大学生的时候，听得人说，无产阶级革命，应该是工业先进国家先有的，如英国，何以俄国先起来呢？中国本来没有工业，何以共产党也起来了呢？这话本来有理，我当时也不暇去理会，只是听见人家这样说罢了。我现在深知道这话的肤浅。孔子曰：“齐一变，至于鲁。鲁一变，至于道。”中国共产党令我懂得这一章书。鲁并不要变成齐再变成道的，鲁是一变便可以至于道的。中国并不要经过工业发达变成资本主义的国家再来革命的，中国是可以打倒帝国主义由新民主主义而社会主义的，便是“鲁一变至于道”。孔子的伟大！中华民族的伟大！中国共产党的使命伟大！

三　儒家是宗教

我说中国文化所表现的真理是治国平天下的宗教，而代表中国文化的是儒家。可笑有一些从欧美留学回来的学者特别提出一句话来说，“儒家不是宗教，孔子不是宗教家，”仿佛这样表示中国也有学问，宗教则是迷信，叫外国人不要看不起中国，其用心不可谓之不善。但是这种人不懂得学问，也就不会知道爱中国的。我今问一句话，尧舜禹汤文武周公，算不算得儒家呢？他们口中是不是动不动就说一个“天”字呢？孔子为什么也总是说一个“天”字呢？而且儒家是不是重祭祀呢？古人说话都是言之有物，都是知行合一的，不同你们现代学者都是口头禅，那么儒家不是宗教是什么？再就中国国民说，你们到乡村里去看，乡村里的农人是不是信“天”？是不是重祭祀？中国的农民，四千年后的今日，不是同尧舜禹汤文武周公孔子信的是一个宗教吗？这个宗教我称之曰现世主义的宗教，因为别个民族的宗教都是未来世或者出世主义的宗教。不是中国圣人把这个现世主义的宗教教给中国人的，是中国民族表现这个现世主义的宗教，而圣人为其代表。

我现在要来说这个现世主义的宗教所说的“天”是什么？

我总括一句话，儒家所指的天是真理，在宋儒的口中谓之

"实理",所以朱子说,"天下之物,皆实理之所为。"世界不是你和我,不是心或物,而是"天命"了。朱子注天命的"命"字说,"命犹令也,"同军队里的命令一样。世界是多么庄严,是多么神圣,因为世界是真理的命令。西洋的宗教家总说上帝创世,人是上帝拿什么东西造出来的,近代的科学家又起了一个反动,说人是猴子进化来的,总而言之要追问人这个东西是怎么来的,仿佛军队里说闲话,问你从那里来的,姓什名谁?其实你是国家的军队了。儒家的"天"字比"国家"的意义还要切实,国家的意义有时还可以不存在,就无产阶级说国家确是没有什么意义的,然"天"字存在,因为实理存在。西洋文化因为与"天"字的意义隔膜,故而处于天理之中,如鱼之处于水而不知水,故而总是什么唯心论唯物论,从古闹到现在,从中国文化看起来,这是丝毫没有问题的,因为本来都是实理。说"心"或"物",不同说"你"和"我"是一样的可笑吗?除非你是下愚,除非你自私自利,你是不会承认有"我"的,正如在军队里你是一个士兵,不是"我"是一样,正如化学实验室的一个玻璃瓶,是一个实验器,是实验真理的,不是你争我夺的一枚所有物是一样。无"我"当然没有"你",这只要哲学系及格的学生都可以明白的,但"心"与"物"之争,不同"你"和"我"之争是一样吗?本来都是实理,不是以世间所谓之"心"与世间所谓之"物",怎么能显得实实在在的道理呢?宋儒编了一部《四书》,《四书》第一本是《大学》,《大学》最重要的一句话是"致知在格物",格物的意义是穷理,穷理的意义是要你知道"物"不是你执着的物而是天理,即是天命。知道物是天命,正如军队知道命令的意义是一样,那么一切都有意义了。所以"格物"二字真是重要,是儒家教人最切实的话,是叫人不自私,是叫人不逐物。人能不自私，人能不逐物，然后人生就是真理，所谓忠恕之道一以贯之了。一以贯之的“一”便是“天”，是最切实不过的。大程子说他懂得“天理”二字的时候喜得什么似的。人生有这么切实的意义，还不喜吗？张子曰，“己亦是一物。”二程子曰，“人能放这一个身，公共放在天地万物中一般看，则有甚妨碍？”又曰，“以物待物，不可以己待物。”朱子曰，“却将身只做物样看待。”这些话都说得多么简单，多么实在，正同我们在军队里说我们是士兵之一员，姓什名谁是没有意义的了。若说姓什名谁的意义，意义在于你是一个兵，我也是一个兵，我一旦知道人民解放军的意义，我努力实现这个意义，我喜得不得了，你也一定如此罢。大程子曰，“除了身只是理，便说合天人。合天人已是为不知者引而说之，天人无间。”这话便说明人是什么，天是什么。我们只因为自私，首先私于一个身子，于是说这是“我！”其实这个“我”是假的，因为没有这个东西，倒是“除了身只是理，便是合天人”是真的，因为道理是如此。我们一旦懂得道理，自然要来实践道理，便是知行合一。宋儒懂得“无我”的道理，当然受了佛教的影响，结果当然又要辟佛了，因为中国文化本是现世主义的宗教。宋儒实践“天理”便从“人伦”起，便是修身齐家治国平天下。所以家国天下是中国人真理的对象，正同基督教的天国，佛教的涅槃一样的是对象。中国文化是现世的，是人群的，我常赞美孔子的两番话，其一答子路曰，“吾岂匏瓜也哉，焉能系而不食?”意思是说“我不能挂在那里给你们看的，我要给人吃的。”即是说要做食粮。其一答愤世嫉俗的山林隐逸然而也是英雄好汉，孔子同情于他们，然而觉得他们不懂得道理了，告诉他们曰，“鸟兽不可与同群，吾非斯人之徒欤〔与〕而谁欤〔与〕？天下有道，丘不与易也。”这真是孔子的伟大,他知道山林隐逸之士一定懂得寂寞,所谓空谷足音的寂寞,故孔子说他要与人为群了。凡属哲学家都不能有这样的胸怀的,必圣人而有这样的胸怀。圣人者,宗教家也,这个宗教家是实践真理者也。孔子曰,“不怨天,不尤人,下学而上达,知我者,其天乎?”我们大家如果知道“天”,那我们的生活真有意义了,我们的生活便是真理。我们还不敢说“知我者,其天乎?”因为我们还没有实践。

中国人的家族观念之深当然是从这个宗教来的。并不是圣人教给大家的,因为大家都是中华民族,都是信奉这个宗教的。有人把中国的家族观念当作一种封建社会的产品,我认为不完全是对的,各民族的历史都有其哲学的根据的,换一句话说,历史就是哲学,哲学就是宗教,所以于在家的中国文化之外,又有出家的印度文化了。封建思想当然多得很,后来儒者所嚷的三纲五常便是,孔子则只说“君君,臣臣,父父,子子,”各有各的应尽的道理了。孔子道理大纲只一个“仁”字。他说“能近取譬,可谓仁之方也矣。”这便是实践真理的精义。我们大家不要说空话,要学而时习之,在农村社会里头,要实践道理,当然从孝弟起,因为一个人总是先做小孩子,故《论语》于第一章学而时习之之后,接着便是孝弟为仁之本。

总而言之,儒家是顶难懂的一个东西,也是最切实的一个东西,他没有一套学说,他完全是实践了。孟子曰,“形色天性也,惟圣人然后可以践形。”我们有我们的形体,谁能把他拿来实践真理呢?我们都是给他拖下水了,所谓人欲横流。惟践形的圣人可以说“知我者,其天乎?”

四　性善

儒家最令人起反感的话莫若孟子说的性善。本来也是儒家的荀子便反对了，他说性恶。其实你说性恶便可见你要求善，正是性善的表现。如果我们承认前面所说的“天命”二字的实在，性善是不成问题的，因为“天命之谓性。”乡下人口中也总是说“天理”。实在世界不应该有恶的。大程子更说得妙，他说，“天下善恶皆天理。谓之恶者，本非恶，但或过或不及，便如此。”如果“中”，无有不善的。奇怪的是，社会上几乎没有“中”的事实，都是过与不及，故社会上都是恶事了。倒是自然界有一个“中”字，你的身体健康也是一个“中”字，过与不及便生病了。从道理上确是有个“中”，我们谁都不能否认的。我们承认有“中”，我们说话做事却是不懂得“中”，这又是一件奇事。我们不承认“善”，我们确是懂得“善”，这又是一件奇事。据我看，孟子的价值，便在冒天下之大不韪说出这一个“善”字了。你不相信性善，是你看不见世上有善事，不是你不懂得善了。世界永远是一个努力，便是努力实现善的。世界不是空谈道理，我们大家都要生活，我们大家的生活都达到“中”，无过与不及，便是善的实现了。不是“善”的推动力，从何而有“中”的迫切的要求呢？我认为孟子这个“善”字的力量真大，超过古今中外任何学说的。

善的表现应莫过于“爱”，社会上那里有爱的事实呢？你是一个地主，你到佃农家里去收租，你看见他没有饭吃，你肯少要一点吗？是的，经济的关系当然甚大。孟子曰，“矢人岂不仁于函人哉，矢人惟恐不伤人，函人惟恐伤人。”想离开生存来说道德是很不容易的。不过我举一个最可笑的人做的一件最可笑的事，便是齐宣王以羊易牛的故事，他为什么看见牛杀死了可怜，叫人牵羊来换呢？孟子说他是见牛未见羊也。人对于动物动了恻隐之心，我想没有经济的关系，是“爱”的事实。即此便是“爱”的存在。人类社会，说爱都是说空话，有时你向人说爱，无异与虎谋皮的，因为经济的关系，这个我也深深地知道。我深深地懂得阶级争斗是科学方法。我真真佩服马列是人类的智者，而且是现代世界的救星。但我还是说人类的爱，即孟子的性善。有人要我背十字架，我很欢喜的画孟子的一个善字。因为这一个善字决与大众的幸福不相冲突，对于勇敢的革命家的目的不是障碍，而我贡献了真理。

我还想讲《论语》这两章书：

> 子曰：“性相近也，习相远也。”

> 子曰：“唯上知与下愚不移。”

孔子的话真是说得圆满，但孟子的话说得太亲切可爱了。孔子的意思也是说性善的，不知怎的他这样说，他说人类之所以相接近的原故是因为性，性本是善的，善是没有分别性的，任何人都相同的，正如任何水都是湿的，故大家都可以相近了。然而因为“习”的原故，善人与恶人便相差太远了，简直不是量的不同，仿佛是质的不同。“习”的范围含义很广，经济的条件占重要的成分，矢人惟恐不伤人，函人惟恐伤人，简直远到这样的程度。孔子接着说“上知与下愚不移”，上知不移于性，下愚不移于习，上知的生活是性的解放，下愚的生活是习的束缚，故上知总是趋向光明，故人类文化总是革命的。你能说出历史上的大学问家有那一人是过着奴隶的生活吗？若无习的束缚，也不见性的解放，没有黑暗就不会推动我们去点一盏灯。

五　科学与宗教

我常常想替人类下一个定义，我的定义是，“人是一个道德的动物。”我再一想，大喜，我的定义可以有两个人与我同意，便是孔孟，孟子有“仁也者人也”这句话，而“仁”字是孔子特别提出来的。我的定义却是受了西洋科学与西洋文学的影响，因为我知道西洋的“不道德的文学”，“恶之花”，正是道德的果实，即是向人类要求道德，西洋的科学是同自然斗争，同自然斗争是同释迦牟尼要解决生老病死苦一样的是大无畏精神。我在很早做学生的时候便喜欢吴稚晖的“机器促进大同论”，更喜欢巴斯德发明细菌除去人类的疾病。我曾经说过一句话，“文学是道德的。”我又说过一句话，“科学的道德是最好的道德。”我所谓道德的意义，是反抗黑暗的意义，反抗自然的意义，用毛主席的话说便是革命，革命便是为人群谋幸福。不知怎的，在科学当中我最不喜欢达尔文同斯宾塞，最初知道他们是读严译《天演论》，当时知道这是新学，但毫无动于中。五四运动《新青年》杂志提倡赛恩斯与德谟克拉西，我也知道这是新学，但毫无动于中。倒是十九世纪俄国的小说，同初期共产党宣传的无产阶级没有祖国的口号，使我大有所感动，同时我感到斯宾塞那一派的科学，德谟克拉西那一套的政治，是学问当中最不豪杰的了，我简直认他们是不道德的。当然我便很佩服马克思，我觉得他有趣，这样才叫做社会科学了。科学是学问的一种，正如宗教与哲学与文学一样，必然是有革命性的，是以大多数人群的幸福为迫切要求的，诚如孟子说的禹稷颜回同道。现在我深知达尔文一派是基督教的反动，人从猴子进化来的同人是上帝造的是一个形式，这样的科学远不如宗教，生存竞争简直是邪说。而马克思的阶级争斗是科学。为什么呢？因为达尔文斯宾塞这一派的学问同经济上的自由主义是一个母亲的双生子，结果产生了资本主义，帝国主义，不有阶级争斗怎么打倒得了呢？阶级争斗不是辩证出来的吗？所以达尔文并不算什么，马克思实在了不得。写至此，我记起冰心女士的一篇文章，题目为“机器与人类幸福”，作者是诗人的意识，认为机器未必与人类有幸福，她记载她在美国时住在医院里听着外面机器耕地的声音振耳欲聋，使得病人很烦恼，有两段文章很有趣，我且抄在下面：

> 他们用机器耕地，用机器撒种，以至于刈割等等，都是机器一手经理。那天我特地走到山前去，望见农人坐在汽机上，开足机力，在田地上突突爬走，很坚实的地土，汽机过去，都水浪似的分开两边。不到半点钟工夫，很宽阔一片地，都已耕松了。农人从衣袋里掏出表来一看，便缓缓的捩转汽机，回到园里去。我也自转身，不知为何，竟然微笑。农人运用大机器，而小机器的表又指挥了农人，我觉得很滑稽！

我读了这段文章所得的印象与作者下笔的光景恰恰相反，

我认为这段文章是科学的人生观很好的象征，小机器的表便代表人类，大机器便代表自然界代表社会了。这是闲话。我现在引来有用的是这一段：

> 这声音直到黄昏才止息，我因头痛，要出去走走，顺便也去看看那害我半日不得休息的汽机。走到田边，三四个农人正站着踌躇，手臂都叉在腰上，摇头叹息。原来机器坏了。这座东西笨重的很，十个人也休想搬得动，只得明天再开一座汽机来拉他。我一笑就回来了。

资本主义是一个机器，这个机器坏了，你休想搬得动，只得明天再开一座汽机来拉他。马克思便开了阶级争斗来打倒资本主义了。这便叫做科学方法。这便是科学的道德性。换一句话说，科学必然是豪杰之士干的勾当，是革命的。

科学是人类的产物，按我的意思人是一个道德的动物，所以我是最喜欢科学的，套孟夫子"仁也者人也"的话我应该说"知也者人也。"然而我在这里分明是一个中立派，很有点像两边认朋友的蝙蝠，因为我又喜欢儒家的宗教。从前面"儒家是宗教"那一节里，儒家的道理有什么不合事实的地方呢？他说一个"天"字不比我们说一个"我"字要合乎事实得多吗？我觉得他的话颠扑不破。孔子也真是认真的，他的天资大约比我们总要高得多，至少总赶得上我们，他到了五十岁的年纪，才慢慢地说一句话，说他知天命，所谓"五十而知天命。"我们不要太看不起古人了，随便地抹杀他，说他讲什么鬼话，什么知天命！更有趣，他四十岁他说他“不惑”，若我们现代人，包括小学生，中学生，大学生，仿佛谁都不惑了！那我们是不是“不惑”呢？我于此事大惧。我赶快说出我的意思，我们现代人都是惑的，因为我们不懂得宗教，我们本着常识斥宗教为迷信。常识者，凭着耳目之经验也，用英国话，“Seeing is believing.”只是如此相信而已，未必合事实。未必合事实，便未必是理智。凡属理智，是必定合事实的。我更具体地说出我的意思，如果照科学家运用理智的习惯，科学家并不就是无鬼论者。孔子曰，“知之为知之，不知为不知，是知也。”科学之于鬼神，应该是“不知为不知。”不知为不知才是知。孔子是真真不知为不知，故他说，“未知生，焉知死？”科学是在所知的范围里认为有不知，不是“不知为不知”，故在科学的范围里斥鬼神为迷信了。我觉得宗教家智慧大些，尤其是现世主义的宗教家孔子。我最喜欢孔子答樊迟问知的话，他说，“敬鬼神而远之，可谓知矣。”这是我们谁也料不到的“知”的答案罢。是的，人是道德的动物，人生的意义便是人生，一切以人群的幸福为第一，一切不负责任的话我们都不说，一切不干已的事情我们都不谈，便是孔子“远之”的态度。然而孔子不说鬼神不是事实，敬而远之而已。这是非常之合乎理智的。科学家反而太是人生哲学的态度了，他说无鬼。我更明白说出我的意思，照我的意思，科学也正是宗教，是以人群为第一义的。我喜欢现世主义的宗教，即中国的儒家，我欣赏科学的范围，科学不许你拿理智用到科学以外的范围。

六　理智与迷信

我常想，有一件有趣味的事，便是，理智必然是事实，此其一；我们平常所说的“迷信”有时正是理智，此其二。理智必然是事实，这个证明太多了，所有近代科学的发明都是证明了，科仑布本他的理智断定地是圆的，他向海西边航行可以走到东边去，结果新大陆给他发现了，瓦特以一个小孩子的理智发明蒸汽机。迷信有时正是理智，例子便很难举，而且我所想说的是一个唯一的例子，便是佛教所说的“投胎”。请大家不要以为我故作大言欺世，让我毕其辞，等我的话说完了，说得不合乎理，确乎是妄言，那么我愿受最严厉的裁判，或者就照古印度的例子，你的话说错了就把你的舌头割掉。我本来没有得已而不已的话，除了服从真理还有什么叫做生命呢？

佛教说“生”是种子生，如种生芽，《华严经》谓之“种生芽法”。经上又说，“识是种子，后身是芽。”所以“生”是“识”投胎，母胎只是同地土一样，地土不能长出芽来，芽是种子自己长起来的。“识”便是种子。种子不是一个囫囵东西，是“一合相”，如一颗植物种子，是植物的诸多部分合而为一起的，一株树的一颗种子便是严格的一株树的具体而微，一株树有根茎枝叶花果种子诸部分，一颗种子也有根茎枝叶花果种子诸种子。《瑜伽师地论》(卷五十二)说,“譬如谷麦等物,所有芽茎叶等种子…………”意思便是芽有芽种,茎有茎种,叶有叶种,推而言之根有根种,花有花种,果有果种;种子亦有种子的种。我们先把这个“一合相”的意义认清楚了,再看佛教说“生”,即种子义。种子有六义,一刹那灭义,二俱有义,三恒随转义,四决定义,五待众缘义,六引自果义。要说明六义,最好先说明“俱有”义与“引自果”义。且让我绘如下的图:

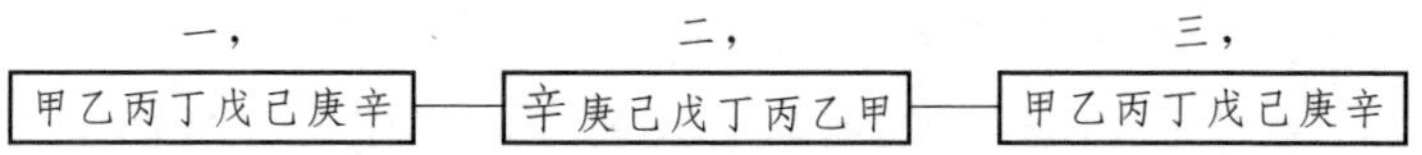

这里还是就植物作比喻。图一好比是一株树,一株树是一合相,诸多种子积聚在一起慢慢长大了的,甲乙丙丁戊己庚辛代表诸多种子,芽种子,茎种子,叶种子,以至种子的种子。一株树即尚未开花,尚未结果,果里面的种子尚未成熟,而其花其果其种子都各有种子藏在里面,不是虚空无物。我们把辛代表狭义的种子,便是常情所说的树种子,这颗树种子成熟了,则它要离树而落,于是而为图二,我们以大写的辛代表之,常情说它是一颗囫囵东西,而它里面是有各种种子的,包括它的自种,由这颗种子发生为另一株树,于是第一阶段由图二生出图三的甲,即《华严经》说的“种生芽”。图二生出图三甲,接着图三甲生乙,乙生丙,丙生丁,丁生戊,……即是由发芽而慢慢地又长成一株树了。

照道理讲,天下事情不能无中生有,也不能由这个东西变成那个东西,这是极简单的道理,是一定不易的道理。从上面的三个图看起来，甲乙丙丁戊己庚辛完全是甲乙丙丁戊己庚辛，不增不减，只不过是互相生长罢了。方其生长时，由甲而乙的阶段，甲乙同时俱有，（佛书上举莲华根为比喻，我们可以心知其意，意若曰藕长出花来，藕与花同时俱有）即因与果俱有，不能因灭而生果，因灭了还生什么果呢？此是俱有义。就甲乙丙丁戊己庚辛全阶段说，图一里面的甲，就是图二里面的甲，也就是图三里面的甲；图一里面的乙，就是图二里面的乙，也就是图三里面的乙；下此例推。此是引自果义。所以一合相之各分实在没有离开位置，天下的东西简直没有动，这株树简直就是那株树，好比我口袋里的钱放在你口袋里，而钱实在没有动。这样才是理智，才是事实，否则无中生有，杂要场上变把戏，这个变成那个，岂不是笑话。所以佛教的俱有义与引自果义令我佩服得五体投地，这么复杂的世界，原来应该是一个简单的道理了。物理学的物之不可入性，有这个就不能有那个，这个与那个就位置说是不能发生关系的。化学的物质不灭，轻养化合生水，实在轻养没有变，水仍是轻养。这都是简单的道理，一定不易的道理。佛教规定种子的俱有义与引自果义，我们如果请现代的植物学家去研究植物种子，一定是因果俱有，引生自果的。其余四义都不过是说明事实。一刹那灭者，是说生长不是“常”，如果“常”就总是那个样子，天下那里有总是那个样子的事情呢？三恒随转者，彼此互有关系，直到成熟。四决定者，甲乙丙丁戊己庚辛本来都在那里，甲生乙时，也可以戊生己，也可以丙生丁，也可以乙生丙，总之谁都可以相生，那样便没有决定性了，所以甲生乙时，丙不生丁。这确是很有趣，甲生乙时不能丙生丁，但甲乙丙丁戊己庚辛整个阶段，却不必非从甲生乙不可，从乙生丙起也可以的，从丙生丁起也可以的，试看我们栽花植树，不一定要播种子，栽下芽去也可以长，插枝也可以长，分根也可长，但不能根茎枝叶同时一齐长。事情当然是简单的事情，理智则神圣了。五待众缘者，如植物虽有种子，若非气候地土诸条件具备，不能生长。

佛教不认为植物是有生命的，植物生长的道理只能拿来作一个比喻，比喻“识是种子，后身是芽。”佛教的逻辑，不要证明，要比喻，我觉得非常之有趣。何以呢？喻者，就你所承认的事实比譬给你听，从理智讲应该是如此。若证，则有时反而没有意义，好比你不信鬼，我举一个证明你听，说某人看见鬼，你还是不信了。生必然是种子义，是无疑义的，只是有生命的“识”，这个种子是什么？那便是佛教的唯识，道理很多，我不能详说了。

佛教的唯识宗说明“生”，即种子义。在唯识以前空宗佛教则是破常情所说的生，他这样说，法不自生，因为一个东西有就是有了，说自己有了是什么意义呢？亦不从他生，因自相无故，他相亦无，如说无“我”，自然没有“你”，说着“你”就是因为“我”也。亦不共生，因为前二俱过，无由有共。故自生，他生，共生，都不可得。就理智说，话是不能再多说的，要说的都已说尽了。然而或不能博得世人之一粲。呜呼，吾于此甚悲。

我信佛教完全是从理智来的，我的理智是生活上刻苦来的，我由理智而懂得佛教，又由佛教而懂得理智。再证之以中国圣人的态度。孔子说，“未知生，焉知死？”我相信孔子的不知是真不知，因之孔子也就是知，他知有死，不知其详罢了。因为孔子的不知，我知道佛一定是知。我喜欢他的逻辑。中国是救现世的宗教，对于死自然是不求甚解，我真喜欢孔子的态度。只可惜世人以及今之科学家，太是自以为知了。从道德的观点说，从重视人生的价值说，科学有一个最好的信仰，即是科学有时不信理智，而斥宗教为迷信。我所说的宗教，当然是指中国儒家与印度佛教，就是基督教也是我所想说的。

七　兼容并包与严格

我现在是一个最爱中国的人。我爱中国，因为我懂得中国的学问，因为中国有孔子，孔子之后有孟子，孟子之后又有宋儒。他们的学问除了生活，除了做人，一点也没有学问的方法的。宋儒虽赶不上孔子那个“不知为不知”的态度，没有宋儒恐怕真难得懂孔子。孔子的“不知为不知”是一个特别的宗教家的态度，即是救现世的宗教家的态度。而别个民族的宗教是“全知”了。“不知”与“知”没有冲突，谁能有这个完全的道德，可爱的智慧呢？科学家的态度应近似，然而科学的特点或者说科学的道德正是唯物，因此科学家不能“不知为不知”了，他不能说他不知鬼神！大哉孔子，不知为不知。他是要救现世的。在我懂得中国农民之后，我更爱中国了，我知道中国前途光明了，我真是像小孩过新年喜得什么似的，于是我由孔子而更了解到二帝三王上面去了，原来中国农民个个是禹稷，我们随时随地可以有禹稷的。后来因为君主长期的压迫，夷狄长期的压迫，中国农民只是生活苦，他们从来没有给谁屈服，他们总在那里自己做主人了，因此民族复兴了。在我懂得中国共产党之后，我则欢喜若狂，要如希腊的学者一样要喊“得之矣！得之矣！”真理真是真的，科学方法要到这里才有用了，即是在社会科学里面有用了，我们本是治国平天下的民族。自然科学我们是赶不上人家的，所以学了好久没有学好，不如日本马上学会了。我们也没有迎头赶上去之必要，我们结结实实地打倒帝国主义好了。科学给了我们这么一个法宝，将令西洋的科学家苦笑不得，他们只会替资本家制造原子弹的。我们有革命性，我们的民族向来是不侵略人家的。在过去封建时代，中国圣人，或者同周文王一样，或者同周武王一样，一个让，一个革命。再不然同孔子一样，道不行，则为师。再或者同一般隐士一样，自己下乡耕田，不同政府合作。总而言之都是救现世主义，所以中国的隐士没有一个像西洋的隐士是修道士，便是做和尚也每每是为了家国之痛了。中国虽是听天由命的道德，没有革命的哲学，也没有革命的方法，也无须乎要方法，像汤武革命那是很容易的，后代农民革命也是很容易的，被压迫不过便揭竿而起了，封建社会便那样一治一乱过下来了，农民够苦的也够应付的了。在科学发达的国家侵入了中国以后，中国将怎么办呢？世上将没有天理，中国将真是永没有翻身之一日的！孰知共产党首先抢得了一套科学，（我说他抢得了，真有喜不自胜之概，真是给他抢得了！）先知先觉的孙中山首先赞成了，帝国主义将一定给半殖民地的中国打倒了，迟早只看中国有无反动。而全民族的力量，整个历史的力量，少数圣人的精神，全体农民的精神，将必一起拿起这把利器，即共产党所抢得的科学方法，势如破竹迎刃而解的。我们安得不喜悦。解放中国，解放全世界，是中国民族的道德了。因为我们历史上是如此，禹治水是以四海为壑的。所以区区之心是赞美共产党，简直不知道拿什么好话来说，我想最好的话莫过于劝共产党不要排斥中国的圣人，是的，我满腔心事，一句话说出来了。请共产党不要因为后代的读书人而轻视孔子，请共产党不要因为科学方法的切实而忘记民族精神的切实。我们还要好好地讲孔子，但决不是一般所谓读经。我有一篇文章，题目是“旧时代的教育”，是抗战期间我在农村间看见还有私塾存在，小孩子还是读经，一天我走进那个私塾，听见那个诵声，动了我的愤怒因而写的，我敢说鲁迅的《狂人日记》远不如我的这篇狂人日记真真是救救孩子了。在另一方面我常想在北京大学讲《四书》，但不敢开这个功课，因为在胡适之学派之下，你要说《四书》是不能登大雅之堂的，单独讲《论语》倒可以，因为汉学家也讲这个东西。此事最令我伤心，我知道宋儒编的《四书》是中国第一部光荣的书，中华民族精神都在《四书》里头，如果要我早晨把我的四书讲义编完，晚上死了是可以的，算是尽了我的精忠报国的心愿，虽然我知道我不死，我是佛教徒。

再说佛教，佛教对于中国的好处非常之大，不说别的，单就建筑说，佛教给了中国好大的庄严。在人民解放军进北平市之后，据报载结队游北海公园，都十分高兴，我得了这个消息很喜悦，我想北海的建筑一定给军人一种解放，精神上起积极的作用，而北海建筑物是受了佛教影响的。中国不是受佛教影响，有许多方面，即如建筑，恐怕单调多了。在农村社会里，除了庙，简直没有精神集中的地方了。中国农民，因为是现世主义的宗教，佛教不会教给他们出世的，一般农民决不想做和尚的，和尚，以及和尚所住的庙，每每给农民一种精神的休息了。农民自己不做和尚，却是非常与佛教亲爱的。中国农民所喜欢的两件事情，一是孝弟，一是“菩萨”，他们所希望的，确乎希望有一个“人民的政府”，所以人民政府决与孝弟与“菩萨”不冲突了。中国共产党如果向人民表示，共产党信孔子，尊重佛教，老百姓一定大大地安心了，知道人民政府一定是他们的了，他们不怕共产党了。现在他们总有点怕共产党，怕天下没有那么的好事似的。农民的心安，然后农民不怕美国的，正如抗战时不怕日本。不怕美国，他们也便不怕苏联了，那时他们自然会知道苏联是帮助咱们打倒帝国主义的。我的话都是真爱中国的话，爱中国共产党的话。共产党在这一方面最要懂得得人心，万不要随便说破除迷信。有一位牛津大学毕业的英国学生到北京大学来做研究生，研究中国文学，每星期日来我处听讲，有一天我同他谈佛教的因果，他简直不懂，他忽然说一句话，他说“上帝是因，”令我大吃一惊，我想这不是现代信科学的人应该说的话，然而他很相信地说了。因此我想基督教向来是不与科学冲突的，科学发达的国家正是信基督教的国家了，欧洲的现代医生每每一身兼做古代教士了。同样，中国农村里的庙，是乡镇公共办事处，空气非常之调和了。

以上说的是我劝共产党兼容并包的话。但我佩服共产党的严格。徒说兼容并包而不严格，毛病便非常之大，一切坏处将乘隙而入了。中国农民可爱，而农民以外的中国人则是狡猾的。不严格是没有识见。蔡孑民当初办北京大学，以兼容并包为北大精神，在蔡先生确是诚实的，他没有成见。他对于北大的贡献，是民主制度，而失败在于兼容并包。试问北大兼容并包有什么成绩呢？兼容并包同时便喊“为学问而学问”，对于中国的民族精神一点也不懂得，不知道孔子的价值，不知道宋儒的学问，结果自然给胡适之一派冒着科学方法的牌子做清初一般奴才的学问了。换一句话说，中国大学之道是治国平天下，没有真的治国平天下的学问，便是八股，读书人自然就要做官。治国平天下的学问是为人民服务，做官是做君主的奴才。蔡先生为学问而学问的口号，是没有识见的号召而已。倒只有共产党真真在那里做起学问了，即是治国平天下之道，即是打倒帝国主义。这一点共产党是非严格不可。是绝对要与劳动阶级配合的。是绝对要改变读书人生活习惯的。孙中山比蔡孑民有识见，但他也为胡适之的“新文化”所吓唬住了，不由得要劝国民党员注意，胡适之一直引为骄傲。孙中山的“顺乎天理，应乎人情”，倒是真本色，他把目标移到“新文化”上面去，我认为是他的识见不坚定之处了。倒是共产党真是进步的，“五四运动”给共产党规定了意义。我佩服共产党的严格，我举起双手来赞成严格。

八　从为人民到为君

我们无须乎作详细研究，我们只粗枝大叶地把中国过去的历史记一记，同样是封建社会，以秦为界，秦以前与秦以后的历史有一个绝然不同的空气，即为人民与为君。秦以前是为人民的，秦以后是为君的。这真是一件有趣的事实。不说别的，就连隐逸的空气秦以前与秦以后也不同，而且秦以后简直没有什么隐逸，因为大家都为君去了，都做官去了，再不然就是“忠臣不事二姓”的隐逸。只有陶渊明算是集隐逸之大成，他一方面学长沮桀溺耕田，一方面又佩服孔子的“问津”，他骂当时的读书人，“终日驰车走，不见所问津”，你们到处奔走，胸中有些什么呢？“冰炭满怀抱”罢了。他自己有时也想出去，“问君今何行？非商复非戎。”即是说他也不是想出去经商，也不是想去从军，他大约总很羡慕庄周荆轲之徒罢，我们且不管他，我只喜欢“非商复非戎”这句话，是一个乡村农人的口气，一点也没有读书人的臭架子了。我敢说中国诗人的集子汗牛充栋，只有陶渊明有这一句话的。然而陶渊明自己说了，“不知有汉，无论魏晋，”他又斥秦为“狂秦”，所以陶渊明实在算是秦以前的隐士。诸葛孔明躬耕南阳，只能算是秦以后的人物，他是苟全性命于乱世，不求闻达于诸侯，他的出来，是因为“感激”，“遂许先帝以驰驱”。较之孔子答复隐士的话，“鸟兽不可与同群，吾非斯人之徒欤〔与〕而谁欤〔与〕？”真好像一个现代人与古代人说话的意义不同了，而孔子是古代人。所以孔子是中国的圣人。秦以后如果没有印度佛教传入中国来了，中国的奴隶空气将更令人窒息，因为有佛教开辟了做和尚一条路，豪杰之士乃学得出世了。秦以前的隐士都是入世的，他们的生活都是耕田，只是他们的骨头硬，他们瞧不起做皇帝瞧不起做官，所以故事上许由洗耳于河他的手上是牵了一头牛的。庄周文章里充分表现了秦以前隐士的脾气，有的听说有人以天下让给他，他认为这是侮辱他，情愿“投清冷之渊”而死，这真是迂腐得可以了。不管事实怎么样，至少可以表现庄周个人的心事，与他在《胠箧》一篇里所表现的愤怒，即是对于“窃国者侯，窃钩者诛”那一套历史的反抗总有关系罢。我最爱读《论语》所记的楚狂接舆，我想这一定是历史的记载，不是故事的描写，因为你懂得《论语》便知道《论语》是记载事实的，有时等于《春秋》。楚狂看见孔子过路，他要唱一个歌儿讽刺孔丘先生，在我们现在的社会里，在都市里大街上，不会有这样管闲事的人，然而乡村间可以有，乡村间常常唱歌儿骂人，足见中国人的热心。孔子更是热心，他听了接舆的歌，他要跳下车来同他谈谈。接舆的态度真是坚决得有趣，“我岂肯同你谈话！”他看见孔丘先生下车他赶快跑。我读了这章书，感激欲泣，我们现在简直不算做人了，我们是在大学里教书的，我们做先生的同做学生的都是路人，而春秋战国时代路人都是先生与学生了，大家该是多么热心。我现在本是想说秦以前的历史空气是为人民的，不觉从隐士说起，因而很有点神往于古人了，可笑得很。我们且读读《左传》罢，我觉得《左传》上的人物，无论君与臣，都很有英国的绅士态度，一点也不像《三国演义》所给我们的印象，《三国演义》的作者时代那么后，那么多的封建思想。关公与岳飞，成了中国民间的典型人物，封建思想的结晶，都是近代小说的影响。而《左传》是古代的历史。《论语》里面有这一章书：

> 季氏富于周公，而求也为之聚敛而附益之，子曰，“非吾徒也，小子鸣鼓而攻之可也。”

我很喜欢这个“鸣鼓而攻之”。但后代便没有这个严厉的声音了。《论语》又有这一章书：

> 齐景公有马千驷，死之日民无德而称焉。伯夷叔齐饿于首阳之下，民到于今称之。

后代的老百姓完全是势利眼，就连现代也是如此，只是巴结势利，他们不知道势利把国家弄成个什么样子！要不是共产党起来了，你我都不能吐一口鸟气。我在乡间住着有时便受大众的轻视。我虽不是巢父许由一派的隐士，然而我很羡慕他们，他们死在清冷之渊里大约死得颇热闹，要是我在乡间投水而死，老百姓说你没有出息，因为你没有做官。我是深知道中国农民的，深爱中国农民的，他们的势利眼是他们没有阶级觉悟罢了，他们是看见读书人做官那么阔，那么凶，一切国民义务当兵纳粮都不用尽得，因而眼红罢了。总之屈于一人之下，伸于万人之上，是读书人的脸谱，是秦汉以后的历史，即是忠君役民的历史，即是奴隶的历史。

秦以前是为人民，秦以后是为君，我分这么一个界限，确乎是不错的。我再一想，秦以前的君同秦以后的君，空气也确乎不同。因此我记起《论语》的一章书，同《庄子》的一篇《胠箧》。庄子的时代虽然是战国，已可以代表秦以后了。两样的议论，都可谓持之有故言之成理，历史本来是如此，即是秦以前的君也是为人民的，秦以后的君则是做皇帝。《论语》是这一章：

> 孔子曰："天下有道，则礼乐征伐自天子出。天下无道，则礼乐征伐自诸侯出。自诸侯出，盖十世希不失矣。自大夫出，五世希不失矣。陪臣执国命，三世希不失矣。天下有道，则政不在大夫。天下有道，则庶人不议。"

中国的历史到孔子时代，本来都是很好的，所谓二帝三王的历史。孔子亲自听见过舜的音乐，他听了之后那么的赞美，三个月不知道肉味，想见其余音嫋嫋了。他到太庙里去，看见每件东西都要问，可见极天下之文明。所以孔子所谓"天下有道"确乎是天下有道，二帝三王正是中国的圣人，正如释迦牟尼是印度的圣人，耶苏是犹太的圣人，欧几里得，亚奇默得是西方最早的科学家是一样，都是有成绩的。到春秋时慢慢地差了，孔子谓"十世希不失"，"三世希不失"，大约都是史实。"不失"便是大体不差，大家都还没有什么话说。到了战国时代，则中国历史大大地变了，不是"庶人不议"的时候了，是"处士横议"的时候了，庄周算是一个横议的代表，他攻击一切，《胠箧》一篇骂当国者都是强盗，同时论定了秦以后改朝换帝的历史。为君者是大盗，为臣者乃都是奴才，所以中国的历史再也不是人民的历史了。我们只看秦以后第一个朝第一个皇帝有读书人叔孙通替他制礼仪，然后皇帝说：“吾今而后知为天子之可贵也！”自此以后孔子也都给历代君主利用了。

我屡次说过，我是非常之佩服宋儒的，可惜他们精深而不阔大，（虽不阔大而他们是笃厚的）他们对于后代为君的空气遗了很重的毒。他们又太不懂得孔子赞美管仲事功的意味，他们总是叫人死节，“饿死事小，失节事大，”这个口号真不知有多少流弊，不但弄得人民都成了君主的，而且女人也都成了男人的了，而且都给活埋了，所谓礼教吃人。张巡许远那般残忍的家伙，在中国历史上奉为典型人物。地方志书，可以说都是冤状，因为都是节孝。中国人民，一方面是夷狄的凶残，一方面是三纲五常，简直没有一个有胆有识的人敢说能说一句合人道的话。明代出了一个李卓吾，结果自然给为君的读书人害死了，而这个人实是宋儒以后儒家一个最有功的人。我说他是儒家，因为儒家本来是那么广大的，要各方面的贤者来发挥了。李卓吾替中国女子出气，但我最佩服他的为人民的思想，他替冯道说话道：

> 冯道自谓长乐老子，盖真长乐老子者也。孟子曰，社稷为贵，君为轻。信斯言也，道知之矣。夫社者所以安民也，稷者所以养民也，民得安养而后君之责始塞。君不能安养斯民，而后臣独为之安养斯民，而后冯道之责始尽。今观五季相禅，潜移嘿夺，纵有兵革，不闻争城，五十年间，虽经历四姓，事一十二君，并耶律契丹等，而百姓卒免锋镝之苦者，冯道安养之之力也。

这真是大胆的见解，正确的见解，冯道也可谓之“德不孤，必有邻”了。

上面的话，大概不是我的主观，秦以前的历史空气是为人民的，秦以后是为君的，为君为到极点乃有李卓吾的反抗历史态度。信奉儒家的人，有时是很危险的，一方面不懂得事功的意义，如宋儒，一方面如清末的曾国藩能够立事功，却立了最没有意义的事功！因了中国共产党的启示，我想，曾国藩一派的人如果有共产党的理想，中国革命早成功了。他们徒徒怕洋人，徒徒有功名观念，出自民间，慑于皇帝的尊严，因之戴上功名的顶戴了，在历史上落得一个没出息。因此我们佩服孙中山。因此我们佩服中国共产党。共产党给中国人以一个革命的意识，即阶级意识；给中国人以一个革命方法，即阶级争斗。我们非共产党员，应该代表一切的为人民者，从孔子以至陶潜以至李卓吾，一齐向共产党致敬，因为共产党有了为人民的方法，即是革命。而历史上的汤武革命，刘邦的革命，都不算是革命，那个革命都可以转手的，都可以转到君主手上去，只有现在共产党的革命是科学方法。我们本是打倒帝国主义，反而第一步将肃清国民党的内战了。我们从此真有为人民的道路了。

九　新中国的教育

古今中外简直没有“为学问而学问”的事情。蔡孑民先生当时提出为学问而学问的口号，大约是八股的反动，羡慕西洋的学问精神，而结果出乎他的始料之所不及，中国的大学教育以及蔡先生所创立的研究院正是八股。

你懂得孔子，你总承认孔子有学问，孔子的学问是为学问而学问来的吗？你懂得佛教，你总承认释迦牟尼有学问，释迦牟尼的学问是为学问而学问来的吗？你如果说孔子与释迦牟尼都不算是学问，那你是因为做了西洋的奴隶，学问与奴隶是没有分的了。现在共产党革命成功了，你总不能说马克思没有学问罢，马克思的学问是为学问而学问来的吗？就说西洋的科学罢，西洋的科学导源于希腊，希腊的数学物理学家亚奇默得，这位老头儿（七十五岁），他的故乡须拉库色被罗马所攻取，他叫一个罗马兵站开点，不要踹坏他在地上所画的图，遂被杀。须拉库色被围的时候，他发明了许多机械，而且这是他说的话：“给我一块立足的地方，我将去转动这大地。”学问是最神圣的东西，学问都是革命性的，反抗性的，不是勇士，你休谈学问。本来世界是真理，真理给你一个耳朵，你却因了耳朵而喜欢下流的声音，你那里追求声音的法则因而创造留声机呢？真理给你一个眼睛，你却因了眼睛而好货好色，因而自私自利，要把这些货色归为己有，你那里去追求光明与黑暗到底是一个东西还是两个东西呢？我们活在真理之中，如鱼活在水里而不自觉，我们说这个水是“物”，我们说这个水是“心”，这个水里有战争，这个水里有剥削，这个水里有惨无人道的历史，这个水里也有革命的英雄，这个水里有生的事实死的事实，有水以内还有水以外，水以外他们叫做空气罢，他们有空气也正同我们有水罢，都是世界罢，都是真理罢？这些问题不正是学问吗？这些学问都是知与行合一的，岂有抱着书本子的小人儒而能有分的吗？小人儒只是自私自利患得患失罢了。未有学问家而没有革命的精神的，不然你的学问便是奴隶的学问，你便没有学问的良心，你便不知耻。为什么说你没有良心呢？你替资本家制造原子弹毁灭人群，便是你没有良心了。你没有良心，你便不知耻了。你以你的八股本领谄媚主子，欺骗社会，还要自鸣得意，便是你没有良心，你便不知耻了。

八股有三个显著的征象，一是玩弄文字，一是做官，一是与大众脱离关系。科举时代做的八股文，以及过去一切的文字玩意儿，当然都是玩弄文字的，我们现在都认为可笑，正如笑旧日女子裹脚一样。但我觉得对于文字格外有一种癖好，对于书本子格外有一种癖好，都是玩弄文字。清代读书人，聪明人，便是做这样没有生命的学问了。我说他们是没有生命的学问，从另外两个征象可以得到决定，即是，他们都是做官的，他们都是与大众脱离关系的。他们自己说他们是汉学的系统，其实汉学家的精神同他们不一样，像明末的顾炎武与清末的章太炎倒是真的汉学家了，所以顾炎武与章太炎都是最富有民族精神的。若清代的汉学家，熊十力先生气愤地说他们是汉奸。我最喜欢陶渊明说汉儒的话："洙泗辍微响，漂流逮狂秦，诗书复何罪，一朝成灰尘。区区诸老翁，为事诚殷勤。如何绝世下，六籍无一亲。"所谓区区诸老翁便是指了汉代的经生，他们是在秦火之后，才做那种殷勤的工作了。他们不是"为学问而学问"的。胡适之打起"为学问而学问"的口号，他常自夸在故纸堆中发现一个什么东西同科学家发明一个大恒星一样有价值。这真叫做无耻的话。他又大夸其科学方法，清代的汉学家都是科学方法！我常说，这一来可见中国没有科学了，中国只有文字了！什么叫做科学？什么叫做科学方法？科学重在科学的对象，除了自然与社会没有什么是科学的对象的。除了革命的精神是没有什么叫做科学方法的。科学方法必然是合乎实际的，实际必然是人群的。所以胡适之结果必然是属于政府的，结果是必然与大众脱离关系的。推而言之，凡属不以人群为对象的东西，一定都是玩物丧志，而其结果玩物丧志者一定做了统治阶级的玩具。如翁文灏之流，学的是科学，做的是官，都是很容易明白的事情，他们只是学的科目不同，并不是八股性质有异。从前科举时代，八股人才，还没有现在的知识阶级同大众脱离关系，因为八股人才还到乡下去做官，他们还没有到过纽约伦敦，现在则从外国留学回来，连乡下的官也不做了，一定是住在大都市里头了。从前是"秀才断手，举人断脚"，现在简直不知有土地，因为现在的知识阶级除了旅行游玩而外完全不知道中国乡村是怎么一回事了。这都是"为学问而学问"的结果。

"为学问而学问"，换句话说，求知识而已。古今中外的学问家，无论哲学家，无论科学家，无论宗教家，无论革命家，没有一个人不是知识丰富的，而没有一个人是求知识的。现在中国的大学课程，即是知识课程。话说得丑一点，知识课程，便等于商业广告，必然是贩卖性质。学校必要有工人性质，即是学习性质。从来没有一个工人是欺骗人的，只有商人欺骗人。工人便是知行合一。我很赞成共产党提出的“学习”的口号。新中国的教育必然是反八股的教育，是学习，不是抱着书本子；是为人民服务，不是做官。因为是学习，是为人民服务，那里还会与大众脱离关系呢？

最后我说一件事，三十五年我回北大，看见学生上课下课总不循着一条石灰砌的路走，而踏着草地走，因为循着石灰路走便要绕个半圆，踏着草地便是直路，其实本没有这条直路的。我看着这条由大众践踏草地而成的邪曲之路，心里很难过，何以大学生都像没有受过教育的人呢？我再一想，是的，大学课程里头，本没有“行不由径”这门功课。因此我在讲《论语》时，特别提出“行不由径”这章书来讲，孔子的学生以得着一个行不由径的人为得一个人才，可见人才之难，可见人才的意义了。最近我的侄子，他是北大外文系学生，加入南下工作团，在他们行了开学典礼之后回来告诉我道，“领导我们的人只住过小学校，他说得很有趣，他说他是一个小学生，现在来领导大学生，感得很光荣。”我的侄子很高兴，我看了他的高兴，也很高兴，我觉得他现在有了“学”的生气了。在以前我要告诉他“行不由径”，他或以为我迂腐，这是小学生的功课，卑卑不足道的。其实这便是新中国的教育。

把我的意思老实说出来，我是很赞成共产党的教育的，我们要把共产党训练党员的方法拿来办教育。更说老实些，共产党的教育方法便是孔子的教育方法，也便是中国古代的教育，即是政教合一，所以孔子的学生都是去从政的。现在的从政意义，莫过于与劳动大众联合在一起了。我只想提出两点供人民政府参考，一是师严然后道尊，学校里的师，是绝对道义的，先生与学生，同一般政府里官吏与人民的性质不同；二是兼容并包，即宗教是学问，不可本着常识以迷信斥之。

三十八年四月一日